MANDY BAGGOT

Winterzauber in den Hamptons

GOLDMANN

Mandy Baggot

Winterzauber in den Hamptons

Roman

Aus dem Englischen
von Sylvia Strasser

GOLDMANN

Die englische Originalausgabe erschien 2021 unter dem Titel
»Christmas by the Coast« bei Aria,
an imprint of Head of Zeus Ltd, London.

Penguin Random House Verlagsgruppe FSC® N001967

3. Auflage
Deutsche Erstveröffentlichung September 2022
Copyright © der Originalausgabe by Mandy Baggot, 2021
Published by Arrangement with HELLAS PRODUCTIONS LTD.
Copyright © der deutschsprachigen Ausgabe 2022
by Wilhelm Goldmann Verlag, München,
in der Penguin Random House Verlagsgruppe GmbH,
Neumarkter Str. 28, 81673 München
Dieses Werk wurde vermittelt durch die Literarische Agentur
Thomas Schlück GmbH, 30161 Hannover
Umschlaggestaltung: UNO Werbeagentur, München
Umschlagmotive: gettyimages/DenisTangneyJr, aoldman; FinePic®, München
Redaktion: Lisa Caroline Wolf
KS · Herstellung: ik
Satz: Buch-Werkstatt GmbH, Bad Aibling
Druck und Bindung: GGP Media GmbH, Pößneck
Printed in Germany
ISBN: 978-3-442-49348-7

www.goldmann-verlag.de

Für Mick
»Du musst dein Leben leben!«

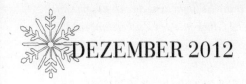

DEZEMBER 2012

Lieber Corporal Javier Gonzalez,

hoffentlich kommt dieses Geschenkpaket heil und recht-zeitig zu Weihnachten bei Ihnen an. Ich kann mir gar nicht vorstellen, wie das sein muss, Weihnachten so weit weg von der Familie zu feiern, mitten in der Wüste, wo man für Menschen kämpft, die einem fremd sind. Die Welt ist wirk-lich ein verrückter Ort.

Mein Großvater hat auch in der Infanterie gedient, und ich weiß, dass es ein paar Sachen gab, die er damals fast ge-nauso sehr vermisst hat wie meine Großmutter, und davon habe ich Ihnen etwas eingepackt. Vor allem das getrocknete Rindfleisch. Meine Großmutter hat mir einmal gesagt, dass, wenn sie seinen Heiratsantrag abgelehnt hätte, er sich ganz bestimmt eine Frau gesucht hätte, die in der Rindfleischin-dustrie arbeitet. Und ich glaube ihr aufs Wort.

Jedenfalls hoffe ich, dass Sie und Ihre Kameraden sich über die Süßigkeiten, die Socken (keine Tiermuster oder Disney-Figuren!) und die Spiele freuen. Ich habe mich entschieden für Uno (das kennt und mag jeder), Monopoly (wie es in Großbritannien, meiner Heimat, gespielt wird) und Texas Hold'em (das muss man nicht unbedingt um Geld spielen, Gummibärchen tun's auch).

Sie brauchen mir nicht auf meinen Brief zu antworten, das Päckchen ist als nette Geste gedacht zu Ehren meines Großvaters. Auf der Rückseite des Umschlags steht aber meine Adresse, nur für den Fall, dass Sie noch etwas brau-

chen sollten oder Ihnen die Süßigkeiten, die ich ausgewählt habe, nicht gefallen. Viel Glück mit den Zuckerstangen! Die sind nicht jedermanns Sache, aber man hat deutlich länger was davon als von Schokokugeln.

Frohe Weihnachten und ein gutes neues Jahr wünscht Ihnen

Joanna

KAPITEL
EINS

Bournemouth, Dorset
November

»Denk daran«, begann Iain. »Es kann unmöglich schlimmer sein als das an der Middleton Avenue.«

Die neunundzwanzigjährige Harriet Cookson sog die kalte, feuchte Luft tief in die Lungen, rückte ihre rote Wollmütze zurecht und steckte ein paar blonde Strähnen darunter. Sie und ihr Freund Iain standen vor einem kleinen Reihenhaus, das sie bisher nur von Fotos kannten. Sie erinnerte sich noch an den grässlichen Kieselputz. Auf der Versteigerung hatten sie sich buchstäblich in allerletzter Sekunde für den Kauf entschieden. Das Haus lag in einer guten Gegend an einer von Bäumen gesäumten Straße und nur zwanzig Gehminuten vom Zentrum entfernt. Die nahe gelegenen Schulen waren von offizieller Seite als »gut« eingestuft worden. Achten mussten sie allerdings auf die Energieeffizienzklasse des Gebäudes. Harriet hoffte, dass die Nachtspeicheröfen funktionierten und die Fenster nicht erneuert werden mussten. Die Kosten dafür würden den Profit drastisch schmälern.

Harriet schloss die Augen, wie sie es immer tat, streckte die Hände aus und berührte die Hauswand. Es fühlte sich sogar hässlich an, aber das spielte keine Rolle. Immerhin war das nicht ihr neues Zuhause, und das würde es auch nie werden.

»Und jetzt ... Tür auf!«, verkündete Iain so feierlich, als würde er ein Band durchtrennen und den Zugang zu einem Festplatz freigeben. Er legte Harriet die Hand aufs Kreuz und schob sie mit sanftem Druck vorwärts. Harriet sträubte sich ein wenig. Warum hatte es Iain so eilig? Er wusste doch, wie viel ihr dieser Augenblick bedeutete, vor allem dann, wenn sie ein Haus zum allerersten Mal betrat. Sie liebte dieses überwältigende *Wie konnten wir nur so eine Bruchbude kaufen*-Gefühl, in das sich sogleich ein aufgeregtes zweites mischte: *Ich sehe alle Schönheitsreparaturen schon genau vor mir, und diese gelb gekachelte Arbeitsfläche ist das Erste, was dran glauben muss!* Vorfreude erfüllte sie, als sie mit ihren Winterstiefeln auf den dünnen Teppichboden trat. Sie konnte sich von den Fotos genau daran erinnern. Die Grundfarbe war ein dunkles Orange mit so vielen Kringeln darin, dass einem schwindlig wurde vom bloßen Hingucken. Vielleicht ganz gut, dass sie die Augen noch geschlossen hatte. Ihr war sowieso schon ein bisschen schwummrig, weil sie nur ein paar Mince Pies zu Mittag gegessen und sich stattdessen durch ein Immobilienportal geklickt hatte. Dort war ihr ein kleines Cottage aufgefallen, das allerdings nicht so ganz in ihre Preisvorstellungen passte. Harriet war nicht sicher, ob die Gewinnspanne groß genug wäre, um Iains Interesse zu wecken. Aber es hatte definitiv Potenzial, und sie wusste, dass es ihr keine Ruhe lassen würde. Sie wurde immer ein bisschen hibbelig, wenn sie nicht genug Projekte an der Hand hatte. »Ohne Fleiß kein Preis«, sagte ihre Großmutter Lorna immer.

»Das Bad?«, fragte Iain. Eine Fingerspitze an ihrem Ellenbogen dirigierte er sie leicht nach links.

Harriet nickte. »Na klar!«

Das Bad kam immer als Erstes. Das gehörte zu ihrem Ritual. Weil das Bad meistens am schlimmsten aussah, begannen sie ihren Rundgang dort. Harriet, die Augen immer noch geschlossen, eine Hand auf dem Handlauf, stieg vorsichtig die Treppe hinauf. Iain ging dicht hinter ihr.

Sie erinnerte sich, dass das Bad in einem schaurigen Avocadogrün gehalten war. Als sie sich vor sechs Wochen, eine Stunde vor Versteigerungsbeginn, mit den Einzelheiten befasst hatte, war ihr aufgefallen, dass die auf Halbmast hängende Jalousie in Grün und Lila überwiegend aus Schimmel bestand. Es schien sich um einen halbherzigen Versuch des Eigentümers zu handeln, das Ganze ein wenig aufzupeppen, ehe alles wieder der Verwahrlosung überlassen worden war. Die Jalousie musste als Allererstes raus, bevor sich die Schimmelsporen weiter ausbreiteten. Einen verborgenen Schatz gab es im Bad allerdings auch, und das waren seine Fliesen. Sie sahen aus, als wären sie aus den gewaltigen Steinblöcken von Stonehenge gehauen worden. Der aktuelle Trend ging nicht zum absoluten Minimalismus in Weiß und nüchternen Formen, sondern hin zu farblichen Akzenten, »Love«- oder »Home«-Neonleuchten, künstlichen Pflanzen und Büchern, die kein Mensch je lesen würde. Harriet war gespannt, wie die Fliesen aussehen würden, wenn sie erst einmal gründlich geputzt worden wären. Normalerweise investierten sie in kleine Apartments oder Maisonettewohnungen für junge Berufstätige, aber bei diesem Haus mit seinen zwei Schlafzimmern und dem handtuchgroßen Garten auf der Rückseite hatte Harriet sofort an eine junge Familie gedacht.

»Fertig?«, fragte Iain. Harriet nickte. Sie wusste, dass sie jetzt vor dem putzigen, aber ausreichend großen Badezimmer standen. Ihre Anspannung wuchs. Sie konnte es kaum erwarten, einen Blick hineinzuwerfen, alles in sich aufzunehmen, voller Vorfreude auf die Verschönerungen, die sie durchführen würde. Nur wenn das Objekt jemandem gefiel, würde es sich für Iains und ihre Firma finanziell auszahlen.

»Achtung, los geht's!«

Sie riss die Augen auf, wie immer voller Sorge, weil sie fürchtete, dass sie sich mit dem Kauf vielleicht doch übernommen hätten. Doch dann haute es sie beinahe um.

Von Avocado keine Spur mehr. Stattdessen Badewanne, Waschtisch, Toilette in strahlendem Weiß, die Wasserhähne aus blitzendem Chrom. Die alte Jalousie war durch eine billige in Silbermetallic ersetzt worden. Statt der rustikalen Steinfliesen klebten jetzt die schlichten, glänzenden weißen an der Wand, die Iain bevorzugte. Harriet wusste nicht, was sie sagen sollte, deshalb sagte sie gar nichts. Sie stand da, blinzelte ein paarmal und fragte sich, ob sie wie Alice im Wunderland in das Kaninchenloch gefallen war.

»Du bist ja richtig geschockt!«, stellte Iain mit selbstgefälliger Miene fest. »Also wenn es dir wegen der paar kleinen Veränderungen schon die Sprache verschlägt, kann ich mir die Weihnachtsgeschenke dieses Jahr wohl sparen!«

Harriet wusste immer noch nicht, was sie sagen sollte. Wie war das möglich? Sie hatten die Schlüssel doch erst heute bekommen! Aber irgendjemand musste vorher schon Zugang zum Haus gehabt haben, anders waren die nagelneuen Sanitärinstallationen nicht zu erklären. Das gefiel ihr nicht. Das gefiel ihr ganz und gar nicht. Was sollte dieser Alleingang? Wieso hatte Iain das nicht mit ihr abgesprochen? Schön, dann würden sie eben jetzt darüber reden. Sie ging zu der Jalousie hinüber, die so billig war, dass nicht einmal sie sie für dieses Haus ausgesucht hätte, obwohl sie es doch schnellstmöglich wieder verkaufen würden. Sie legte einen Finger auf eine der Lamellen, die unter dem leichten Druck sofort nachgab. War sie womöglich wie diese Lamelle? Leicht manipulierbar? Manchmal überempfindlich? Zu nachgiebig? Sie schluckte und ärgerte sich, dass ihr Gehirn sie mit diesen Vergleichen überrumpelte.

»Wann hast du das alles denn gemacht, Iain?«, fragte Harriet und drehte sich zu ihm um. Hoffentlich würde er sie nicht anlügen. Obwohl sie seit zwei Jahren und fünf Monaten zusammen waren und sie seine Vorlieben und Abneigungen zu kennen glaubte, hatte sie manchmal den Eindruck, dass sie im Grunde kaum etwas über ihn wusste.

»Was?« Er vergrub seine Hände in den Manteltaschen und setzte ein Lächeln auf wie ein ungezogener Schuljunge, der versucht, seinen Charme spielen zu lassen. »Gefällt es dir nicht?« Er legte sich in gespielter Bestürzung eine Hand auf die Brust. »Erzähl mir bloß nicht, dass du dieses komische Grün gemocht hast! Das hat doch ausgesehen wie ... wie einer dieser grässlichen Drinks, die dein Dad in Spanien für uns gemixt hat und die einem das Hirn durchpusten.«

Schön, gelogen hatte er nicht, aber er wich ihr aus.

»Wann hast du das alles gemacht?«, fragte sie noch einmal. »Ich dachte, du hättest die Schlüssel heute erst bekommen.«

Iain lachte und wollte ihr die Hände auf die Schultern legen, ließ sie dann aber wieder sinken. »Freust du dich nicht über meine Überraschung?«

Früher hatte sie Überraschungen geliebt, aber das Leben hatte sie gelehrt, dass sie nicht immer nur schön waren. Manche brachen einem das Herz. Und heute war jede Abweichung von der Routine imstande, sie aus der Bahn zu werfen. Außerdem war Iain normalerweise nicht der Typ für Überraschungen. Jedenfalls nicht mehr seit der Geschichte mit den vegetarischen Quorn-Topinambur-Spießen, die sie sich hatten liefern lassen. Da hatten sie mehr gebetet als gegessen.

»Iain«, sagte Harriet seufzend. Das Ganze fühlte sich einfach falsch an. Jede Freude an dem Rundgang war ihr verdorben. Hatte er noch mehr Räume renoviert? Vielleicht schon eine neue Küche eingebaut? Warum wurmte sie das so? Das sollte schließlich kein Zuhause für sie beide werden, das war einfach nur ein Haus. Sie war doch sonst nicht so empfindlich. Warum also jetzt?

»Was?« Iain senkte den Kopf ein bisschen, damit er ihr ins Gesicht blicken konnte. »Freust du dich nicht?«, fragte er zum zweiten Mal. »Ich dachte, jetzt wo Weihnachten vor der Tür steht, wäre es sinnvoll, schon mal anzufangen. Oder willst du über die Feiertage in Dreck und Staub wühlen?«

Warum denn nicht? Sie konnte es nicht ausstehen, dass über die Festtage alle in den Ruhemodus schalteten. Sicher, sie freute sich auf all das köstliche Essen in der Weihnachtszeit, aber abgesehen davon war sie froh, wenn der Jahreswechsel und mit ihm neue Projekte anstanden.

Iain wartete nicht auf eine Antwort. Er legte seine Arme um sie, zog sie an sich, bis ihr Gesicht in seinen Tweedmantel gedrückt wurde, und tätschelte ihr den Rücken. Zu größeren Zärtlichkeitsbekundungen ließ er sich außerhalb ihres Schlafzimmers nicht hinreißen. Und doch spürte sie, wie der vertraute Duft seines teuren Rasierwassers ihre Sinne stimulierte und ihr Ärger verflog. Es hatte eine Zeit gegeben, da hatte Iain ein Lächeln auf ihr Gesicht gezaubert, als sie schon geglaubt hatte, nie wieder lächeln zu können. Das durfte sie niemals vergessen. Das war etwas, wofür sie wirklich dankbar sein musste.

»Mickey hatte letzte Woche ein paar Tage frei, und da dachte ich, warum nicht wenigstens dieses eine Zimmer schon mal renovieren«, fuhr Iain fort.

Letzte Woche? Mickey hatte Bescheid gewusst, bevor *sie* davon erfahren hatte? Harriet schob Iain energisch von sich. Er musste begreifen, dass es so nicht ging. Schließlich waren sie Partner, sie hatten eine geschäftliche *und* eine private Beziehung. Man konnte jemandem, der so großen Wert auf Ehrlichkeit und Offenheit legte, doch eine solche Information nicht vorenthalten!

»Jetzt komm schon«, sagte Iain. »Ich wollte dir eine Freude machen, und du tust, als ob ...«

»Als ob was?« Harriet spürte, wie die Wut wieder in ihr hochkochte. Sie fühlte sich immer noch wie diese billige Jalousie, die Iain mit seinem großen, dicken Finger anstupste.

»Als ob ich Mist gebaut hätte«, beendete er den Satz.

Der Blick, mit dem er sie bedachte, war normalerweise Situationen vorbehalten, in denen er tatsächlich Mist gebaut hatte. Als er zum Beispiel ihr Auto zu Schrott gefahren und behauptet hatte, daran sei nur der Lufterfrischer am Innenspiegel schuld gewesen, weil er ihm die Sicht genommen habe. Aber vielleicht sah sie das zu eng. So wichtig war dieses Haus nun wirklich nicht. Es handelte sich um eine Investition, mit der sie Geld verdienen wollten, mehr nicht. Es war ja nicht so, als ob Iain in die Wohnung marschiert wäre, die sie sich mit ihrer besten Freundin Jude teilte, das Bad herausgerissen und die ganze Sanitärausstattung durch Billigprodukte ersetzt hätte. Die meisten potenziellen Hauskäufer achteten auf klare Linien und neutrale Ausstattung. Die Qualität spielte nur eine untergeordnete Rolle, solange sie im Geist schon gemütliche Sofas, Deko in Rosa und Gold und einen Platz für ihre Familienfotos vor sich sehen konnten. Und was nicht passte, wurde eben passend gemacht. Gut möglich, dass sie sich ganz umsonst ärgerte und nur ihre Energie vergeudete. Außerdem neigte

Iain dazu, nach jeder kleinen Meinungsverschiedenheit tagelang zu schmollen ...

»Entschuldige«, sagte Harriet und seufzte leise. »Ist schon in Ordnung. Ich habe einfach nicht damit gerechnet, das ist alles.« Sie lächelte gezwungen.

»Puh!« Iain tat, als würde er sich den Schweiß von der Stirn wischen. »Ich dachte schon, ich würde Mickey bitten müssen, das Bad in dieses grässliche grüne Ding zurückzuverwandeln.«

Wieder lächelte sie, wusste aber nicht so recht, was sie sagen sollte. Es wurmte sie immer noch, dass Iain sie vor vollendete Tatsachen gestellt hatte. Schließlich betraf diese Entscheidung sie genauso sehr wie ihn. Aber der Deal war unter Dach und Fach, und das war schließlich die Hauptsache. In ein paar Monaten würde das Haus wieder zum Kauf angeboten werden, und mit ein bisschen Glück würden sie einen ordentlichen Gewinn einstreichen können.

»Komm«, sagte Iain und drehte sie Richtung Tür. »Lass uns einen Blick in die Küche werfen. Mickey sagt, sein Lieferant hätte was für uns, ein Auslaufmodell mit allen Elektrogeräten.«

»Na dann los«, erwiderte Harriet.

»Das ist die richtige Einstellung!«

Sie schaute flüchtig in Richtung Jalousie und sah, wie sie sich im schwachen Luftzug von Iains Atem bewegte.

KAPITEL
ZWEI

The Potter's Heron, Ampfield, Hampshire

Es war noch nicht einmal Dezember, und Harriet hatte bereits eine weihnachtliche Speisekarte in die Hand gedrückt bekommen. Aber für Truthahn war es eigentlich nie zu früh. Ein in Butter geschwenkter Vogel, der samt Füllung in einer dicken Soße schwamm, dazu Karotten, Brokkoli, Rosenkohl und Bratkartoffeln, die außen knusprig und innen schön cremig waren – das war für sie das Feiertagshighlight schlechthin. Sogar Iain machte an Weihnachten eine Ausnahme und aß Truthahn. Als Harriets Blick jetzt über die Wörter »Würstchen im Schlafrock« huschte, lief ihr das Wasser im Mund zusammen, und sie fuhr sich mit der Zunge über die Lippen.

»Ich glaube, ich nehme einen Salat.«

Die Worte ihres Vaters wirkten wie eine kalte Dusche auf sie. »Ist das dein Ernst? Willst du bei der Kälte nicht lieber was Herzhaftes essen, Dad?« Während ihr Vater von seinen zahlreichen Spanienaufenthalten immer eine rosig gesunde Gesichtsfarbe mitbrachte, schien sie in England ausschließlich zwischen diversen Grautönen zu wechseln. Heute sah er auffallend aschfahl aus, und sein schulterlanges Haar wirkte eine Spur silberner als sonst.

»Der Salat ist doch etwas Herzhaftes«, erwiderte Ralph. »Da sind Feigen drin und Halloumi.« Er rieb sich die Hände und streckte sie dann, die Handflächen nach außen, nach rechts. »Außerdem sitzen wir direkt am Feuer.«

Da hatte er allerdings recht. In dem eisernen Ofen unter dem wuchtigen hölzernen Kaminsims, der mit klobigem türkisfarbenem Flitterkram und einer Lichterkette dekoriert war, prasselte ein wärmendes Feuer. Trotzdem sah ihr Dad aus, als müsste er aufgepäppelt werden. Er hatte immer schon allergrößten Wert auf eine gesunde Lebensweise gelegt, aber Harriet wünschte, er würde sich wenigstens gelegentlich etwas anderes gönnen als Alfalfasprossen und Hanfsamen. Ihre Eltern hatten sich scheiden lassen, als sie siebzehn gewesen war, und manchmal fragte sie sich, ob hinter dem Gesundheitswahn ihres Vaters und seinem leidenschaftlichen Eintreten für eine vegetarische Ernährung nicht etwas ganz anderes steckte. Vielleicht ging es ihm genau wie ihr, vielleicht brauchte auch er etwas, auf das er seine Energie konzentrieren konnte, um sich von dem Aufruhr in seinem Inneren abzulenken.

»Schön, ich jedenfalls nehme den Truthahn«, sagte Harriet. »Wollen wir bestellen?«

»Noch nicht, Schatz.« Ralph legte seine Hand auf ihre, bevor sie der Bedienung winken konnte. »Wir warten noch auf jemanden.«

Was? Auf wen denn? Iain? Harriet schluckte schwer. Hatte ihr Magen sich gerade noch auf gebratenen Truthahn gefreut, flatterte er jetzt vor Nervosität. Iain sollte jetzt eigentlich in Fareham sein, um sich eine Immobilie anzusehen. Zwar hatte er gestern Abend bei einer Flasche Shiraz und einer gedünsteten Brachse vorgeschlagen, die geschäftlichen Aktivitäten über die Feiertage ruhen zu lassen, doch dann hatte Harriet, die nicht schlafen konnte, um vier Uhr früh diese Wohnung entdeckt. Mit dem atemberaubenden Blick auf den Fluss war sie ein wahres Schmuckstück. Hätte sie nicht diese Verabredung mit ihrem Dad gehabt, wäre Harriet selbst hingefahren. Sie wollte ihn gerade fragen, auf wen sie denn warteten, als jemand an ihren Tisch trat und sich die Frage erübrigte.

»Bevor ihr etwas sagt – ich kann nichts dafür«, verkündete Marnie Cookson. Sie wickelte sich das Tuch mit dem Leopardenmuster vom Hals und schlüpfte auf den Platz neben Harriet. »Allein dieser Taxifahrer ist schuld daran, dass ich zu spät komme.« Sie seufzte ärgerlich. »Ich habe ihm klipp und klar zu verstehen gegeben, dass ich nicht an einer Unterhaltung interessiert bin, aber er musste mir unbedingt in allen Einzelheiten von seinem Familienleben, seinen sechs Kindern und ihren Rollen in der Weihnachtsschulaufführung berichten.« Sie beugte sich lächelnd zu Harriet. »Hallo, mein Engel.« Dann setzte sie sich wieder gerade hin und nickte Ralph zu. »Ralph. Du siehst so normal aus. Schön, dass du mal nicht dieses komische Hemd anhast.«

»Danke, Marnie«, erwiderte Ralph lächelnd. »Dieses ›komische Hemd‹ nennt man übrigens Kurti, wie du weißt.«

Irgendetwas stimmte hier nicht. Ihre Eltern hassten einander zwar nicht, trafen sich aber normalerweise auch nicht in einem Restaurant zu einem zwanglosen Mittagessen. Und die Bemerkung ihrer Mutter war bei aller Bissigkeit verhältnismäßig harmlos gewesen. Außerdem konnte sich Harriet nicht erinnern, wann ihre Mum sich das letzte Mal tagsüber von ihrem Fernseher losgeeist hatte. Und sie hatte sich schick gemacht: Sie trug einen klassischen braunen A-Linie-Kunstlederrock und einen schwarzen Rollkragenpulli. Ihre Haare waren allem Anschein nach mit dem Lockenstab bearbeitet worden. In ihren schlichten schwarzen Jeans und dem hellgrauen Pulli kam sich Harriet vor wie ein Kind, das vergessen hat, dass heute keine Schuluniform getragen wird.

»Was machst du denn hier, Mum?«, fragte sie, als Marnie nach der Karte griff und mit dem Finger die Auswahl entlangfuhr.

»Oooh, Lachs! Da sag ich nicht Nein! Du lädst uns ein, nicht wahr, Ralph?«

»Das hab ich doch gesagt«, bestätigte er.

»Du nimmst mit Sicherheit irgendwas Breiiges, stimmt's?«, gackerte Marnie. »Das ungefähr so viele Kalorien hat wie eine Rübe.«

Harriet beschloss, dieser merkwürdigen Konversation ein Ende zu bereiten. »Mum. Dad. Was ist eigentlich los? Warum seid ihr beide hier und geht so verdächtig höflich miteinander um?«

»Wir sollten erst mal bestellen«, sagte Marnie und ruckte mit dem Kopf auf und ab und hin und her wie ein verrückter Straußenvogel, um die Bedienung auf sich aufmerksam zu machen. »Ihr wisst doch, wie es um diese Zeit in manchen Restaurants zugeht. Entweder sie können es kaum erwarten, dass man gegessen hat und der Tisch wieder frei wird, oder man muss stundenlang warten, weil der Koch etwas anbrennen lässt oder ihm die Yorkshire Puddings missraten sind.«

»Das ist mein Stammlokal, Marnie«, entgegnete Ralph steif. »Es ist immer sehr nett hier. Und Harriet gefällt es auch.« Dann begann er, die Kopfbewegungen seiner Exfrau nachzuahmen, als ob er sich auf diese Weise mit ihr unterhalten würde.

»Dein Stammlokal? Ja, vielleicht wenn du dich ausnahmsweise mal nicht am Viñuela-Stausee herumtreibst«, knurrte Marnie.

Harriet lehnte sich zurück und verschränkte die Arme auf der Brust. »Ich werde erst etwas bestellen, wenn ihr mir gesagt habt, was es mit diesem Essen auf sich hat.« Sie sah ihren Dad an. »Ich dachte, das wäre unser monatliches Treffen und du würdest mir mitteilen, dass du Weihnachten wieder in Spanien verbringst. Was völlig in Ordnung wäre, schließlich bin ich kein Kind mehr, für das du den Weihnachtsmann spielen musst.« Zumal Weihnachten ein Tag wie jeder andere war, bloß mit mehr Pastete, Prosecco und Partyknallern. Sie und Iain hatten zwar noch keine Pläne gemacht, aber sie vermutete, dass sie genau wie letztes Jahr am Morgen seine Eltern besuchen und abends vor dem Fernseher Truthahn futtern würden. Spätestens am zweiten Weihnachtstag würde sie sich wieder in die Arbeit stürzen und überprüfen, ob ihre Kontakte beim Makler irgendwelche Winterschnäppchen hereinbekommen hatten oder die Vermarktung ihrer bereits renovierten Objekte vorbereiten.

»Na ja«, begann Ralph und wirkte auf einmal leicht angeschlagen, »es geht schon um Spanien, aber nicht nur. Da ist noch etwas anderes …«

Jetzt fing Harriet an, sich Sorgen zu machen, zumal ihr Vater es tunlichst vermied, sie anzusehen. Sein Blick schweifte zu dem großen Schneemann in der Ecke hinüber, zum offenen Feuer, zu der Speisekarte, von der er sich längst etwas ausgesucht hatte – überallhin, nur nicht zu ihr. Die Sache war ernst. Ein mulmiges Gefühl beschlich sie.

Ihr Dad griff sich mit beiden Händen ins Haar und holte tief Luft. »Okay«, sagte er, schien selbst aber keineswegs okay zu sein. Seine Hände zitterten ein wenig. Sogar Marnie war die Lust zu schnippischen Bemerkungen ganz offensichtlich vergangen.

Jetzt ergriff sie Harriets Hand und hielt sie fest. »Dein Dad hat … eine Nachricht bekommen, mein Engel. Und er hat mich gebeten, dabei zu sein, wenn er dir davon erzählt.«

»Eine Nachricht? Was für eine Nachricht?«

Harriet hatte das Gefühl, dass alle ihre Emotionen abrupt zum Stillstand kamen, als ob sie in ein Fass Sirup gekippt worden wären und jetzt in der klebrigen Masse feststeckten. So, wie ihre Eltern sich benahmen, konnte es sich eigentlich nur um etwas Schlimmes handeln. Ihr Dad vermied es immer noch, sie anzusehen. Und sie hatte sich doch tatsächlich über seine Menüauswahl aufgeregt und bei dem Gedanken an Würstchen im Schlafrock vor Vorfreude regelrecht gesabbert!

»Nun sagt doch!«, stieß Harriet gepresst hervor. Ihre Mum hielt immer noch ihre Hand umklammert. »Spannt mich doch nicht so auf die Folter!« Einerseits wollte sie augenblicklich wissen, was los war, andererseits hätte sie sich am liebsten zwischen dem Stapel Kaminholz versteckt, damit sie nie, nie erfahren musste, was das für Neuigkeiten waren.

Ralph räusperte sich, als ob er gleich eine Rede halten wollte. Harriet hielt unwillkürlich die Luft an.

»Ich weiß nicht, wie ich dir das sagen soll«, begann Ralph mit brüchiger Stimme. »Meine ... also deine Großmutter ... Lorna ... sie ist gestern gestorben.«

Das Leben kam zum Stillstand, während die Worte ihres Vaters auf sie niederprasselten wie golfballgroße Hagelkörner, die schmerzhafte, brennende Rötungen auf ihrer Haut hinterließen. »Was? A... aber ... das kann doch nicht sein!« Tränen liefen ihr übers Gesicht. »Ich hab doch letzte Woche noch mit ihr gesprochen! Das ist unmöglich! Sie kann nicht ...«

»Schon gut, mein Engel, du kannst ruhig weinen, wenn du möchtest.« Marnie ließ ihre Hand los und tätschelte ihr stattdessen den Handrücken mit der Regelmäßigkeit eines Metronoms.

Du kannst ruhig weinen, wenn du möchtest? Ihre Tränen brauchten keine Erlaubnis! Harriet konnte nur mit größter

Mühe ein lautes Schluchzen unterdrücken. Das Atmen fiel ihr schwer, der Schock durchlief sie, und es kam ihr so vor, als würden die Wände näher rücken. Die weihnachtlichen Jazzmelodien dröhnten auf einmal in ihren Ohren, während das Gelächter der übrigen Gäste in den Hintergrund gedrängt wurde, und ihr Herz hämmerte heftig. Ihre Nana Lorna. Ihre süße, reizende, starke Großmutter mit den weißen Haaren wie fluffige Zuckerwatte und den grellbunten, riesigen Ohrringen. Harriet konnte sie lachen hören, laut und kehlig und schalkhaft. Und wie sie mit sanfter Stimme ihre ganz persönlichen Weisheiten zum Besten gab. Der liebliche Duft ihres Gesichtspuders ... Sie konnte nicht tot sein. Ausgeschlossen.

»Es ist bestimmt schnell gegangen«, sagte Marnie. »Ich meine, niemand hat damit gerechnet, oder? Sie war doch nicht krank, Ralph?«

»Ich weiß es nicht«, gestand er und senkte den Blick. »Madame Scarlet hat nichts gesagt.«

»Sie war nicht krank«, fauchte Harriet ihre Mutter an. »Ich telefoniere jede Woche mit ihr.«

Telefonierte. Wie merkwürdig sich das anhörte. So furchtbar falsch. »Weiß man, woran sie gestorben ist?«

Der ausgelassene Lärm der Gäste zerrte an ihren Nerven. »Fitte, gesunde Menschen sterben nicht einfach so.« Und ihre Nana war definitiv fit und gesund. Lorna hatte nie geraucht. Gelegentlich gönnte sie sich ein Gläschen Rum, und sie naschte gern, aber deswegen starb man doch nicht. Harriet blinzelte die Tränen zurück, als sie an ihre gemeinsamen Strandspaziergänge dachte, die sie fast jeden Sommer unternommen hatten, solange sie zurückdenken konnte. Manchmal hatte der Wind ihnen den Sand so heftig ins Gesicht geblasen, als ob Mutter Natur ihnen ein Peeling verpassen wollte. Wieder zu Hause, hatten sie sich mit cremiger heißer Schokolade und S'Mores gestärkt.

»Sie war sehr alt, mein Engel«, sagte Marnie, die immer noch die Hand ihrer Tochter tätschelte.

»So alt auch wieder nicht«, gab Harriet zurück und wischte sich die Tränen von den Wangen. »Und warum erfahre ich erst heute davon? Warum habt ihr mich nicht gleich gestern angerufen und es mir gesagt? Warum hat Madame Scarlet mich nicht angerufen?«

»Sie hat versucht, dich zu erreichen«, antwortete Ralph. »Und ich *habe* gestern angerufen. Ich habe mit Iain gesprochen. Er hat erzählt, dass ihr euch ein neu erworbenes Haus anschauen wollt, und das wollte ich euch nicht verderben, deshalb …«

»Dad, ich weiß, dass ihr nicht miteinander auskommt, aber es geht um meine Großmutter«, fiel Harriet ihm scharf ins Wort. »Nana ist mir doch tausendmal wichtiger als irgendein blödes Haus mit Kieselputz!« Die Stimme versagte ihr, als sie die ganze Tragweite dieser schrecklichen Nachricht zu erfassen begann. Sie riss ihre Hand zurück, weil sie das Getätschel ihrer Mutter nervte, und strich sich die Haare hinter die Ohren. Dieser verdammte Iain! Warum hatte er ihr verschwiegen, dass ihr Dad angerufen hatte? Hatte er es bloß vergessen? Oder gedacht, es sei unwichtig? Das erinnerte sie an die Sache mit dem neuen Bad, die er auch über ihren Kopf hinweg entschieden hatte.

»Lorna hätte bestimmt nicht gewollt, dass du dir die ganze Nacht die Augen aus dem Kopf weinst und auf etwas verzichtest, das dir Freude macht«, sagte Marnie und griff wieder nach der Speisekarte. »Kauft ihr diesmal ein richtiges Haus? Eins für euch beide, damit ihr endlich zusammenziehen könnt?«

Woher wollte ihr Mum denn wissen, was Lorna gewollt hätte? Sie kannte ihre Nana und ihren Grandpa doch kaum. Und auch ihr Dad hatte zu seinen Eltern keinen Kontakt mehr. Auf Harriets Fragen dazu hatte er immer nur ausweichend geantwortet. Von ihren Großeltern erfuhr sie genauso wenig. Sie wusste nur, dass ihr Dad als ganz junger Mann sein Elternhaus in Montauk verlassen hatte und nie wieder dorthin zurückgekehrt war. Irgendwann hatte Harriet aufgehört, Fragen zu stellen. Sie war einfach nur dankbar, dass sie den Sommer immer mit zwei ganz wundervollen Menschen verbringen durfte. Jetzt schüttelte sie den Kopf, um ihre Gedanken zu ordnen. Wie würde es weitergehen? Sie musste es wissen, damit sie planen konnte. Sie sah ihren Dad an. Was auch gewesen sein mochte, Lorna war seine Mutter. Und er war das einzige Kind. Harriet dachte an ihren Großvater. Es brach ihr fast das Herz. Grandpa Joe hatte alles, wirklich alles seine Frau regeln lassen. Was würde er ohne seine Seelenverwandte anfangen? Ganz allein. Tausende Meilen entfernt.

»Hast du schon einen Flug gebucht?«, fragte Harriet. Falls nicht, würde sie sich darum kümmern. Das half in Zeiten wie diesen. Organisieren, die Dinge nach und nach abarbeiten und … noch ein Haus kaufen – oder auch drei.

Ralph sah sie an. »Nach Spanien?«

»Nein, doch nicht nach Spanien! Nach Montauk! Zu Grandpa.« Harriet griff nach ihrem Wasserglas und nahm einen Schluck. »Er ist bestimmt am Boden zerstört. Nana hat doch alles gemanagt. Er hat garantiert keine Ahnung, was er zuerst machen soll, allein schon wegen … wegen der Beerdigung.« Ihre Stimme brach bei diesem letzten Wort. Wie unwirklich sich das anfühlte. Wie unvorstellbar. Die funkelnde Weihnachtsdekoration über dem Holzofen wirkte unpassend fröhlich und grell. Lorna war immer so vital, so energiegeladen und lebensfroh gewesen. Alter hin oder her, Harriet hätte nie gedacht, dass ihre hell flackernde Lebensflamme ohne Vorwarnung ausgelöscht werden könnte.

»Na ja«, sagte Ralph zögernd. »Du weißt selbst, dass unser Verhältnis nicht gerade einfach ist, und deshalb …« Er räusperte sich und fuhr dann mit festerer Stimme fort: »Ehrlich gesagt, leite ich nächste Woche ein Retreat zur Aurareinigung mit zehn Personen in Andalusien.«

»Was? Du willst nicht zu deinem Vater? Ihm nicht beistehen? Nicht zur Beerdigung deiner Mutter gehen?« Die Worte blieben Harriet im Hals stecken, als ob sie mit klebrigem Weihnachtspudding überzogen wären, in dem zu viele große Nüsse steckten. Was auch immer vorgefallen sein mochte, spätestens jetzt mussten sie doch einen Schlussstrich unter die Vergangenheit ziehen. Sie konnte es einfach nicht fassen.

»Harriet, du weißt doch, dass die Beziehung zwischen deinem Dad und seinen Eltern schwierig war«, mischte sich Marnie ein.

Harriet wusste nur, dass es nie gemeinsame Besuche gegeben hatte. Sie war immer allein zu den Großeltern geflogen. Dennoch waren sie eine *Familie*. Erinnerungen spulten sich vor ihrem inneren Auge ab: wunderschöne Sommertage in der Tiki-Bar ihrer Großeltern am Strand in den Hamptons, Angelausflüge aufs Meer hinaus, ohne Sattel am Wasser entlangreiten, erwachsen werden. Nana Lorna und Grandpa Joe hatten sie immer mit so viel Liebe überschüttet, dass sie bei der Landung in New York jedes Mal das Gefühl hatte, nie fort gewesen zu sein. Eine Gruppe Hippies auf der Suche nach einem Neustart für Körper und Geist wäre für *sie* kein Grund, die Reise über den Atlantik nicht anzutreten. Nana

Lorna war tot, und Grandpa Joe würde jemanden brauchen. Genauer gesagt, er würde *sie* brauchen.

»Das verstehst du doch, nicht wahr?«, fragte Ralph.

»Nein«, entgegnete Harriet mit harter Stimme. »Das verstehe ich absolut nicht. Ich hab's nie verstanden.«

»Harriet …«

Sie stand auf. »Bemüh dich nicht.«

Marnie seufzte. »Schrecklich, wenn jemand so kurz vor Weihnachten stirbt. Das wirft alles aus der Bahn.«

Auf dem Weg zu den Toiletten, begleitet von Kylies Version von »Santa Baby«, beschloss Harriet, auf direktem Weg nach Hause zu fahren und einen Flug zu buchen.

KAPITEL
DREI

Anglewood Mansions, Westbourne Close, Bournemouth
Drei Tage später

Harriet fuhr sich mit der Zungenspitze über die Lippen und drehte den Kopf auf dem Kissen in die andere Richtung. Von irgendwoher hörte sie die Musik von Carly Rae Jepsen. Es schien heiß und staubig zu sein, die Luft flirrte vor Hitze, Sandkörnchen wirbelten durch ihr Blickfeld, es roch nach Segeltuch, Gummi und Schweiß. Überall Tarnfarben. Und dann ... diese grünen Augen.

Sie waren nicht smaragdgrün, wie sie es so oft in Liebesromanen gelesen hatte, sondern moosgrün. Die gedämpfte Farbe erinnerte sie an Weingummi und verschlug ihr regelrecht den Atem.

Seine Haare. Die konnte sie jetzt auch sehen. Kurz und lockig und fast kastanienbraun, aber irgendwie auch rötlich blond. An den Seiten waren sie rasiert. Harriet lächelte und wand sich ein bisschen, als ein Glücksgefühl sie durchströmte. Sie hatte noch lange nicht genug. Da war noch mehr.

Sein Lächeln. Das gefiel ihr noch besser als seine Augen. Es war einfach vollkommen. Als er ihr zugelächelt hatte, war ihm ihr Herz förmlich zugeflogen. Sie hatte den Blick nicht abwenden können, während er sprach. Sein amerikanischer Akzent hatte das Verlangen geweckt, ihn an sich zu ziehen, bis sie seine Lippen auf ihren spürte ...

»Harriet! Aufwachen! Hör mit diesem Pornogestöhne auf!«

Harriet schreckte hoch, riss die Augen auf, spürte den Stoff des Sofas unter ihren Händen, stellte fest, dass sie nicht an einem heißen, sandigen, schmutzigen Ort war. »Jude, Himmel noch mal, hast du mich erschreckt!«

Ihre Mitbewohnerin stand über ihr, in der Hand eine Packung After Eight. »Von Iain hast du jedenfalls nicht geträumt«, sagte sie und schob sich eines der dünnen Schokotäfelchen in den Mund.

»Ich habe von gar niemandem geträumt«, schwindelte Harriet. Als sie sich aufsetzte, flatterten die Blätter, die ihr beim Einnicken auf den Bauch gefallen waren, zu Boden. Sie sammelte sie wieder ein und betrachtete sie naserümpfend. Warum hatte sie das Exposé des Bungalows in Surrey Gardens bloß in Farbe ausgedruckt? Das Dach sah aus, als müsste es erneuert werden, und ihre Käuferzielgruppe, die Millennials, hätten sicher keine Ahnung, was das für Pflanzen waren, die da in dem großen Garten wuchsen.

Jude setzte sich zu Harriet aufs Sofa, warf die dunklen Haare nach hinten, schlug die jeansbekleideten Beine übereinander und stellte die Packung After Eight auf dem Knie ab. »Erzähl mir nichts! Du hast wieder von deinem Soldaten geträumt, deinem Soldier Boy. Das erkenne ich an den lustvollen Geräuschen, die du von dir gibst. Wenn Iain hier übernachtet, höre ich immer nur ihn, wenn er einen Videocall hat: ›Kannst du mich jetzt hören?‹ oder mein absoluter Lieblingssatz: ›Du hast auf stumm geschaltet, Dave! Dave, Junge, du hast auf stumm geschaltet!‹« Sie lachte. »Was für ein Trottel!«

»Iain ist kein Trottel. Und außerdem, wer sagt denn heutzutage noch Trottel?«

»Du weißt doch, dass ich altmodische Schimpfwörter mag.«

»Und *ich* mag es nicht, wenn du dich über meinen Freund lustig machst oder Kommentare über die Geräusche abgibst, die ich im Schlaf von mir gebe.« Harriet hatte es augenblicklich bereut, als sie Jude in einem schwachen Moment – ausgelöst durch eine Flasche Baileys – von dem Mann erzählt hatte, der sie in ihren Träumen verfolgte. Jude hatte ein unglaubliches Gedächtnis, doch für Harriet gehörte dieser Teil ihres Lebens definitiv der Vergangenheit an.

»Da«, sagte Jude, bückte sich und hob einen Zettel auf. »Was ist das? Reisedaten? Für einen Flug morgen?«

»Hab ich dir doch erzählt«, sagte Harriet und nahm ihr das Stück Papier ab. »Vergiss bitte nicht, die Blumen zu gießen, und falls jemand wegen was Geschäftlichem anruft, soll er es auf meinem oder Iains Handy versuchen. Ich habe dir die Nummern aufgeschrieben, falls du dein Telefon wieder verlierst.«

»Ich hab nicht gedacht, dass es dir ernst damit ist«, erwiderte Jude und biss in ein zweites Pfefferminztäfelchen.

»Meine Großmutter ist gestorben, Jude.«

War das nicht Grund genug, ihren Großvater zu besuchen? Es war schwierig gewesen, mit ihm zu telefonieren. Grandpa Joe war so gut wie taub. Schon bei ihrem letzten Besuch vor ungefähr drei Jahren hatte er praktisch jedes Wort von den Lippen ablesen müssen. Dieses Mal allerdings hatte Harriet die meiste Zeit zugehört. Noch hatte sie keine Antwort auf die Frage nach der Todesursache. Ihre Nana wurde obduziert, und erst danach gab man ihren Leichnam zur Beerdigung frei. Das war zwar kein schöner Gedanke, aber wenigstens würde sie dank dieser Verzögerung an der Beerdigung teilnehmen können. Und so hatte sie für morgen früh einen Flug nach New York JFK gebucht. Von dort ging es mit dem Auto weiter, fast drei Stunden lang. Bei Temperaturen knapp über dem Gefrierpunkt war die Fahrt eine Herausforderung, aber die einzige Alternative wäre ein teures Taxi. Harriet versuchte, das Ganze von der positiven Seite zu sehen: Sie war noch nie im Winter in den Hamptons gewesen. Es wäre sicher schön, die Gegend einmal auf diese Weise kennenzulernen. Wenn sie langsam fahren musste, würde sie wenigstens die Landschaft genießen können. Und es war atemberaubend schön dort. Vom Großstadttreiben des Big Apple mit seinen Glas- und Stahlgiganten führte die Straße zum Shinnecock Canal, wo sich die Boote, Restaurants und Cafés aneinanderreihten. Für die meisten Menschen begannen die Hamptons dort, an diesem Kanal.

»Dann hast du es also wirklich ernst gemeint. Sorry. Ich dachte, das wäre nur so dahingesagt.«

Harriet schüttelte den Kopf. »Nein, ich werde hinfliegen.« Von Kummer und Trauer überwältigt, stieß sie einen tiefen Seufzer aus.

»Verdammter Mist. Tut mir echt leid.« Nach einer Pause fügte Jude hinzu: »Alles in Ordnung, Süße?«

Harriet lächelte. Mitgefühl war nicht unbedingt Judes Stärke, aber immerhin war sie immer ehrlich. Die beste Eigenschaft, die man sich bei einer Freundin und Mitbewohnerin wünschen konnte! Die Wohnung teilten sie sich jetzt seit zwei Jahren. Kennengelernt hatten sie sich auf einer grässlichen Modeparty, zu der ihre Mutter sie mitgeschleppt hatte. Normalerweise unternahm Harriet nichts mit Marnie gemeinsam – ihr reichte es, dass sie bei ihr wohnen musste –, aber hin und wieder plagte sie das schlechte Gewissen, sodass sie sich dazu bereit erklärte, sie zu begleiten.

Die Mode, die dort präsentiert wurde, passte zu Marnie und ihren Freundinnen: Kunstlederhosen und gestreifte Tuniken, die perfekt in die Achtzigerjahre gepasst hätten, eng sitzende Businesskostüme, die nach Harriets Ansicht niemandem standen, und jede Menge körperbetonte Strick-sachen. Jude war mit einer Freundin aus ihrer Do-it-your-self-Gruppe gekommen und hatte jedes Kleidungsstück geringschätzig gemustert. Bei Snacks, die genauso altmodisch waren wie die Kleider – Ananas-Käse-Spieße, Krabbencra-cker, Gemüsesticks mit Mayonnaisedip –, waren Jude und Harriet ins Gespräch gekommen. Diese erste Unterhaltung über die grauenvolle Mode hatte den Grundstein für ihre Freundschaft gelegt. Als Judes Mitbewohnerin drei Jahre später ihr Zimmer kündigte, ergriff Harriet die Gelegenheit und zog bei ihrer Freundin ein. Mit siebenundzwanzig Jah-ren stand sie endlich auf eigenen Beinen.

»Aber warte mal«, sagte Jude jetzt und zeigte mit dem Finger auf Harriet, »hast du nicht gesagt, du hättest nur dank deiner Großmutter in deine erste Immobilie investie-ren können? Weil du geerbt hast?« Sie nickte, als hätte sie ihre Freundin bei einer Lüge ertappt.

Harriet seufzte. »Das war meine andere Großmutter. Die, die ich nie kennengelernt habe.« Dass ihre Großmutter Gra-cie sie als Erbin eingesetzt hatte, nahm ihre Mutter ihr bis heute übel. Wenn Marnie vor dem Fernseher zu viele Gins gekippt hatte, und es rief dann zufällig jemand an, machte sie ihrem Ärger darüber, dass sie übergangen worden war und neben dem örtlichen Bingoverein Harriet alles geerbt hatte, ordentlich Luft. Sie hatte ihrer Mutter angeboten, das Erbe an sie abzutreten, doch das hatte Marnie mit dem Hinweis, sie habe es nicht nötig, Almosen anzunehmen, strikt abge-lehnt. Außerdem war sie nach ihrer Scheidung finanziell gut abgesichert. Sie besaß eine eigene Wohnung, den größten Fernseher, den Sony je hergestellt hatte, und jede Menge sündhaft teure Haarpflegeprodukte.

»Aber die hier, also die, die du kanntest, lebte in den USA?«, fragte Jude.

Harriet nickte. Plötzlich wurde ihr bewusst, dass sie ihrer Freundin nie von ihren Verwandten erzählt hatte. Wieso eigentlich nicht? Schuldgefühle packten sie. Es war, als hätte sie sie aus einem Teil ihres Lebens verbannt, nicht viel anders als ihr Dad. »Montauk in den Hamptons. An der Spitze von Long Island.«

»New York?«

Mit New York meinte Jude die USA. Das war für sie das Gleiche. Harriet war überzeugt, dass ihre Freundin dachte, die Vereinigten Staaten seien etwa so groß wie die Isle of Man und enthielten im Wesentlichen eine schmutzige Blues-Bar, einen rund um die Uhr geöffneten Imbiss und einen Hotdog-Stand neben dem Empire State Building. Letzteres stimmte allerdings sogar.

»Es gehört zum Staat New York, ja«, erwiderte Harriet.

»Cool. Gelbe Taxis und Essiggurken am Times Square.«

»Na ja, eigentlich eher Sandstrände, coole Restaurants und ein wunderschöner Leuchtturm.« Harriet seufzte leise. Sie hätte öfter hinfahren sollen. Sich die Zeit nehmen. Jetzt war es zu spät. Der Gedanke an die bevorstehende Reise schickte ihre Gefühle auf eine Achterbahnfahrt. Sie atmete tief durch, spürte, wie ihre Haut auf die Erinnerungen reagierte, Erinnerungen an scheinbar endlose Sommer voller sonniger Tage, an Eisbecher und Nanas selbst gemachten Cranberrysaft. Vielleicht hatte sie Jude deshalb nie davon erzählt. Vielleicht hatte das letzte Mal, als sie über Montauk gesprochen hatte, *richtig* darüber gesprochen hatte, das Ende markiert.

»Aber es gibt doch bestimmt Truthahn, oder? An Weihnachten, meine ich.« Jude biss in ein weiteres Pfefferminztäfelchen. »Bleibst du über die Feiertage dort?«

»Ich weiß noch nicht«, gestand Harriet. Höchste Zeit, dass sie ein bisschen weiter vorausdachte, und nicht nur daran, warme Sachen in den Koffer zu werfen. Es musste noch so viel organisiert werden. Die letzten Arbeiten an den beiden Wohnungen, die demnächst zum Verkauf standen, sollten reibungslos weitergehen. Und die Renovierungsarbeiten für das Haus mit dem Kieselputz mussten angestoßen werden. Es wurmte sie immer noch ein bisschen, dass die Fliesen im Bad heruntergehauen worden waren. Andererseits hätte sie sich jetzt sowieso nicht darum kümmern können. Grandpa Joe war wichtiger. Sie musste nach ihm sehen und sich von Nana Lorna verabschieden.

»Ich weiß gar nicht, wie es im Dezember dort ist«, fuhr sie fort und stibitzte eins der Schokotäfelchen. »Ich bin immer nur im Sommer hingefahren.«

»Na ja, im Notfall gibt es ja einen netten Imbiss in New York«, meinte Jude.

Harriet konnte sich ein Grinsen nicht verkneifen. »Es gibt auch eine tolle Tiki-Bar.«

»Was?«

Harriet nickte. »Die von meinen Großeltern. Das heißt, jetzt wird mein Grandpa sie wohl allein weiterführen.« Sie schob ihren Emotionen schnell einen Riegel vor. Sie würde noch genug Gelegenheit zum Weinen haben, wenn sie ihren Grandpa in die Arme schloss. »Die Tiki-Bar am Strand.«

»Was ist eine Tiki-Bar?«, fragte Jude und hörte mitten in der Bewegung auf zu kauen. »So eine kleine Hütte, wie sie hier an Weihnachten aufgestellt werden, mit teuren Cocktails und Heizpilzen, damit man sich wie in Brasilien vorkommt und nicht wie in Bournemouth?«

»Es hat schon ein bisschen mehr Südseeflair.« Sie kramte ein paar Erinnerungen hervor: klobige Tonbecher in Form von Fischen mit offenen Mäulern, in denen Grandpa Joe Zombies oder Mai-Tais servierte; die Papierschirmchen, die sie sich als Kind in die Haare gesteckt hatte; die Barhocker, die ihr immer viel zu hoch zum Draufklettern vorgekommen waren.

»Meine Großeltern hatten einen alten Ford Cortina«, erzählte Jude. »Mit dem haben sie immer ihre Rente abgeholt. Im Schneckentempo. Das war das Aufregendste in ihrem Leben. Von wegen eine gut gehende Bar am Strand!«

Harriet lächelte. »Ja, meine Familie war schon immer ein bisschen anders. Mein Dad ist ein Gesundheitsapostel, und meine Mum verbringt den Großteil ihrer Zeit vor dem Fernseher.«

Jude nickte nachdenklich. »So betrachtet ist eine Tiki-Bar eigentlich etwas ganz Normales.«

Es klingelte an der Tür. Harriet fuhr zusammen. »Erwartest du jemanden?«

»Ja, ich hab die Seifenschnitzer eingeladen.« Jude machte ein zerknirschtes Gesicht. »Ich wusste ja nicht, dass du morgen wegfährst.«

Harriet presste die Lippen aufeinander. Seifenschnitzen war vermutlich das verrückteste Hobby, das Jude je angefangen hatte – und seit ihrem Einzug hatte sie eine ganze Menge angefangen. Im Bad standen immer noch drei Seepferdchen, eine Eule und der bemerkenswert lausige Versuch einer Schnecke herum und warteten darauf, benutzt oder verschenkt zu werden. Sie stand auf und ging zur Tür, legte vor dem Öffnen jedoch die Kette vor.

»Überraschung!«

Vor der Tür stand Iain. Harriet runzelte die Stirn. Er hatte doch einen Termin mit dem neuen Schreiner, weil der bisherige, Jamie, überraschend nach Leeds gezogen war.

»Was machst du hier?«, fragte sie. »Ich dachte, du triffst dich mit diesem … wie heißt er noch gleich? … Willie?«

»Wally«, verbesserte Iain lächelnd. »Ich hab den Termin vorverlegt, damit ich herkommen konnte.«

»A… aber ich hab noch zu tun, ich muss die Angebote für die Zentralheizung für die Wohnung in Branksome durchsehen, und ich will früh ins Bett, weil ich morgen früh rausmuss.«

»Es ist erst vier, Harriet«, sagte Iain immer noch lächelnd. »Willst du mich nicht reinlassen?«

»Oh, entschuldige.« Sie hakte die Kette aus, nachdem sie die Tür wieder geschlossen hatte, und öffnete sie dann weit.

»Du bist übrigens nicht die Einzige, die heute Abend früh ins Bett muss.« Iain trat über die Schwelle. »Hey, Jude!«

»O Iain!« Jude schüttelte den Kopf. »Der Witz hat so einen Bart!«

Jetzt erst bemerkte Harriet den Reisetrolley und den Rucksack, den ihr Freund über der Schulter trug. Etwas sagte ihr, dass sich keine Muster für Fliesen oder beschichtete Arbeitsplatten darin befanden.

Ohne die Tür zu schließen, fragte sie: »Was hast du mit dem Koffer und dem Rucksack vor?«

»Ich werde dich in dieser Situation doch nicht allein lassen. Ich habe einen Platz in deinem Flieger gebucht. Vielleicht kann ich jemanden vom Bordpersonal überreden, uns Plätze nebeneinander zu geben, aber wenn nicht – auch egal. Jedenfalls werde ich mitkommen.«

In Harriets Ohren begann es zu rauschen. Sie hörte nur noch, wie Jude sich an einem Pfefferminztäfelchen verschluckte und husten musste.

KAPITEL
VIER

Montauk, Long Island, USA

»Hör auf, Scooter!«

Mack Wyatt schloss die Augen wieder und lauschte dem Regen. Die Tropfen prasselten so heftig auf sein Boot, als würde es mit Tennisbällen bombardiert werden. Normalerweise empfand er Regen als etwas Wohltuendes. Regen reinigte und erneuerte, und das war schließlich etwas Großartiges. Aber jetzt sehnte er sich einfach nur nach Schlaf. Er atmete bewusst tief und langsam und überließ sich dem Rhythmus des sanften Wellengangs im Hafen.

Scooter knurrte erneut, und Mack öffnete die Augen ein ganz klein wenig, was sein Hund offensichtlich als Zeichen dafür auffasste, dass er wach und bereit zum Aufstehen war. Mit einem Satz sprang er aufs Bett. Mack spürte seine nasse Nase an seiner Wange und sah, dass er etwas in der Schnauze hielt, das dort nichts zu suchen hatte.

»Scooter! Was soll das? Was hast du jetzt wieder angestellt?«

Er nahm dem Hund seine Beinprothese aus dem Maul und seufzte, als Scooter sein Gesicht ableckte. »Das ist eklig! Jetzt muss ich eine andere nehmen, sonst rieche ich den ganzen Tag so wie du.«

Er setzte sich ein wenig auf und versuchte, Scooters Betteln um Aufmerksamkeit zu ignorieren. Ein Blick durchs Bullauge bestätigte, dass es in Strömen regnete. Mack rieb die beschlagene Scheibe frei. Die Wasseroberfläche kräuselte sich unter dem peitschenden Regen wie das Fell einer Trommel. Er blinzelte, brachte sein Gesicht näher an die Glasscheibe und starrte zu dem Holzsteg hinüber. War da draußen jemand? Bei diesem Wetter? Er schaute angestrengt und mit zusammengekniffenen Augen in das dämmrige Licht. Da stand tatsächlich jemand. Ohne Mantel.

Scooter bellte, schnappte sich die Prothese aufs Neue und stieß Mack damit an. Plötzlich verstand er. Sein Hund wollte ihm etwas mitteilen. Er tätschelte ihm den Kopf. »Okay, Kumpel, ich hab's kapiert.«

Er rutschte über die Matratze und nahm ihm die Prothese ab.

»Hey, Sie! Alles in Ordnung?«

Der Wind frischte auf, als Mack an Deck kletterte. Mutter Natur hielt das offensichtlich für den idealen Zeitpunkt, das Wasser aufzuwühlen und Gischt zu verspritzen. Mack stützte sich einen Moment ab, bevor er einen großen Schritt auf den Steg hinüber machte. Die meisten Boote waren mit einer Persenning abgedeckt, andere in ein Winterlager gebracht worden. Das Geschäft für Bootszubehör war geschlossen, genau wie Madame Scarlet's Emporium und Skeet's Surf Shack. Nur gastronomische Betriebe hatten noch geöffnet.

Scooter überholte sein Herrchen, rannte bis ans Ende des Stegs und begann, um die Person dort herumzuspringen. Mack konnte nicht erkennen, ob es sich um einen Mann oder eine Frau handelte, er sah nur, dass der- oder diejenige Jeans trug, ein rot-schwarz kariertes Hemd und eine Baseballmütze. Als keine Reaktion kam, lief Mack los, legte beide Hände um den Mund und schrie: »Hey! Sie holen sich ja den Tod bei der Kälte! Außerdem zieht ein Sturm auf!«

Scooter sprang jetzt an der Person hoch, setzte die Pfoten auf deren Oberschenkel und winselte, wie Mack es noch nie von ihm gehört hatte. Und dann, bevor er auch nur einen Finger rühren konnte, schwankte die Person und stürzte vom Steg in das eiskalte Wasser.

»O verdammt! Verdammt! Hilfe! Kann mich jemand hören? Hilfe!«, brüllte Mack.

Tausend Gedanken schwirrten ihm durch den Kopf, als er unbeholfen lossprintete. Er musste hinterherspringen. Es blieb keine Zeit, seine Prothese abzunehmen. Aber was, wenn sonst niemand mehr kam? Würde er den anderen retten können, ohne selbst unterzugehen oder zu erfrieren? Doch was wäre die Alternative?

Mack sprang. Er schickte ein Stoßgebet zum Himmel, als er in das eisige Wasser eintauchte und begann, aus Leibeskräften mit Armen und Beinen zu rudern, um wieder an die Oberfläche zu kommen. Augen, Nase, Haut brannten vor Kälte. Dann plötzlich Stille. Nur der Wind und das Tosen des Meers waren zu hören. Irgendjemand musste seine Hilferufe doch gehört haben. Ein unheimliches Gefühl beschlich ihn, und er wurde schlagartig in die Vergangenheit zurückkatapultiert.

Der Geruch von sonnendurchglühter Erde und verbranntem Fleisch, Sand in seinem Mund, der metallische Geschmack von Blut auf seinen Lippen. Sein Herzschlag dröhnte laut, während er alle anderen Geräusche in dieser feindseligen Umgebung nur noch gedämpft wahrnahm. Schrilles Pfeifen in seinen Ohren. Panik. Dann ein gleißendes Licht. So viele Geräusche. Unendliche Schmerzen.

Scooters aufgeregtes Bellen holte Mack in die Wirklichkeit zurück. Unmittelbar vor ihm trieb jemand auf den Wellen. Die Mütze war fort. Graue Haare und ein aschfahles Gesicht. Der Mund stand offen. Mack erkannte den Mann.

»Joe!«, rief er und paddelte hektisch auf ihn zu. »Halte durch, ich bin gleich bei dir!«

Als er den alten Mann erreicht hatte, legte er ihm von hinten einen Arm um den Hals, damit sein Kopf über Wasser blieb. Warum kam ihnen niemand zu Hilfe? Sogar im Winter fuhr der ein oder andere zum Angeln raus. Gut, bei dem Wetter war das unwahrscheinlich, aber normalerweise war immer jemand im Hafen, der etwas zu erledigen hatte, zum Beispiel sein Boot gegen den Sturm sichern musste.

»Bist du okay, Joe? Kannst du sprechen?«

Bei der Eiseskälte und mit dem Gewicht des alten Mannes selbst wenige Meter zu schwimmen verlangte Mack alles ab. Seine Prothese würde nach dem Aufenthalt im Wasser ruiniert sein. Im Moment hatte er einen ganz schönen Verschleiß. Die letzte war erst vor zwei Wochen kaputtgegangen.

Der alte Mann antwortete nicht, aber Mack spürte, dass er atmete. Er musste ihn schnellstens aus dem eisigen Wasser bekommen. Er strampelte und ruderte, so gut es ging, auf den Holzsteg und die Leiter zu.

»Mack! O mein Gott! Joe!«

Die Stimme gehörte seinem Freund Lester. Mack, dem allmählich die Puste ausging, hatte selten etwas Schöneres gehört. Er sah den groß gewachsenen Barkeeper auf dem Steg stehen, in einer grellgelben Öljacke, die Kapuze über den Kopf gezogen. Scooter saß neben ihm.

»Du musst mir helfen, Lester!«

»Willst du etwa, dass ich da zu dir reinspringe?« Lester riss vor Entsetzen die Augen weit auf. »Ausgeschlossen! Das kann ich nicht! Niemals!«

»Nein! Du sollst mir nur helfen, Joe an Land zu ziehen!«

»Lebt er? Soll ich den Notarzt rufen? Ich ... ich will auf keinen Fall ins Wasser fallen.«

Lester geriet in Panik. Na wunderbar, das hatte gerade noch gefehlt. Mack hatte nicht mehr daran gedacht, dass der Junge eine Heidenangst vor Spinnen, der Dunkelheit und – was für jemanden, der am Meer wohnte, durchaus ungewöhnlich war – vor Wasser hatte.

»Lester!«, schrie Mack. Es fiel ihm immer schwerer, sich zu bewegen. Er konnte seine Arme und Beine kaum noch spüren. »Konzentrier dich! Es geht um Joe!«

Mack hatte keine Ahnung, wie alt genau Joe war, aber sicher über siebzig. Und wenn es für ihn mit seinen einunddreißig Jahren schon anstrengend war, musste es für den alten Knaben noch viel schlimmer sein. Er spürte den Schmerz in seinem Beinstumpf, während er nach Kräften weiterstrampelte und inständig hoffte, dass seine Prothese sich nicht löste.

»Ich konzentriere mich«, rief Lester. Er trat an die Leiter und beugte sich vorsichtig hinunter. »Ich werde nicht ins Wasser fallen, ich werde nicht ins Wasser fallen, ich werde nicht ins Wasser fallen ...« Er stieß einen schrillen Schrei aus. »Ich kann nicht! Ich muss die Augen zumachen!«

»Nein, Lester, nicht! Komm schon, du schaffst es. Beug dich noch ein wenig vor, dann kriegst du ihn zu fassen. Gemeinsam bekommen wir ihn da raus!«

»Okay, ich tu einfach so, als ob sein Leben von mir abhängt. Als ob ich mit Tom Hanks in einem Hollywoodfilm spiele und einer von den Guten bin, die anderen das Leben retten, und ...«

Lester redete gegen seine Panik an. Mack kannte das von einem Mann in seiner Einheit. Vor jedem Feindeinsatz fing

Jackson Tate zu reden an und hörte nicht mehr auf. Er plapperte den größten Mist daher, alles, was ihm in den Sinn kam, angefangen von seinem verdammten Baseballteam in seiner Heimatstadt bis zu seiner Meinung über Schokobonbons.

»Lester!«, schnauzte Mack. »Joes Leben hängt wirklich von dir ab! Sieh zu, dass du ihn endlich aus dem Wasser ziehst!«

Lester winselte zwar wie Scooter, wenn er mehr Futter wollte, löste sich aber aus seiner Erstarrung und beugte sich tiefer hinunter. Er packte Joe und zog, Mack schob von unten, und so hievten sie ihn schließlich auf den Steg. Der alte Mann lag regungslos da, leichenblass, aber er lebte.

»Okay, Lester«, rief Mack, als er wieder Luft bekam, »dreh ihn auf die Seite, damit das ganze Wasser aus ihm rauslaufen kann.«

»Ich soll ihn umdrehen?« Lester starrte auf Joe.

Mack fluchte leise und begann, sich die Leiter hinaufzuziehen. Ein schneidend kalter Wind peitschte das Wasser rings um ihn herum. »Dreh ihn einfach auf die Seite, Lester! Ich bin gleich bei dir.« Sprosse für Sprosse mühte er sich nach oben. Er hatte es fast geschafft, als seine Prothese sich von seinem Bein verabschiedete und ins Meer plumpste.

»Gottverdammt! Ich hab aber auch ein Pech!«

Mack beobachtete, wie die Prothese von den Wellen hin und her geworfen, von der Gischt verschluckt und wieder ausgespuckt wurde. Aber sie war es nicht wert, dass er sich noch einmal in die aufgewühlte See wagte, um sie herauszufischen. Er würde Dr. Jerome um eine Neuanfertigung bitten. Schon wieder. Hoffentlich lachte er ihn nicht aus.

Er zog sich an der Leiter hoch, kletterte auf den Steg und hüpfte auf einem Bein zu Joe.

»Mack! Dein Bein!«

»Augen nach oben, Lester, dahin, wo die Muckis sind.«
Mack kniete sich unbeholfen auf den Steg und brachte den
alten Mann in die stabile Seitenlage.

Lester schälte sich aus seiner Öljacke und deckte Joe damit
zu. Plötzlich ging ein krampfhaftes Zucken durch den alten
Mann, er hustete und spuckte Wasser aus. Mack atmete erleichtert auf. Sie waren alle drei in Sicherheit. Aber noch war
die Gefahr nicht gebannt. Das wurde Mack klar, als Scooter
sich wimmernd dicht neben Joe legte. Sie mussten schnellstens ins Warme.

»Was zum Teufel ist denn hier los!?«

»O verdammt!« Lester duckte sich.

»Hey, Ruby!«, rief Mack der Frau in dem langen schwarzen Anorak und der engen Jeans zu, die auf sie zukam.

»Habt ihr den Verstand verloren, oder was? Was macht ihr
denn bei dem Wetter hier draußen? Es wird gleich richtig anfangen zu stürmen und … großer Gott, Joe!«

Die junge Frau fiel neben dem alten Mann auf die Knie
und strich ihm sanft über das nasse Haar. Joes Lider flatterten. Er zitterte am ganzen Körper.

»Was ist denn passiert, verdammt noch mal?«, fragte Ruby
beinahe vorwurfsvoll.

»Ich weiß es nicht«, antwortete Mack. »Aber er muss sofort ins Warme.«

»Los, Lester, bringen wir ihn in die Bar«, befahl Ruby.

»Ich würde euch ja helfen, aber …« Mack zeigte auf seinen Beinstumpf.

»O Mann, schon wieder halb nackt?« Ruby schüttelte den
Kopf. »Wie viele Beine willst du dieses Jahr denn noch ver-
schleißen? Hast du überhaupt noch welche?«

»Zwei«, antwortete Mack. »Eins ist allerdings fünf Jahre
alt.«

Ruby richtete sich auf und streckte ihm die Hand hin.

»Kümmere dich lieber um Joe«, wehrte Mack ab. »Ich komm schon klar. Scooter ist ja bei mir. Ich ziehe mir trockene Sachen an und rufe dann den Arzt.«

»Hey, Leute, schaut mal, was ich gefunden habe!« Lester hatte eine Schubkarre aufgetrieben. Er warf die Fischernetze und Körbe, die sich darin befanden, auf den Steg. »Damit können wir ihn transportieren.«

»Wenn Lorna uns jetzt sehen würde«, seufzte Ruby mit einem Blick himmelwärts.

Nachdem sie Joe behutsam in die Schubkarre gelegt hatten und Lester sie Richtung Strand schob, während Ruby aufpasste, dass sie nicht zur Seite kippte, wandte sich Mack seinem Hund zu.

»Okay, Junge, ist schon eine Weile her, dass ich das gemacht habe. Mal sehen, ob ich's immer noch kann.«

Scooter bellte, stand auf und schaute Mack erwartungsvoll an. Es regnete jetzt noch heftiger.

Das war sein Partytrick. Damit konnte er die Leute beeindrucken, wenn sie erst einmal wussten, dass ihm der linke Unterschenkel fehlte. Mit einer flüssigen Bewegung ging er in den Handstand und begann, auf den Händen zu laufen. Das Blut schoss ihm in den Kopf. Vielleicht war das nach der kräftezehrenden Rettungsaktion doch keine so gute Idee …

»Okay, Scooter, alles klar«, sagte er, weil der Hund ihn mit wachsamen Augen beobachtete. »Aber pass gut auf mich auf, okay, Kumpel?«

Scooter bellte. Er hatte verstanden.

Das Rum Coconut, Montauk

»Ich weiß nicht, wie es dir geht, aber ich könnte noch einen vertragen.«

Ruby stand hinter der Theke von Joes Strandbar, schob ein Whiskeyglas unter den Ausgießer im Flaschenhalter und griff mit der anderen Hand nach Macks leerem Glas. Ihren Anorak hatte sie ausgezogen, bevor sie angefangen hatte, Alkohol zum Aufwärmen auszuschenken. Ihre schwarzen Haare kräuselten sich durch die Feuchtigkeit noch mehr. Ruby war noch jung, schätzungsweise Mitte zwanzig, aber in der Bar war sie der Boss. Ein wahres Energiebündel, frech und gerissen und nie um eine schlagfertige Antwort verlegen. Ging sie etwas nichts an, dann sorgte sie dafür, dass es sie etwas anging, und niemanden schien es zu stören.

Mack hatte als Erstes den Arzt angerufen, noch bevor er trockene Sachen angezogen hatte. Dann war er mit seiner schlecht sitzenden Ersatzprothese in die Bar gehinkt, um nach Joe zu sehen. Der arme Kerl. Er hatte einiges durchgemacht in letzter Zeit. Erst der Tod seiner Frau und jetzt das …

Mack nickte. »Gute Idee, schenk mir auch noch einen ein.« Er zeigte mit dem Kinn Richtung Kaminfeuer, wo Dr. Ambrose den Patienten untersuchte. »Wie geht es ihm?«

Die Wand über dem Kamin war mit Palmen, Tiki-Holzmasken und farbenfrohen Blütenketten dekoriert. Rechts und links wartete je eine echte Fichte darauf, weihnachtlich geschmückt zu werden.

Ruby seufzte, nippte an ihrem Whiskey pur und schob Mack sein Glas hin. »Er hat nicht mal gewusst, in welchem Schrank seine Kleider sind. Lorna hat ihm einfach alles abgenommen.« Sie schüttelte den Kopf. »Erst vor ein paar Monaten hat sie mir erzählt, dass sie seit dem Tag ihrer Hochzeit immer seine Sachen für ihn herausgelegt hat, weil er keinen Sinn für Farben hat.«

»Mir ist aufgefallen, dass das karierte Hemd ein bisschen schmuddelig aussah«, meinte Mack.

Ruby nickte. »Das Grün steht ihm gut, findest du nicht?« Nachdem er geduscht hatte, hatte sie ihm einen dunkelgrünen Pulli und eine passende Cordhose herausgesucht. »Lorna hat diese Farbe an ihm geliebt. Sie meinte, das erinnere sie an seine Zeit als Soldat und wie toll er in seiner Uniform ausgesehen habe.«

»Ja, das stimmt.« Mack blickte zu den Fotos an der Wand hinter der Bar. Joe und Männer aus seiner Einheit. Joe und Lorna an ihrem Hochzeitstag. Ein kleiner Junge, ihr Sohn, wie Mack vermutete, in einer Badewanne, in der Hand ein Stück Seife, von dem er abzubeißen versuchte. Mack trank einen Schluck. »Wann ist die Beerdigung?«

»Donnerstag«, antwortete Ruby. »Doktor Ambrose hat dafür gesorgt, dass die Obduktion vorgezogen wurde, und Joe wollte es so schnell wie möglich hinter sich bringen ...« Sie atmete tief durch. »Ihre Enkelin kommt heute. Lester holt sie vom JFK ab.«

»Die Kleine, die im Riesenrad festsaß?«

Ruby lachte. »Ja, die Geschichte hat Lorna gern erzählt!«

Mack nickte. »Ich bin erst seit zwei Jahren hier, und sogar ich kenne sie auswendig.«

»Na ja, inzwischen ist sie erwachsen. Kurz bevor ich angefangen habe, hier zu arbeiten, war sie das letzte Mal zu Besuch. Aber wir sind uns im Lobster Roll begegnet.« Sie nippte an ihrem Whiskey. »Sie lebt in England. Als Kind sei sie oft hier gewesen, hat Lorna erzählt.«

Mack nickte erneut. Er spürte, wie ihm allmählich warm wurde in seiner Lieblingsbar. Als er mit nichts als einem Rucksack und seiner Army-Abfindung auf dem Konto in Montauk gelandet war, war er anfangs nur hierhergekommen, um sich ein Glas zu genehmigen. Mittlerweile kam er wegen der Leute. Abgesehen von Scooter hatte er kaum Gesellschaft gehabt, seit er sein Bein verloren hatte. Er hatte die Menschen absichtlich gemieden. Und eine Zeit lang hatte er die in der Bar geschlossenen Freundschaften auch dort zurückgelassen, wenn er nach Hause ging. Doch ganz allmählich, ohne dass er sich dessen bewusst geworden war, war er Teil der Gemeinschaft geworden.

»Ihr Sohn, Joe Junior, wird nicht zur Beerdigung kommen«, sagte Ruby achselzuckend. »Lorna – Gott hab sie selig – hat ja immer viel erzählt, aber alle Geschichten über ihren Sohn enden so um seine Highschoolzeit. Irgendwie komisch. Aber wenn ich sie danach gefragt habe, hat sie dichtgemacht.«

»Die liebe Familie«, sinnierte Mack. Er konnte ein Lied davon singen. Mit seiner eigenen war es zum Bruch gekommen, als er zum Militär gegangen war, und der einzige Besuch nach seiner Entlassung aus gesundheitlichen Gründen war nicht besonders gut verlaufen. Könnten seine Eltern ihn jetzt sehen, müsste er sich von seinem Vater garantiert eine Reihe von »Ich hab's dir ja gesagt« anhören. Adrian Wyatt hatte nicht das Geringste für das Militär übrig, weil es für alles stand, was ihm fremd war: Stabilität, Stärke, Integrität.

Als Mack ihm gesagt hatte, er werde sich freiwillig melden, erreichte ihre Beziehung einen nie dagewesenen Tiefpunkt. Mack hatte sich für eine risikoreiche Zukunft entschieden, aber seiner Ansicht nach waren es Risiken, die einem höheren Zweck dienten und es daher wert waren, eingegangen zu werden. Die einzigen Risiken, die Adrian einging, hatten mit großen Mengen billigem Wodka und einem Handy voller Nummern von Kredithaien zu tun.

Mack beobachtete, wie Dr. Ambrose seine lederne schwarze Arzttasche zuklappte und auf ihn zukam.

»Wie geht es Joe, Doc?«

»Nicht so besonders«, antwortete der Arzt bedrückt. »Ich vermute allerdings, dass er mehr unter dem Verlust seiner Frau leidet als unter dem Sturz ins eiskalte Wasser.«

»Aber er ist nicht verletzt?«, fragte Ruby.

Der Arzt schüttelte den Kopf und sah Mack direkt an. »Und das hat er nur Ihnen zu verdanken, wie ich gehört habe.«

Mack machte eine abwehrende Handbewegung und blickte auf Scooter hinunter, der sich neben dem Barhocker zusammengerollt hatte und schlief. »Der Dank gebührt eigentlich Scooter. Er hat mich geweckt, weil er gespürt hat, dass etwas nicht in Ordnung war.«

»Nun, dann vielen Dank, Scooter«, sagte Dr. Ambrose zu dem leise schnarchenden Hund. »Wird Joe Junior bei den Vorbereitungen für die Beisetzung helfen?«

»Nein, aber Joes Enkelin kommt heute an«, antwortete Ruby. »Joe hat mit ihr telefoniert.«

»Ah, Joanna!« Dr. Ambrose lächelte. »Bei ihrem letzten Besuch hat sie mich beim Tennisspielen besiegt. Es wird schön sein, sie wiederzusehen. Ich wünschte nur, die Umstände wären erfreulicher«, fügte er nach einer Pause hinzu.

»Ob sie wohl wieder im Riesenrad stecken bleibt?« Mack zwinkerte Ruby zu.

»Himmel, war das eine Aufregung damals!« Der Arzt schmunzelte. »Wenn ich mich richtig erinnere, hat es drei Feuerwehrleute und jede Menge Zuckerwatte gebraucht, um sie zu überreden, sich retten zu lassen.«

»Mir scheint, ich bin der Einzige, der sie noch nicht kennengelernt hat«, bemerkte Mack.

»Gut, ich mach mich dann wieder auf den Weg«, sagte Dr. Ambrose. »Rufen Sie an, wenn Sie das Gefühl haben, dass es ihm schlechter geht. Ich habe ihm gesagt, dass ich ihn nächste Woche sehen will. Nicht in der Praxis, sondern bei mir zu Hause. Zum Kartenspielen.« Er zeigte auf Ruby. »Und kein Whiskey mehr für ihn!«

»Der ist für mich.« Ruby legte ihre Hand um das Glas.

»Doktor! Doktor!«, krächzte der alte Papagei, der Joe und Lorna gehörte, in seinem Käfig, als der Arzt an ihm vorbeiging. Der Hellrote Ara war überwiegend rot mit breiten gelben und grünen Bändern auf den ansonsten kräftig blauen Flügeln. Er gab zu allem seinen Senf dazu.

Mack schüttelte den Kopf und nahm einen Schluck Whiskey. »Wie alt ist sie eigentlich?«

»Lornas und Joes Enkelin? Keine Ahnung. Vielleicht irgendwas in den Zwanzigern? Ein bisschen älter als ich? Aber definitiv nicht so heiß!«

»Ich habe Meryl Cheep gemeint.« Der Papagei hatte seinen Namen tatsächlich nach einem Filmstar. Lorna hatte es immer Spaß gemacht, den Touristen zu sagen, wie er hieß, und ihn Kunststücke vorführen zu lassen.

»Oh, keine Ahnung«, wiederholte Ruby achselzuckend. »Wieso fragst du sie nicht selbst?« Sie trank ihren Whiskey aus. »Mal sehen, ob ich Joe dazu überreden kann, was zu essen. Kann ich *dir* irgendwas machen? Schinken und Eier? Maisgrütze?«

»Nein, danke, bin versorgt.« Mack hob vielsagend sein Glas.

»Okay, dann werde ich direkter.« Ruby beugte sich über die Theke zu ihm. »Tu mir doch den Gefallen und lass dich von mir mit einem Frühstück bestechen. Jemand muss mir beim Schmücken der Bäume helfen, sonst sind wir die Einzigen in ganz Montauk, die keinen Weihnachtsbaum haben! Lorna wird mir als Geist erscheinen, wenn ich mich nicht darum kümmere.«

»Können dir deine Brüder nicht helfen? Oder Lester?«

»Lester hat noch weniger Sinn für Farben als Joe. Er würde tatsächlich Orange mit Rot kombinieren! Und du kennst doch meine Brüder. Entweder sie zünden alles an oder essen es auf. Ich bin mir nicht ganz sicher, was genau sie mit den Bäumen anstellen würden, aber ich will es, ehrlich gesagt, auch nicht herausfinden. Wir sind sowieso schon Stammkunden in der Notaufnahme.«

Mack lachte laut auf. »Okay, überredet. Ich nehme Schinken und Maisgrütze. Keine Eier.«

»Kommt sofort.« Ruby lächelte und marschierte nach hinten in die Küche.

Mack schaute zu Joe hinüber. Der alte Mann blickte nicht ins Feuer, sondern durch die Falttür aufs Meer hinaus. Der Wind trieb Regen und Gischt gegen die Glasscheiben und zerzauste die Bäume, als ob sie aus Papier wären. Mack dachte über die Ereignisse nach. Er hoffte, dass Joe einfach ausgerutscht oder von einer Windbö erfasst und ins Wasser geschleudert worden war. Darüber, dass er gesprungen sein könnte, wollte er nicht einmal nachdenken.

KAPITEL
SECHS

Terminal 7, JFK Airport, New York

Harriet konnte so oft auf das Display ihres Smartphones tippen, wie sie wollte – es weigerte sich beharrlich anzugehen. Nach der Passkontrolle, wo ihre ESTAs geprüft und ihre Iris gescannt worden waren, durchquerten sie den Terminal auf dem Weg zum Ausgang, wo sie sich um einen Mietwagen kümmern wollten. Iain ging offensichtlich davon aus, dass *er* fahren würde, doch dann würde es keine gemütliche Spazierfahrt geben, bei der man die Landschaft genießen konnte, sondern eine direkte, zügige Fahrt von A nach B unter Einhaltung der von Google Maps geschätzten Ankunftszeit. Früher hatte Harriet ihren Grandpa immer gebeten, bei der Bursledon Windmühle in Southampton anzuhalten. Sie liebte das historische Gebäude mit seinen grauen Schindeln, in dem es angeblich spukte.

»Mann, ist das kalt!«, stellte Iain fest, als sie endlich im Freien waren und ihren Mundschutz abnehmen konnten.

»Hab ich dir doch gesagt.« Endlich leuchtete das Display von Harriets Handy auf. »Hast du keine Mütze dabei?« Sie steckte die Hand in die Tasche ihres Mantels, den sie gleich nach dem Erlöschen des Anschnallzeichens angezogen hatte, und holte ihre Handschuhe heraus.

»Ich hab doch eine Kapuze.« Er schlug die viel zu dünne Mantelkapuze hoch. »Gut. Eine Mietwagenfirma.« Er rieb sich die Hände und schirmte seine Augen dann mit einer

Hand ab wie ein Schiffsführer, der nach Eisbergen Ausschau hält.

Das Smartphone in Harriets behandschuhten Händen vibrierte und piepte, als eine Nachricht nach der anderen eintraf.

Jude: Eine von deinen Pflanzen wirft schon Blätter ab!

Jude: Ich hab sie nicht mit Flüssigwürze gedüngt wie das letzte Mal, ich schwöre es!

Jude: Ruf an, wenn du kannst.

Jude: Ich hoffe, ihr seid gut angekommen.

Jude: 🌈

Harriet schüttelte den Kopf. Warum musste Jude immer einen neuen Thread für jeden Satz beginnen? Und sie wusste bis heute nicht, wie sie auf den Gedanken gekommen war, dass Flüssigwürze ein geeigneter Pflanzendünger war.

»Kommst du, Harriet?«, rief Iain, der weitergegangen war.

»Ja, gleich.« Sie schaute auf. Iain hatte es schon wieder eilig. Sie blieb stehen, ließ die Atmosphäre auf sich wirken. Sogar das Flughafengebäude hatte einen kurzen Moment Aufmerksamkeit verdient, fand sie. Vieles hier war anders als zu Hause in Bournemouth. Zum Beispiel die Reihe gelber Taxis am Straßenrand. Erinnerungen an frühere Besuche stiegen in ihr auf. Einmal hatte ein Freund ihres Großvaters sie direkt nach Montauk geflogen, dem östlichsten Flughafen im Staat New York. Die Maschine war viel kleiner gewesen als die der British Airways, mit der sie gerade angekommen waren. Ein Frösteln überlief sie, ausgelöst durch unterschiedliche Emotionen. Einerseits konnte sie es kaum erwarten, ihren Grandpa in die Arme zu schließen, andererseits war der Anlass ihres Besuchs ein überaus trauriger.

Während Iain weiterging, warf sie noch einmal einen Blick

auf ihr Smartphone. Sie hatte eine weitere Nachricht bekommen.

Grandpa: Joanna ich schicke dir Lester damit er dich abholt halt nach dem Pick-up. Ausschau. X

Im Gegensatz zu Jude mit ihren ganzen Sätzen tippte ihr Großvater seine Texte mit nur einem Finger, wobei er rein gar nichts von korrekter Zeichensetzung hielt und die Wörter oft ineinanderflossen, sodass sie manchmal einen völlig anderen Sinn ergaben. Harriet schaute auf, blickte sich suchend um und entdeckte in der Kurzparkzone ein ihr bekanntes Fahrzeug.

»Iain! Iain, komm zurück! Wir werden abgeholt!«

Er drehte sich um, und obwohl der Himmel bedeckt und keine Sonne zu sehen war, schirmte er erneut die Augen mit der Hand ab. Ohne auf ihn zu warten, schnappte Harriet ihren Reisetrolley und marschierte auf den alten stechpalmengrünen Ford Pick-up zu, dessen Lack und Chrom so glänzten und blitzten wie an dem Tag, als er vom Band gerollt war.

Sie war noch ein paar Schritte von dem Fahrzeug entfernt, als jemand sie am Arm zurückhielt.

»Was tust du denn, Harriet? Das ist kein lizenziertes Taxi.«

Iain hatte seinen Mundschutz wieder übergestreift, aber sein Blick sprach Bände. Harriet hätte fast laut herausgelacht, beherrschte sich aber. Iain konnte ja nicht wissen, was es mit dem Pick-up auf sich hatte. Der Ford war für sie so viel mehr als ein Transportmittel. Er war zugleich Indianerwigwam, Wolkenschloss und ein Krankenhaus für kranke Teddys und Barbie-Puppen. Hatte das Wetter nicht zum Spielen am Strand eingeladen, war Harriet in Grandpa Joes Pick-up geklettert und hatte sich in ihre Fantasiewelten zurückgezogen.

»Das ist unser ganz persönliches Taxi«, sagte sie und klopfte an die Seitenscheibe auf der Beifahrerseite.

Am Steuer saß ein Mann mit kurzen dunklen, lockigen Haaren. Er fuhr erschrocken zusammen und griff sich an die Brust. Harriet öffnete die Tür und lächelte. »Hallo, ich bin Joes Enkelin. Ich glaube, Sie warten auf mich.«

»Meine Güte, Joanna, Sie haben mich zu Tode erschreckt! Warten Sie, ich helfe Ihnen mit Ihrem …«

»Nein, nein, bleiben Sie sitzen. Es ist kalt.« Sie drehte sich zu Iain um. »Sei so gut und lad unsere Koffer hinten auf, ja?«

»Hinten?« Er starrte die offene, ungeschützte Ladefläche an. »Aber …«

»In der Kiste muss eine Plane sein. Deck die Koffer damit ab und sichere sie mit dem Spanngurt.« Sie kletterte in die Kabine, rutschte dicht zum Fahrer hin und streckte die Hand aus. »Freut mich, Sie kennenzulernen …«

»Lester.« Er schüttelte ihr die Hand. »Ich arbeite im Rum Coconut.«

Harriet wurde warm ums Herz, als sie den Namen der Bar ihrer Großeltern hörte. Bald würde sie dort sein, inmitten des ganzen Nippes, den sie so liebte, und ihren Großvater wiedersehen, vielleicht sogar einen Cocktail schlürfen … und mit der Lücke konfrontiert werden, die ihre Nana hinterlassen hatte.

»Mein aufrichtiges Beileid für Ihren Verlust«, sagte Lester ernst.

Harriet musste schlucken. Bisher hatte ihr noch niemand sein Beileid ausgesprochen. Gestern hatte sie mit ihrem Dad telefoniert, ihm gesagt, dass sie sich wieder melden werde, sobald sie ihm etwas zu der Beerdigung sagen könne. Aber ihr war klar, dass er nicht kommen würde. Was auch immer in der Familie Cookson vorgefallen sein mochte – es war so schwerwiegend, dass ihr Vater seinen Namen in Ralph geändert hatte, nie wieder nach Montauk zurückgekehrt war und der Beisetzung seiner eigenen Mutter fernbleiben würde. Harriet begriff bis heute nicht, was zu dem Bruch geführt hatte. Niemand hatte je darüber gesprochen.

»Danke«, erwiderte sie leise. Sie atmete tief durch. Der Geruch, der ihr in die Nase stieg – eine Mischung aus Salzwasser, Leder, dem Rasierwasser ihres Großvaters –, versetzte ihr einen Stich. Auf den Fußmatten lagen Sandkörner. Sosehr Grandpa Joe den Wagen auch pflegte, gegen den Sand war er machtlos. Er drang durch jede Ritze.

»Kommt der Typ zu uns nach vorne, oder bleibt er hinten?«, fragte Lester mit einem Blick in den Rückspiegel.

Harriet drehte sich um und sah durch die Heckscheibe, wie Iain verzweifelt versuchte, die Abdeckplane in dem böigen Wind über ihr Gepäck zu breiten und zu sichern. Sie hatte ein schlechtes Gewissen, dass sie ihn darum gebeten hatte. Iain war in einer Golfklubatmosphäre aufgewachsen und wurde von den einflussreichen Geschäftsfreunden seiner Mutter bis heute wie ein kleiner Schuljunge behandelt. Sie überlegte, ob sie ihn jemals in schmutzigen Sachen gesehen hatte. Sogar bei Renovierungsarbeiten trug er lieber einen Schutzoverall als ein altes T-Shirt und eine Jogginghose so wie sie.

»Ich werde ihm helfen«, sagte sie.

»Nein, Joanna, Sie bleiben hier«, befahl Lester. »Ich habe Joe versprochen, dass ich auf Sie achtgebe.« Er öffnete die Wagentür und fügte hinzu: »Und Joe hat übrigens auch gesagt, dass ich Sie nicht ans Steuer lassen darf.«

Das war typisch Grandpa Joe. Er hatte es nie gemocht, wenn sie seinen geliebten Pick-up fuhr. »Dann beeilen Sie sich lieber, Lester«, sagte sie grinsend. »Es ist zwar eine Weile her, aber ich weiß noch genau, wie es geht.«

Das Rum Coconut

Lester war ein miserabler Fahrer. Da wäre es Harriet fast lieber gewesen, Iain hätte sich ans Steuer gesetzt. Es war nicht Lesters Geschwindigkeit – er fuhr weder zu langsam noch zu schnell –, sondern seine hektischen Lenkbewegungen. Normalerweise sei er nur mit dem Rad unterwegs, erzählte er, und das merkte man: Er ging mit dem Lenkrad im Grunde um wie mit einer Lenkstange. Während der knapp dreistündigen Fahrt war er mit einer schlenkernden Bewegung einem Auto, einem Motorradfahrer in einer Lederkombi und einem Vogel, wahrscheinlich einem Falken, ausgewichen. Einmal hatte Harriet Iain angesehen und vielsagend die Brauen hochgezogen, aber Iain hatte es gar nicht bemerkt, weil er auf sein Handy starrte. In Southampton hatte sie ihn in die Seite geknufft, damit er sich die prachtvolle, teils von Bäumen gesäumte Hill Street ansah, in der nur fünfundzwanzig Meilen pro Stunde erlaubt waren, doch Iain hatte nur den Zeigefinger gehoben zum Zeichen, dass er nicht gestört werden wollte, und fleißig weiter auf sein Display eingetippt.

Aber jetzt waren sie am Ziel. Lester hatte den Motor abgestellt, und Harriet warf einen ersten Blick auf das Haus, an dem ihr Herz so hing. Die schindelverkleideten Wände sahen zu ihrer Erleichterung genauso aus wie vor drei Jahren. Sie schienen nicht ein einziges Mal mit Kreosot gestrichen worden zu sein. Die Tiki-Figuren grinsten grotesk und wirkten ein bisschen mitgenommen. Das Vordach aus Schilf und Palmblättern, das die Gäste im Sommer vor der Sonne schützte, hing, vom Regen durchweicht, schlaff herunter. Nein, nach Sommer sah es definitiv nicht aus. Die Wellen mit ihren Gischtkämmen erreichten eine beachtliche Höhe und klatschten so heftig an den Strand, dass man es sogar im Fahrzeuginneren hören konnte. Der sonst so blaue Ozean hatte sich dunkelgrau verfärbt und wirkte irgendwie bedrohlich. Der Anblick der Hollywoodschaukel auf der Veranda hingegen hatte etwas Tröstliches. Von allen ihren Lieblingsplätzen war dieser Harriets Favorit – heiße Nächte und kühle Drinks, die Musik von Keith Urban, bequeme Polster und Kissen, Briefe schreiben …

»Da wären wir!«, verkündete Lester überflüssigerweise. »Ich kümmere mich um das Gepäck. Falls der Wind es nicht heruntergeweht hat.« Er öffnete die Tür und sprang hinaus. Ein Schwall eiskalter Luft drang in die warme Kabine.

»Das war hoffentlich ein Witz, oder?« Iain blickte endlich von seinem Smartphone auf und legte die Hand auf den Türgriff. »Mein Laptop ist nämlich da drin!«

»Warte.« Harriet hielt ihn am Ärmel zurück. »Bleib einen Augenblick bei mir sitzen und genieß einfach nur die Aussicht.«

Dieser Küstenabschnitt war selbst jetzt, im Winter, traumhaft schön. Montauk war anders als der Rest der Hamptons. Trotz der Touristenströme hatte es sich seinen traditionellen Charme bewahrt. Um diese Jahreszeit bot die Bucht nichts als reine, unverfälschte Natur. Nicht einmal ein Fischer hatte sich aufs Meer hinausgewagt. Als Harriet klein war, hatte sie mit ihrer Nana aus angeschwemmtem Treibholz Burgen für ihre Puppen gebaut und bitterlich geweint, wenn eine eingestürzt war. So war ihre Nana gewesen: Sie hatte immer Zeit für sie gehabt, war immer geduldig, immer für sie da gewesen. Harriet schnürte sich die Kehle zu. Sie schluckte, und der Verlust schmerzte mehr denn je.

»Ich hab ein paar Hotels ausgesucht.« Iain hielt ihr sein Handy vors Gesicht. »Eins ist ziemlich extravagant, aber ich finde, wir könnten uns ruhig was gönnen.«

Harriet betrachtete die Fotos auf dem Handydisplay. Ein nichtssagendes Hotelzimmer, weiße Handtücher auf einer weißen Tagesdecke. Das erinnerte sie an das seelenlose Bad in dem Kieselputzhaus. Schneeflocken rieselten über die Webseite, um dem Ganzen einen weihnachtlichen Anstrich zu verleihen.

»Wozu soll das gut sein?«, fragte sie. Hatte sie vor lauter Tagträumerei irgendetwas verpasst?

»Na, wir brauchen doch eine Unterkunft«, erwiderte Iain. »Ich hab dich im Flieger gefragt, ob du ein Zimmer reserviert hast, und du hast Nein gesagt.«

Er sah sie verständnislos an. Sie schüttelte den Kopf. »Ich habe kein Zimmer reserviert, weil wir hier wohnen werden.« Sie öffnete die Wagentür und rutschte von der Sitzbank auf den unbefestigten, grasigen, sandbedeckten Boden hinaus. Ein schneidender Wind peitschte ihr ins Gesicht. Die Luft roch salzig. Vielleicht würde sie ihren Großvater zu einem Spaziergang überreden können. Bis zum Fort Pond Lake war es nicht weit. Sie könnten irgendwo einen Kaffee trinken oder Madame Scarlet besuchen. Wenn da nicht Dinge zu regeln, Vorbereitungen zu treffen wären …

»Hier? Hier können wir doch nicht wohnen!« Iain kletterte aus dem Pick-up. Der Wind riss an seinem Mantel und der Kapuze. »Das ist eine Bar! Eine grauenvolle Bar!«

Harriet nickte. »Ja, die Bar meiner Großeltern.«

»Oh. Ich hab sie mir ein wenig anders vorgestellt«, murmelte Iain.

»Du musst sie erst mal von innen sehen. Komm, lass uns reingehen.«

Als Harriet die Tür aufstieß, wurde sie sogleich begrüßt.

»Wer ist da? Wer ist da?«

»Was zum …?«

Harriet lachte, als Iain bei Meryl Cheeps Gekrächze erschrocken zurücktaumelte und dabei mit der Schulter gegen einen Kugelfisch stieß, der im Fenster hing, seit Harriet zurückdenken konnte. Er hieß Hootie.

»Alles gut«, beruhigte sie Iain. »Darf ich euch bekannt machen? Das ist Meryl Cheep.« Sie streckte den Zeigefinger zwischen den Gitterstäben hindurch, und der Papagei beäugte ihn, als müsste er überlegen, ob es sich um einen Leckerbissen oder eine Bedrohung handelte. »Hallo, Meryl. Wie geht es dir?«

»Ist der echt?« Iain trat einen Schritt vor und betrachtete den Vogel, als könnte er batteriebetrieben sein.

»Natürlich ist er echt! Und immer noch wunderschön«, sagte Harriet leise. Als der Papagei den Kopf senkte, strich sie ihm behutsam über die Federn.

»Joanna! Joanna!«, krächzte Meryl Cheep aufgeregt, ruckte mit dem Kopf rauf und runter, plusterte ihr Gefieder auf und schüttelte sich.

»Oooh, sie kennt mich noch!«, sagte Harriet erfreut.

Iain sah sie an. »Sag mal, warum nennen dich hier eigentlich alle Joanna?«

Sie lächelte. »Sorry, ich hätte es dir schon längst erklären sollen. Das ist eine Art Spitzname, weißt du.«

Es war mehr als nur ein Spitzname. Alle hier nannten sie Joanna, und sie wusste, dass dieser Name immer für Reibereien zwischen ihrem Vater und ihrem Großvater gesorgt hatte. Ihr war das egal. Hier in Montauk war sie Joanna.

»Und wie soll ich dich jetzt nennen?«, fragte Iain, sichtlich verwirrt.

Harriet lächelte. »Wie du möchtest.«

Hinten schwang plötzlich eine Tür auf, und eine kleine Frau in Jeans, die krausen schwarzen Haare oben auf dem Kopf zusammengefasst, erschien.

»Wen haben wir denn da! Schön, dich wiederzusehen!«

»Ruby!« Harriet lächelte und wusste nicht recht, ob sie ihr die Hand reichen oder sie umarmen, sie duzen oder siezen sollte. Sie waren sich nur ein einziges Mal persönlich begegnet, aber ihre Nana hatte immer in den höchsten Tönen von Ruby gesprochen. Sie schien die perfekte Hilfe für ihre Großeltern zu sein. Und jetzt, wo ihr Grandpa allein war, würde er mehr denn je Unterstützung brauchen.

»Na, komm schon her!« Ruby breitete die Arme aus. »Weg mit der britischen Zurückhaltung!«

Harriet kam ihrer Aufforderung nach und legte ihre Arme um Ruby, die sie fest drückte. Sie roch ein klein wenig nach Kirschen und Haarspray.

»Mein herzliches Beileid«, flüsterte Ruby ihr ins Ohr.

Harriet brachte keinen Ton heraus. Sosehr sie sich darüber freute, wieder hier zu sein, so traurig war der Grund dafür, und ihre Trauer beherrschte alle ihre Gefühle. Normalerweise wäre es Nana gewesen, die sie hier mit einer Umarmung begrüßt hätte, und es hätte nach frisch gebackenem Kuchen und Rosinen, nach Äpfeln und Gebäck geduftet.

»Entschuldigung, wo ist denn die Toilette?«, fragte Iain unvermittelt.

Harriet löste sich aus Rubys Umarmung und wischte sich verstohlen eine Träne weg. Warum unterdrückte sie ihren

Kummer? Lag es an ihrer britischen Zurückhaltung, wie Ruby es ausgedrückt hatte? Oder daran, dass Iain sie noch nie hatte weinen sehen?

»Wie bitte?« Ruby musterte Iain, als wäre er aus einer anderen Dimension gefallen.

»Schon okay, Ruby.« Harriet wandte sich Iain zu. »Durch die Bar und dann rechts.«

Er nickte. »Danke. Drei Stunden Fahrt ist lang.« Er eilte in die angegebene Richtung davon.

»Alles in Ordnung mit ihm?« Ruby schaute Iain nach, wie er um die Tische herum und an dem aus Stein und Bambus gefertigten Wasserspiel in der Raummitte vorbeisprintete.

Harriet lächelte. »Es war ein langer Flug, und wir haben mit der Zeitumstellung zu kämpfen. Wo ist denn mein Großvater?« Sie würde ihn ganz fest an sich drücken und ihm versichern, dass jetzt, wo sie da war, alles gut werden würde. Natürlich konnte sie nicht einfach einen Zauberstab schwenken und alles wäre wieder in bester Ordnung, aber sie konnte ihrem Großvater zeigen, dass er in seinem Schmerz nicht allein war.

»Tja, also«, begann Ruby. »Es gibt da etwas, das du wissen solltest …«

Es lag bestimmt an dem Wechsel von der Kälte draußen in die Wärme des Rum Coconut, dass Harriets Augen tränten. Das hatte nichts mit dem zu tun, was Ruby ihr gerade berichtet hatte. Nicht das Geringste.

Iain war zurück von der Toilette. Ruby, die in einem fort plapperte, bereitete ihnen zwei Tassen Kaffee zu, für den sie berühmt war und für den die Leute angeblich von weit her kamen. Harriet schaute sich um. Auf den bequemen, gepolsterten Stühlen saßen nur einige wenige Gäste und spielten Karten, und im Restaurantbereich war kein Mensch. Es sah nicht so aus, als ob irgendjemand von irgendwoher kam. Harriet hatte die Bar noch nie so leer gesehen. Ohne ihre Nana schien die Leere noch erdrückender. Sogar die sonst so lebendige, eigenwillige Dekoration wirkte verstaubt und verblichen. Kein einziger Hinweis auf das bevorstehende Weihnachtsfest. Die beiden schmucklosen Fichten rechts und links des Holzofens sahen aus, als wären sie vom Dezember vergessen worden.

Harriet atmete tief durch und blickte zu ihrem Großvater hinüber. Es gab nur einen Weg, mit der Situation umzugehen: den direkten. So wie Lorna es getan hätte. Kein Eiertanz, sondern entschlossenes Handeln.

»Grandpa!«, rief sie, als sie mit großen Schritten auf ihn zuging.

Er zeigte keinerlei Reaktion. Sie versuchte es noch einmal. »Grandpa! Ich bin da!«

Sie stellte sich vor ihn hin, mit ausgebreiteten Armen, wie ein Ensemblemitglied eines Theaters im West End nach Vorstellungsende. Er schien um Jahre gealtert zu sein seit ihrem letzten Besuch. Seine Augen lagen tiefer in den Höhlen, seine Stirn war faltenzerfurcht, seine Haut hing schlaff herunter, als ob sie sich von den Knochen ablösen wollte. Harriet kaschierte ihre Sorge und ihre Bestürzung mit einem Lächeln, als Joe sie endlich wahrnahm.

»Joanna«, krächzte er.

»Ja«, sagte sie leise, ließ sich auf den Stuhl neben ihm fallen und ergriff seine Hände, die sich furchtbar knochig und zerbrechlich anfühlten. Grandpa Joe war immer ein großer, kräftiger Mann gewesen, der Brennholz gehackt, beim Wechseln von Traktorreifen geholfen, die zehnjährige Harriet auf seine Schultern gesetzt und herumgetragen hatte. Sie musste schlucken. »Endlich bin ich da! Ich war ganz schön lange unterwegs, um dich zu sehen, aber das war es wert!«

Da lächelte er. Ein ermutigender Hinweis darauf, dass sich der alte Joe immer noch irgendwo da drin befand. Er hatte ein wundervolles, herzliches Lächeln. Ihre Nana hatte immer gesagt, sie hätte sich wegen seines Lächelns in ihn verliebt und weil er ein begnadeter Tänzer war. Es musste über zehn Jahre her sein, dass Harriet ihn tanzen gesehen hatte, bei Sonnenuntergang am Strand, als er Lorna zu den Klängen eines langsamen Walzers in den Armen gehalten hatte.

»Hast du meine Nachricht bekommen?«, fragte er, setzte sich ein wenig aufrechter hin und sah sie direkt an.

»Ja, hab ich.« Harriet nickte. »Danke, dass du Lester zum Flughafen geschickt hast. Scheint ein netter Typ zu sein.«

»Ein grauenvoller Autofahrer.« Joe schüttelte den Kopf und lachte leise. »Aber ich vertraue ihm.«

»Das ist gut, Grandpa. Angestellte zu haben, denen man vertrauen kann, ist eine feine Sache. Ruby scheint auch nett zu sein.«

»Ja, das ist sie. Sie hat ein ganz schönes Temperament, aber sie ist eine anständige Frau. Muss sich auch noch um ihre Brüder kümmern.« Wieder schüttelte er den Kopf. »Die erinnern mich an deinen Vater. Machen nichts als Ärger.«

Harriet runzelte die Stirn. So abfällig hatte er sich noch nie über ihren Vater geäußert. Ob der Sturz ins kalte Wasser dafür verantwortlich war? Ruby hatte ihr doch versichert, Dr. Ambrose hätte ihn gründlich untersucht.

»Wie geht es dir denn, Grandpa?« Harriet drückte behutsam seine Hand. »Mit allem, meine ich.« Im Stillen verwünschte sie sich für ihr Zaudern. Es gab Dinge, die besprochen, die geregelt werden mussten. »Jetzt, wo ... Nanas Beerdigung bevorsteht.«

Joes Miene verschloss sich. Er entzog ihr die Hände und setzte sich kerzengerade hin, als sei es ihm von einem Vorgesetzten befohlen worden. »Ich will nicht darüber reden.«

»Das verstehe ich«, erwiderte Harriet leise. »Ich weiß, wie schwer das für dich ist ... das ist es für uns alle, aber ...«

»Hallo!«

Harriet schloss genervt die Augen. Iain hatte sich den unpassendsten Moment ausgesucht.

»Wer sind Sie denn?«, knurrte Joe unwirsch und musterte den Neuankömmling von Kopf bis Fuß.

Iain streckte die Hand aus. »Ich bin ...«

»Grandpa, das ist Iain«, fiel Harriet ihm ärgerlich ins Wort. »Ich habe dir am Telefon von ihm erzählt. Das heißt, ich hab Nana von ihm erzählt und ...«

»Freut mich sehr.« Iain stand immer noch mit ausgestreckter Hand da.

»Ich muss los.« Joe warf einen Blick auf seine Uhr und stemmte sich aus dem Sessel hoch.

»Was? Wo willst du denn hin?« Harriet schaute aus dem Fenster. Der Sturm riss am Vordach und peitschte das Meer, dessen hohe Wellen Schaumkronen trugen. Doch hoffentlich nicht nach draußen? Schon gar nicht nach dem Vorfall heute Morgen.

»Wir brauchen noch ein paar Sachen für die Küche«, brummte Joe.

Er knetete seine Hände und wirkte plötzlich ratlos und verloren. Harriet spürte einen Stich im Magen. Was tun? Sie schaute zu einem ihrer Lieblingsfotos an der Wand. Ihre Nana trug ein langes Hawaiikleid und eine rosafarbene Orchidee im Haar und sah ihren Grandpa verliebt an. Sie lächelten beide, und dieses Lächeln schien vom Geheimnis ihrer langen, glücklichen Ehe zu erzählen.

»Das kann ich doch übernehmen«, bot Iain an. »Sagen Sie mir einfach, was Sie brauchen und wo ich es bekomme.«

Er wollte nur helfen, aber ob das in dieser Situation das Richtige war? Harriet wusste es nicht, hatte andererseits aber auch keine bessere Idee.

»Kennen Sie sich mit Seebarschen aus? Wissen Sie, was für die Zubereitung alles gebraucht wird?« Joe musterte Iain misstrauisch mit zusammengekniffenen Augen.

»Nein, aber wenn Sie mir eine Liste machen, werde ich mein Möglichstes tun, damit Sie alles bekommen. Sofern Sie mir gestatten, Ihren Wagen zu nehmen«, fügte Iain hinzu. Er schluckte. »Sir.«

Joe schien darüber nachzudenken, aber Harriet konnte sich nicht vorstellen, dass in der Restaurantküche irgendetwas fehlte. Ihre Nana hatte immer genügend Vorräte im Haus gehabt, und nach allem, was sie über sie wusste, schien

Ruby das gleiche Organisationstalent zu haben. Außerdem wirkte alles hier picobello, in der Vorratskammer sah es sicherlich nicht anders aus.

Sie hakte sich bei ihrem Großvater unter. »Iain kann sich die Einkaufsliste doch auch von Ruby machen lassen, Grandpa. Warum gehst du nicht mit mir in Nanas Nähzimmer hinauf, damit ich auspacken kann?«

Joes Miene hellte sich auf. »Du willst hier wohnen?«

»Na klar.« Sie schob ihn auf die Tür zum Treppenaufgang in den oberen Stock zu. »Wo denn sonst?«

»Na ja, wenn ich mir deinen Begleiter so ansehe, bin ich eigentlich davon ausgegangen, dass du in einem dieser schicken Hotels in Sagaponack absteigen wirst«, sagte er und lachte leise. Harriet vermied es, Iain anzusehen, nur für den Fall, dass er diese Bemerkung gehört hatte.

KAPITEL
NEUN

Fort Pond, Montauk

Mack klopfte an die leuchtend lila gestrichene Tür des kleinen Häuschens, das nur ein kurzes Stück zu Fuß von seinem Liegeplatz entfernt war. Unter dem Türklopfer hing ein Kranz aus Efeu, Tannen- und anderen Zweigen, in denen rote und weiße Beeren steckten. Kiefernzapfen baumelten an Goldfäden. Noch während er zerstreut den Türschmuck betrachtete, blitzten auf einmal Lämpchen auf, abwechselnd grellweiße, rote, goldene, absurd pinkfarbene, als wäre er unversehens auf die Bühne einer schrillen Weihnachtsshow geraten. Scooter war das Ganze offensichtlich nicht geheuer – er suchte Deckung hinter den Beinen seines Herrchens. Wow, hier war jemand definitiv bereit für Weihnachten!

Die Tür wurde schwungvoll geöffnet. Schwere Düfte schlugen ihm entgegen. Make-up, Patschuli und … Schießpulver? Vor ihm stand Madame Scarlet, wie immer eine Erscheinung und von Kopf bis Fuß in Rot gekleidet. Halb sah sie so aus, als wäre sie gerade auf dem Weg zu einer Kostümparty, halb wie eine Schlafzimmerfantasie aus den Sechzigerjahren. Sie war klein und stämmig, und die ständig wechselnden Frisuren und Haarlängen, immer in Rot, waren ihr Markenzeichen. Niemand würde es je laut aussprechen, aber da sie an einem Tag lange Zöpfe wie Rapunzel haben konnte und am nächsten kurze Haare wie Liza Minelli in *Cabaret*, musste es sich um Perücken handeln. Jeder Haarschnitt passte zu ihr und ihrem mütterlichen und doch mädchenhaften Wesen. Heute Abend hatte sie ein bisschen Ähnlichkeit mit Marge Simpson.

»Haben wir uns nicht schon mal über die Kette an Ihrer Tür unterhalten, Madame Scarlet?«

»O Scooter, mein Schatz, gefallen dir meine Lichter nicht?«

Sie ignorierte Mack und beugte sich stattdessen zu dem Hund hinunter, um sein dickes braunes Fell zu streicheln. Mack schüttelte seufzend den Kopf und wartete, bis sie sich wieder aufgerichtet hatte.

»Es gibt einen Grund, warum ich die Kette angebracht habe. Damit Sie erst einmal schauen können, wer da ist, bevor Sie die Tür ganz öffnen.«

Madame Scarlet machte eine wegwerfende Handbewegung. »Ich hab doch gewusst, dass du das bist. Wer sonst würde im Halbdunkel hier herumschleichen und ...« Sie beugte sich vor und schnupperte. »Ist es das, was ich glaube?«

Mack streckte ihr den Schmortopf lächelnd hin. »Meine berühmten Fleischklöße mit Käse.«

»Mack, du bist der Beste! Die Gebete einer alten Frau sind erhört worden! Komm rein!«

»Nein, nein«, wehrte Mack ab und hielt Scooter, der ins Haus wollte, am Halsband zurück. »Das hab ich für Sie gekocht und ...«

Madame Scarlet schnaubte. »Ich kann wirklich tüchtig zulangen, aber nicht einmal ich könnte diese Portion allein verdrücken. Nun kommt schon«, fügte sie lächelnd hinzu. »Bevor ihr noch erfriert da draußen.«

»Also gut.« Mack ließ Scooters Halsband los, und der Hund schoss ins Haus. Beim Anblick des geschmückten Weihnachtsbaums fing er zu bellen an und sprang aufgeregt hin und her. Der Wohnbereich, in dem der Baum stand, war gemütlich und nach Madame Scarlets ganz persönlichen Vorstellungen von Dekadenz eingerichtet. Im Augenblick sah es hier aus, als wäre der Weihnachtsmann höchstpersönlich vom Nordpol hergekommen, um das Zimmer in weihnachtlichem Glanz erstrahlen zu lassen. Mack hatte sich hier immer wohlgefühlt. Glich es einerseits einem geheimnisvollen Zelt, so hätte es andererseits Schauplatz einer Familienfernsehserie sein können. Hier spielte sich das wahre Leben ab – ein bisschen chaotisch, aber schließlich kam alles zu einem guten Ende.

Madame Scarlet nahm Mack den Topf ab und trug ihn in die winzige Küche. Mack tätschelte seinen Hund, der den Baum in Ruhe ließ und auf eins der beiden Sofas sprang, auf denen mehr Kissen lagen als im Ausstellungsraum eines Möbelgeschäfts.

»Das ist in ein paar Minuten warm«, rief Mack. Er setzte sich neben Scooter und zog einen v-förmigen Stock unter ihm hervor. Was war das denn? Er legte ihn auf die Armlehne.

»Das wird nicht aufgewärmt! So lange kann ich nicht warten. Ich war den ganzen Tag mit diesem Ding da beschäftigt.« Eine Hand zeigte durch den Wandbogen aus der Küche, über die Frühstückstheke und zu dem riesigen Baum hinüber, dessen Äste teilweise gefährlich nah an die Glastür des Holzofens ragten, der für angenehme Wärme sorgte. Der mit Kugeln und Schleifen überladene Baum hätte in jedem anderen Haus kitschig und pompös gewirkt, aber hier passte er hervorragend in das extravagante Ambiente.

»Eigentlich bräuchte er ein Zimmer für sich«, bemerkte Mack.

»Ha!« Madame Scarlet lachte. »Ich würde bestimmt auch was Passendes für dein Boot finden.«

»O nein!« Mack schüttelte energisch den Kopf. »Auf der *Warrior* wird kein Weihnachten gefeiert.«

Das lange purpurrote Kleid flatterte um ihre Beine, als sie, einen Teller in jeder Hand, zurückkam. »Du weißt doch, dass ich Herausforderungen liebe. Oh, du hast meine Wünschelrute gefunden! Die hab ich schon überall gesucht.«

Sie reichte Mack einen Teller und eine Gabel und ließ sich dann auf das Sofa ihm gegenüber fallen. Auf dem Couchtisch aus dunklem Holz zwischen ihnen brannten Zimtkerzen und Weihrauchstäbchen. Ein Elefant und eine schwarze Porzellankatze mit einer kleinen Weihnachtsmannzipfelmütze hatten auch noch Platz darauf gefunden.

Mack schob sich einen Fleischkloß in den Mund und merkte erst jetzt, wie hungrig er war. Es war fast neun, und seit der Mahlzeit im Rum Coconut hatte er nichts mehr gegessen. Auf Outdooraktivitäten hatte er bei dem Wetter verzichtet und stattdessen drinnen trainiert, ein wenig geschlafen, das Essen gekocht und danach eine Runde mit Scooter gedreht.

»Du bist also hergekommen, um mit mir über Joe zu reden«, sagte Madame Scarlet unvermittelt.

Mack schüttelte den Kopf. »Hören Sie auf damit.«

»Womit?«

»Meine Gedanken zu lesen. Sie wissen, dass mich das wahnsinnig macht.«

»Aber es ist doch so, oder?«

Madame Scarlet war in der Gegend berühmt für ihre Fähigkeiten. Ihre Kristallkugel holte sie zwar nur für Touristen hervor, aber sie hatte tatsächlich so etwas wie einen siebten Sinn. Und wer weiß, vielleicht konnte sie sogar mit den Geistern Verstorbener sprechen, wie die Schilder draußen versprachen.

»Ach, ich weiß auch nicht«, erwiderte Mack seufzend. »Es geht mich ja auch nichts an, aber …«

»Es geht uns alle etwas an. Hier kümmert sich jeder um die Angelegenheiten des anderen.«

Er zuckte mit den Schultern. Die Anspielung auf Gemeinschaft und Nachbarschaft war ihm ein bisschen unangenehm. Daran hatte er nicht im Mindesten gedacht, als er hierhergekommen war. Er hatte einen Platz gesucht, wo ihn keiner kannte, mehr nicht. Einen Ort, der ihm gefiel, der etwas Besonderes hatte. Von diesem hier hatte ihm jemand erzählt, der ebenfalls etwas ganz Besonderes war. Aber es stimmte schon: Hier kannte man sich, jeder wusste, was man gern zum Frühstück aß und was für Sorgen und Probleme man hatte. Wenn er noch abgeschiedener hätte leben wollen als auf einem Boot, dann wäre vermutlich nur ein Haus in den Bergen infrage gekommen. In einem anderen Land.

»Lorna war sein Ein und Alles. Immer schon. Ich weiß noch, als sie mir das erste Mal von ihm erzählte. Da umgab sie so ein unwirkliches Leuchten.« Madame Scarlet schauderte, als wäre ein Geist in sie gefahren, der durch sie sprechen wollte. »Liebe ergreift von einem Besitz, sie durchdringt dich, schlägt ihre Krallen in deine Seele und lässt dich nie wieder los.« Sie lächelte. »Lorna und Joe hätten sich nur durch einen Exorzismus von ihrer Liebe zueinander befreien können.«

Mack nickte und fühlte sich unbehaglicher denn je. Er legte seine Gabel auf den Tisch, stützte die Ellenbogen auf und legte die Fingerspitzen aneinander. »Als ich ihn heute Morgen auf dem Steg entdeckt habe, da … ich kann mich täuschen, aber … da hat es ausgesehen, als ob er gesprungen wäre.«

Madame Scarlet schnappte erschrocken nach Luft. Scooter spitzte die Ohren und drehte sich zu Mack, um sich zu vergewissern, dass alles in Ordnung war und er weiterschlafen konnte. Als Mack ihm beruhigend eine Hand auf den Rücken legte, rollte er sich wieder zusammen.

»Ist das dein Ernst?«, flüsterte Madame Scarlet, als könnten sie belauscht werden.

»Ich bin mir nicht sicher«, erwiderte Mack achselzuckend. »Aber je mehr ich darüber nachgedacht und je länger ich ihn in der Bar beobachtet habe … Er scheint furchtbar weit weg zu sein.«

»Das stimmt allerdings. Nach dem Militär hat sich sein Leben ausschließlich um Lorna gedreht. Die beiden haben zusammengehalten wie Pech und Schwefel.« Sie spießte ein Stück Fleisch mit der Gabel auf. »Zum Glück kommt Harriet zu Besuch. Hoffentlich kriegt sie ihn dazu, sich wieder mehr um das Rum Coconut zu kümmern. Ich meine, Weihnachten steht vor der Tür. Du weißt doch, wie sehr Lorna Weihnachten geliebt hat.«

Harriet. Harri. Er dachte an das wunderschöne Mädchen. Schlagartig wurde er wieder in die Vergangenheit zurückkatapultiert. Die Wände des kleinen Raums rückten näher, die Hitze des Ofens wurde unerträglich. Jahre waren vergangen. Eigentlich sollte der Gedanke an sie nicht mehr dieses Kribbeln in seinem Bauch auslösen. Es war damals seine Entscheidung gewesen. Drei Jahre lang hatten sie sich geschrieben, und das hatte ihm alles bedeutet. All diese Briefe und dieser eine Videoanruf. Dreiundzwanzig Minuten und siebzehn Sekunden, bevor die Verbindung abgebrochen und ihr lächelndes Gesicht auf seinem Laptopbildschirm erstarrt war. Nie wieder hatte er seitdem empfunden, was er für sie empfunden hatte. Er hakte seine Finger unter Scooters Halsband und klammerte sich daran.

»Als ich anrief, um mich nach Joe zu erkundigen, meinte

Ruby, sie sei schon da. Und sie wohnt auch dort. Das ist gut, dann kann sie nämlich ein Auge auf ihn haben. Ich werde morgen früh mal rübergehen.«

»Wer ist … ich meine, wer …« Jetzt brachte er nicht einmal den Namen dieser Frau über die Lippen! Was war denn bloß los mit ihm? Dem Namen Harriet würde er schließlich immer wieder mal begegnen. Aber jetzt bekam er schon bei dem Gedanken an diesen Namen eine Gänsehaut? Das war doch nicht normal!

»Na, Joes Enkelin aus England«, sagte Madame Scarlet und sah ihn an, als zweifle sie an seinem Verstand.

»Ruby hat doch gesagt, dass sie Joanna heißt.«

Noch während er die Worte aussprach, dämmerte es ihm. Das letzte Puzzleteilchen fiel an seinen Platz, und das Blut rauschte ihm in den Ohren.

Harri.

Joanna.

Jener allererste Brief, den Corporal Gonzales ihm gegeben hatte. Den hatte er fast vergessen. Weil darauf so viele andere Briefe gefolgt waren, Briefe, die sein Herz erobert hatten. Seine Finger schlossen sich fester um Scooters Halsband. Er empfand die Wärme im Raum als erdrückend, so als ob Flammen an seinen Wangen züngelten. Dieser Gedanke beschwor andere Erinnerungen, andere Bilder herauf. Das *konnte* nicht sie sein! Doch der kalte Schweiß, der ihm übers Genick rieselte, sagte etwas anderes.

»Namen sind in dieser Familie immer ein Thema gewesen«, entgegnete Madame Scarlet. »Jedenfalls seit dem Tag, an dem Joe Junior abgehauen ist. Lorna hat nie über die Gründe gesprochen, nicht einmal mit mir, und ich kannte diese Frau besser, als sie sich selbst kannte, das darfst du mir glauben. Auch die Geister konnten mir keine Antwort geben.« Sie spießte einen Fleischkloß auf. »Wie auch immer, ihr Taufname ist Harriet. Aber wir hier haben immer nur Joanna zu ihr gesagt.«

Das konnte doch nicht wahr sein! Macks Gedanken wirbelten durcheinander wie das verschiedenfarbige Lametta an Madame Scarlets Weihnachtsbaum. War Harriet tatsächlich *seine* Harri? Und war *seine* Harri die Enkelin von Lorna und Joe?

Sein Mund fühlte sich jetzt so trocken an wie der Sand am sommerlichen Strand. Beinahe panisch versuchte er, sich an Einzelheiten aus ihren Briefen zu erinnern. Ja, Harri hatte ihm von den Hamptons und ihren Ferien dort erzählt – das war ja einer der Gründe, warum er hier gelandet war. Sie hatte ihm die Gegend so wunderbar poetisch beschrieben, als einen Ort, »wo du den Frieden nicht suchen musst, weil er dich von ganz allein findet«. Hatte sie tatsächlich *diesen* Ort gemeint? Exakt die Stadt, die er sich ausgesucht hatte?

»Mackenzie? Alles in Ordnung?«, fragte Madame Scarlet leise.

Nichts war in Ordnung. So wenig wie damals unmittelbar nach seiner Operation. Er dachte voller Entsetzen an alles, was schiefgehen konnte, und ob er sich nicht einfach aus dem Staub machen sollte. Falls ihm noch Zeit dafür blieb. Die Situation war so surreal. Trotzdem konnte er nicht glauben, dass das Schicksal ihm schon wieder einen kräftigen Tritt verpassen würde.

»Ja, ja, alles bestens«, antwortete er schnell, ließ Scooters Halsband los und griff nach seinem Teller. Der Appetit war ihm allerdings gründlich vergangen.

»Komm morgen früh doch einfach mit, dann lernst du sie kennen. Was hältst du davon? Wir könnten ihr einen dezenten Hinweis geben, dass es nicht schlecht wäre, wenn sich jemand mal mit Dr. Ambrose über Joes Zustand unterhält. Weil eine Unterkühlung möglicherweise nicht alles ist, was ihm fehlt.«

Mack schüttelte energisch den Kopf, noch bevor Madame Scarlet ausgesprochen hatte. »Geht nicht. Morgen kommen Leute zu mir. Aufs Schiff.«

»Leute?« Madame Scarlet hob ihre nachgezogenen Brauen. »Aufs Schiff? Im Winter?«

Wieder schüttelte er den Kopf. Er musste damit aufhören, musste cool bleiben. »Nein … es … es sind Freunde … von Lester. Sie sind zu Besuch und wollen nur kurz rausfahren.« Was zum Teufel redete er denn da? Es half nichts, irgendeinen Mist zu erfinden. Er musste sich am Riemen reißen.

Madame Scarlet stocherte mit der Gabel in ihrem Essen. »So? Na ja.« Nach einem Augenblick fügte sie hinzu: »Da sind auch noch ein paar Kleinigkeiten wegen der Beerdigung, die ich mit ihr besprechen muss.«

Mack machte den Mund auf. Er würde das Rum Coconut erst wieder betreten, wenn er diese Situation weitere Millionen Male von allen Seiten beleuchtet hatte. Doch er sagte nichts. Stattdessen schob er sich eine Gabel voll Essen in den Mund. Es schmeckte grauenvoll.

KAPITEL

ZEHN

Das Rum Coconut

Es war früh am Morgen, und Harriet hatte kein Auge zugetan. Während Iain immer noch schlief und Geräusche von sich gab wie ein Walross, saß sie mit untergeschlagenen Beinen auf der breiten Fensterbank von Nana Lornas Näh- und Bastelzimmer. Obwohl sie völlig erschöpft war, erfüllte sie eine innere Unruhe bei dem Gedanken an die Aufgaben, die auf sie warteten. Die Beerdigung organisieren. Sich um Grandpa Joe kümmern. Abklären, ob die Bar auch ohne ihre Nana weitergeführt werden konnte. Sie legte sich die Hände ans Gesicht. Salzige Tränenspuren zogen sich über ihre trockene Haut. Als sie in die frische Flanellbettwäsche geschlüpft war, die dank der Duftperlen, die Nana immer in die Waschmaschine gegeben hatte, nach Lavendel und Zitrone roch, hatte sie die Tränen nicht mehr zurückhalten können. Sie sah ihre Großmutter vor sich, wie sie die Wäsche draußen aufhängte, sodass sie im Wind flatterte und sich zu Fantasiefiguren aufblähte, die sie als kleines Mädchen zu deuten versucht hatte. Nach dem Trocknen wurde alles sorgfältig gebügelt – zerknitterte Bettwäsche war ein Zeichen des Teufels –, fein säuberlich zusammengelegt und in den Wäschetrockenschrank geräumt. Nana hatte in jedem Lebensbereich auf Kleinigkeiten geachtet. Die kleinen Dinge waren ihr wichtig gewesen.

Harriets Blick schweifte über das terrassenförmige Land Richtung Meer. Das Wetter war deutlich besser geworden.

Der Wind hatte sich gelegt, und die See schien ruhig, doch die vereiste Frontscheibe des Ford und der Raureif auf dem Gras verkündeten, dass es Winter war. Harriet atmete tief durch und wandte sich wieder dem Zimmer zu, in dem ihre Nana so viel Zeit verbracht hatte. Es sah noch genauso aus wie bei ihrem letzten Besuch. Eine rosarote geblümte Tapete – Rosen, Lilien und Gänseblümchen –, alte Möbel in einem dunklen Walnusston. In einer Ecke ein Schaukelstuhl mit drei dicken Kissen und einer pflaumenfarbenen Häkeldecke über einer Armlehne. Wie oft hatte ihre Nana in diesem Stuhl gesessen, im Schoß eine Kreuzsticharbeit oder eins von Grandpas Hemden, das geflickt werden musste. Harriet hatte ihr Gesellschaft geleistet, auf dem Doppelbett gesessen und sich mehr schlecht als recht selbst an einer Handarbeit versucht. Sie bewunderte die geschickten Finger ihrer Großmutter, die schaukelnd dasaß, Neuigkeiten von den Leuten in der Stadt erzählte oder Lebensweisheiten zum Besten gab. Harriet, die ihre andere Großmutter nicht gekannt hatte, fand bei Nana Lorna, was sie von ihren distanzierten Eltern nicht bekam: Zuneigung, Wärme, Trost. Harriet erinnerte sich an die Düfte, die ihre Großmutter umgeben hatten: Puder, Lippenstift, Wolle. Spuren davon fanden sich in diesem Zimmer, in der ebenfalls eine Frisierkommode stand, deren Schubladen gefüllt waren mit Fläschchen und Zerstäubern, einer Puderdose mit einer großen orangeroten Quaste, Plastiklockenwicklern und einer schweren Holzhaarbürste. Neben der Kommode waren Schachteln mit Handarbeitsmaterialien untergebracht: Bänder, Perlen, Wollstränge in verschiedenen Stärken und Farben und vieles andere mehr. Alles wirkte so voller Leben, als würde diejenige, die hier gearbeitet hatte, jeden Moment zurückkommen. Es war so ungerecht, dass ihr Licht für immer erloschen war.

Harriet blickte auf das Fotoalbum in ihrem Schoß. Es war eins von diesen ganz alten Alben mit den klebrigen Seiten und der durchsichtigen Folie, die man abziehen musste, um Fotos einzukleben. Sie holte sich das Album bei jedem ihrer Besuche aus dem Regal. Die Bilder aus verschiedenen Epochen der Familie Cookson zauberten ihr immer wieder ein Lächeln aufs Gesicht. Da waren sepiafarbene Fotos von Grandpa Joe in seiner US-Army-Uniform, in der er so jung und schnittig aussah; auf anderen war er mit Kameraden in lässiger Pose in einem grünen Militärfahrzeug zu sehen. Verblasste Fotos von der Hochzeit ihrer Großeltern, beide übers ganze Gesicht strahlend, Händchen haltend, einander mit Hochzeitstorte fütternd, Walzer tanzend zur Musik einer Liveband im Hintergrund. Auf einigen wenigen Fotos war auch Harriets Vater – als Dreikäsehoch, einen selbst gefangenen Fisch am Schwanz hochhaltend, fast zahnlos in die Kamera grinsend; auf einem anderen saß der etwa Zehnjährige auf einem Chopper und versuchte, böse und finster zu gucken. Auch von Harriet waren Fotos dabei. Lächelnd fuhr sie mit den Fingerspitzen über das vertraute Bild, das festgehalten hatte, wie sie ihren allerersten Hummer probierte und ihr fast die Augen aus dem Kopf fielen. Sie hatte nur ein Windelhöschen an, und in ihren hellblonden Haaren steckte eine Minnie-Mouse-Sonnenbrille. Hummer aß sie immer noch gern, aber er schmeckte nirgends so gut wie hier. Sobald sie ein bisschen Zeit hatte, würde sie sich einen gönnen.

Sie blätterte weiter. Ein Foto von ihr in ihrem ersten Bikini, als sie endlich Brüste bekommen hatte; Nana Lorna, die ihr zeigte, wie man Cupcakes glasierte; Grandpa Joe, der am Lagerfeuer Marshmallows für sie röstete. Dann kam die letzte Seite, ein leeres Blatt, das Ende.

Doch dieses Mal nicht. Als sie umblätterte, entdeckte sie einen an sie adressierten Brief unter der Folie. Sie kannte die Handschrift. Es war die Handschrift ihrer Nana. Ihr Herzschlag stockte. Sie fuhr mit dem Finger die Buchstaben ihres Namens nach, während ihr die Tränen vor Kummer über den schmerzlichen Verlust in die Augen schossen. Wie konnte es so enden? Ohne dass sie Gelegenheit gehabt hatte, sie noch einmal zu umarmen oder gemeinsam über einen Backunfall zu lachen, bei dem Grandpa seine Finger im Spiel gehabt hatte. Sie wischte sich über die Augen und begann zu lesen.

Meine allerliebste Joanna …

»Morgen!«

Harriet fuhr beim Klang von Iains Stimme so heftig zusammen, dass das Fotoalbum von ihrem Schoß rutschte und auf den Boden fiel. Sie sprang auf, hob es auf und warf es auf das Polster, auf dem sie gerade gesessen hatte.

»Morgen.« Sie zupfte an den Ärmeln ihres Sweatshirts und ging zum Bett hinüber, das rosarot war, wie alles andere im Zimmer. »Gut geschlafen?«

»Nein, ganz fürchterlich«, antwortete Iain gähnend und schob die schwere Seersuckerdaunendecke zurück. Er ließ seine Schultern kreisen, als ob er auf dem harten Boden und nicht in einem großen, bequemen Bett geschlafen hätte.

Harriet erwiderte nichts darauf. Sie wartete, ob er seine Lockerungsübungen beenden und vielleicht mal fragen würde, wie *sie* geschlafen hatte.

»Du bist ja schon angezogen«, bemerkte er schließlich. »Wie spät ist es denn?«

»Noch früh. Du kannst dich ruhig noch mal hinlegen,

wenn du willst. Ich mach mir Tee und sehe nach Grandpa.«
Sie ging Richtung Tür.

»Harriet!«

Sie blieb stehen und schaute auf ihn hinunter. Ob er sie
jetzt in die Arme nehmen und fragen würde, was es für sie
bedeutete, wieder hier zu sein? Vielleicht würde er sie bitten, ihm von ihrer Großmutter und von Montauk zu erzählen. »Ja?«

»Könntest du mir meinen Handy-Akku bringen? Er ist
im Rucksack.«

Harriet war die Enttäuschung sicher anzusehen, doch Iain
bemerkte es nicht, weil er sich bereits zum Nachttisch drehte,
wo sein Telefon lag.

»Rufus! Man nimmt sich nicht einfach, was einem nicht gehört! Wie oft muss ich euch das noch sagen?«

Harriet, die gerade den Gastraum betrat, lächelte Ruby zu. Eine Reihe warmer Speisen – Schinkenspeck, Eier in allen Variationen, Kartoffelpuffer, Maisgrütze – wurde unter Wärmelampen platziert. Es gab aber auch frisches Obst, eine Beerenmischung in einem Gefäß mit einer Schöpfkelle und Joghurtgläser. Zwei dunkelhaarige Jungen, die Ruby beim Decken der Tische halfen, stibitzten im Vorbeigehen etwas vom Serviergeschirr und stopften es sich schnell in den Mund.

»Guten Morgen, Joanna«, grüßte Ruby und scheuchte die beiden Jungen vom Büfett weg. »So früh hab ich nicht mit dir gerechnet.«

»Na ja, mir ist der Duft von gebratenem Speck in die Nase gestiegen, und da konnte ich einfach nicht widerstehen, Jetlag hin oder her.« Harriet lächelte den Jungen, die sie neugierig beäugten, zu. »Hallo, ich bin Joanna. Oder Harriet. Ihr könnt mich nennen, wie ihr wollt.«

Die beiden, allem Anschein nach Zwillinge, starrten sie nur an. Beide trugen eine dunkle Hose und ein langärmeliges Baumwollhemd.

»Rufus! Riley! Wo bleiben eure Manieren?«

»Morgen«, murmelte einer der beiden. Der andere hob grüßend die Hand.

»Das sind nicht meine«, erklärte Ruby. »Das heißt, sie gehören schon zu mir. Meine Brüder. Sie kommen nicht jeden Tag hierher.« Sie wischte sich die Hände an ihrer gestreiften Schürze ab. »Normalerweise bringt meine Nachbarin sie zur Schule, aber sie hat momentan Besuch, deshalb habe ich die beiden mitgenommen. Sobald das Frühstück fertig ist, werde ich sie hinbringen. Lester kommt ja bald und …«

»Ruby«, fiel Harriet ihr ins Wort. »Warum setzt du dich nicht hin und trinkst erst mal einen Kaffee?« Sie sah, dass die Kannen bereitstanden. Hatte ihre Nana das nicht auch immer so gemacht? Helfen, wenn sie merkte, dass jemand überfordert war?

»Ich hab keine Zeit für Kaffee«, protestierte Ruby und schob Geschirr hin und her, während die Jungs sich knufften und boxten. »Es muss alles so hergerichtet werden, wie Lorna es mag. Und wenn ich kein Frühstück mache, wird Joe nichts essen.«

»Ruby.« Harriet legte ihr die Hand auf die Schulter. »Komm, setzen wir uns einen Moment.« Sie schaute zu den Jungs hin. »Warum nehmt ihr euch nicht einen Teller und esst was?«

»Das ist wirklich nicht nötig, Joanna. Ich …«

»Jetzt komm schon.« Harriet fasste sie am Ellenbogen, führte sie an einen Fenstertisch und ging dann zum Büfett zurück, um zwei Tassen Kaffee zu holen. Rufus und Riley häuften sich bereits aufgeregt Würstchen und Eier und andere Köstlichkeiten auf ihre Teller.

Harriet stellte einen Becher vor Ruby hin und setzte sich ihr gegenüber. Ohne das Feuer im Ofen war es ein bisschen kalt in dem großen Raum, zumal die Zentralheizung noch nicht angesprungen war. Hoffentlich würde die Sonne, die sich zögerlich zeigte, für ein klein wenig Wärme sorgen.

»Ich hab Milch reingetan, ich hoffe, das ist okay. Zucker ist keiner drin.«

»Das ist perfekt so.« Ruby legte beide Hände um den Becher und nahm einen Schluck. »Entschuldige, aber hier geht es ziemlich chaotisch zu, seit …«

Sie brauchte den Satz nicht zu beenden. Harriet kamen die Tränen, bevor sie es verhindern konnte. Sie schluckte kräftig und blinzelte ein paarmal. Ihre Nana war die treibende Kraft hier gewesen, Gastfreundschaft ihr höchstes Ziel. Unter Menschen sein, Essen für sie zubereiten, ihnen ein paar schöne Stunden schenken. Vom Frühstücksbüfett über Cocktails bis hin zu den Mottoabenden – alles hatte immer wie am Schnürchen funktioniert. Lorna war einer jener Menschen gewesen, die mühelos und perfekt organisiert eine Aufgabe nach der anderen meisterten.

»Ruby, ich weiß zwar nicht, wofür genau du hier zuständig bist«, sagte Harriet sanft, »aber du kannst unmöglich alles alleine schaffen. Außerdem bin ich jetzt ja da und kann dir helfen.«

»Du bist ein Gast.«

»Nein, ich gehöre zur Familie«, entgegnete Harriet mit fester Stimme.

»Entschuldige, ich wollte nicht …«

»Du brauchst dich nicht zu entschuldigen. Ich hab's nicht so gemeint.« Harriet legte eine Hand flach auf den Tisch. Der Kontakt mit dem stabilen Holz tat gut. »Erzähl mir, wie es um die Bar steht. Und wie ich helfen kann.«

Ruby schüttelte den Kopf, dass ihre dunklen Locken auf und ab hüpften. »Ich hab Angst«, flüsterte sie mit Tränen in den Augen und sorgenvoller Miene.

»Angst wovor?«, fragte Harriet behutsam.

»Ich sollte nicht mit dir darüber reden. Nicht jetzt, wo du

um Lorna trauerst, und dass sie so unerwartet gestorben ist, ist schlimmer als alles andere, aber …«

»Aber?«

»Ich bin auf diesen Job angewiesen«, brach es aus Ruby hervor. »Ich muss für Rufus und Riley sorgen, und wenn ich die Stelle hier verliere, muss ich wieder im Casino anfangen, und die Arbeitszeiten dort vertragen sich überhaupt nicht mit zwei hyperaktiven Kids.«

»Ruby.« Harriet nahm ihre Hand. »Wie um Himmels willen kommst du auf die Idee, dass dein Job in Gefahr ist?«

»Ich weiß auch nicht.« Schniefend rieb sie sich mit dem Handrücken über die Augen. »Wahrscheinlich hab ich gedacht, dass Joe den Laden nicht so führen wird, wie Lorna es getan hat, und dass du hergekommen bist, um mir mitzuteilen, dass dein Vater die Bar verkauft.«

Rubys Worte versetzten Harriet einen Stich. Sie ließ ihren Blick durch den Raum mit all den verrückten Kleinigkeiten schweifen. Die Bar verkaufen? Niemals! Sie war ein Stück Geschichte, das Lebenswerk zweier Menschen, die auf wunderbare Weise Privatleben und Geschäft miteinander verknüpft hatten. So etwas bot man nicht auf dem Markt an, damit es zum Höchstpreis an einen Fremden verscherbelt wurde, der auf schnellen Profit aus war. Obwohl sie sich dagegen zu wehren versuchte, drängte sich ihr der Gedanke auf, dass sie und Iain es ja genauso machten. Häuser aufkaufen, ihren besonderen Charakter in etwas Neutrales verwandeln und mit Gewinn weiterverkaufen.

»Ruby, ich liebe diese Bar«, versicherte Harriet. »Ich würde niemals zulassen, dass sie verkauft wird.«

Ruby zuckte mit den Schultern. »Ich würde es ja verstehen, weißt du. Ich möchte dich nur bitten, mich so lange wie irgend möglich zu behalten.«

Harriet legte die Hände um ihren Kaffeebecher und beugte sich ein wenig vor. »Ich brauche dich, Ruby. Ich brauche dich wirklich. Ich habe doch keine Ahnung, wie man den Laden hier führt, das weißt du viel besser.« Mit einem Blick zum Büfett hinüber fuhr sie fort: »Glaubst du, dass viele Gäste zum Frühstücken kommen werden? Oder ist das ein bisschen optimistisch?«

Ruby setzte sich aufrecht hin, reckte das Kinn vor und verwandelte sich wieder in das Energiebündel, das, falls erforderlich, jedem einen Tritt in den Hintern gab, um die Leute auf Trab zu bringen. »Wir haben fünf Reservierungen, und ein halbes Dutzend Laufkunden kommt immer … mindestens.«

Harriet nickte. Dennoch hatte sie das Gefühl, der Bar und dem Restaurant würde neuer Schwung nicht schaden. Sobald sie sich um die Beerdigung gekümmert hatte, würde sie sich mit dem Rum Coconut befassen und versuchen, das Erbe ihrer Nana in ihrem Sinne fortzuführen. Wenigstens solange sie in Montauk war.

»Ruby«, begann sie zögernd, »das ist ein schreckliches Thema, aber … an welches Beerdigungsinstitut kann ich mich wenden? Ich könnte auch im Internet nachschauen, aber …«

Ruby schlug die Hände vors Gesicht und schnappte erschrocken nach Luft. »O gütiger Jesus!«

»Was ist denn?«, fragte Harriet, während Rufus und Riley aufhörten zu essen und herüberstarrten.

»Die Beerdigung.« Rubys Unterlippe zitterte. »Es ist schon so gut wie alles arrangiert. Joe hat gemeint, Lorna würde sich wünschen, dass sie so schnell wie möglich stattfindet, damit … Weihnachten nicht verdorben wird. Und deshalb haben Joe und Madame Scarlet und ich … also eigentlich bin ich nur fürs Essen zuständig … wir haben alles schon geplant und … die Beerdigung ist morgen.«

Harriet rutschte das Herz bis zu den Stiefeln hinunter. Sie hätte früher herkommen sollen. Sie hatte gehofft, bei der Auswahl der Musik helfen zu können, vielleicht eine kurze Rede zu halten. Und in welchem Kleid würde ihre Nana beigesetzt werden? War das auch schon entschieden? Harriet sah sie in ihrem cremefarbenen A-Linien-Kleid mit dem Palmendruck vor sich und dazu vielleicht ihr Lieblingstuch mit dem Papageienmuster. Sie schluckte ihre Enttäuschung herunter. Wenigstens hatte ihr Grandpa in Madame Scarlet und Ruby zwei fähige, tatkräftige Frauen an seiner Seite. Sie versuchte, sich ihre Gefühle nicht anmerken zu lassen.

»Okay«, sagte sie und nickte Ruby zu.

»Ich dachte, Joe hätte mit dir darüber geredet«, begann Ruby. »Wenn ich gewusst hätte, dass du nichts davon weißt, hätte ich früher etwas gesagt.«

»Alles gut, Ruby. Ich danke dir. Dafür, dass du für meinen Grandpa da bist.«

In diesem Moment ging die Tür auf, und Meryl Cheep krächzte: »Scarlet Lady! Scarlet Lady!«

Ein Lächeln huschte über Harriets Gesicht, als sie die langjährige Freundin ihrer Nana erblickte, die unvergleichliche Madame Scarlet. Wie üblich war sie von Kopf bis Fuß in Rot gekleidet, mit einer Frisur, die gleichermaßen an Medusa und Daenerys aus *Game of Thrones* erinnerte. Obwohl seit ihrem letzten Treffen ein paar Jahre vergangen waren, schien sie keinen Tag gealtert zu ein.

»Na, wen haben wir denn da? Du bist ja noch schöner, als ich dich in Erinnerung habe!« Madame Scarlet breitete die Arme aus. »Komm her zu mir, Schätzchen! Lass dich umarmen!«

Das brauchte sie nicht zweimal zu sagen. Harriet stand auf und eilte zu ihr.

KAPITEL
ZWÖLF

Die Warrior, Fort Pond

»Das Ding ist Schrott, das weißt du, oder?«

Mack, in der Hand einen Schraubenschlüssel, machte sich an Lesters altem Fahrrad zu schaffen, das sie an Deck der *Warrior* gebracht hatten. Das Erste, was er sich nach seiner Ankunft in Montauk gegönnt hatte, war eine Mahlzeit im Rum Coconut – ein Steak mit Eiern. Das Zweite die *Warrior*. Das Boot hatte schon bessere Tage gesehen und musste komplett überholt werden, aber etwas an seinem rostigen Äußeren und seinem heruntergekommenen Inneren hatte ihn angesprochen. Genau wie er selbst hatte auch das Boot einen Neuanfang gebraucht. Während Mack auf dem Boden saß und das Fahrrad inspizierte, hatte Lester auf einem der Stühle Platz genommen. Das Wetter war zum Glück viel besser – immer noch kalt, aber der schneidende Wind hatte sich gelegt. Zum Frost gab es einen überwiegend blauen Himmel und eine Sonne, die ihr Möglichstes tat, um den frühen Morgen zu erwärmen. Scooter jagte einem Lappen hinterher, den Lester für ihn über das Deck zog.

»Was soll ich sagen?«, erwiderte Lester achselzuckend.

»Zum Beispiel, dass du dir ein neues kaufen wirst, damit ich nicht alle paar Wochen daran herumschrauben muss.«

»Erstens hab ich kein Geld. Und zweitens – was würdest du dann machen?« Scooter hatte den Lappen erwischt. Er verbiss sich darin und knurrte. »Du würdest vergessen, wie das mit dem Reparieren geht. Du würdest dich im Winter nur langweilen, wenn keine Touristen da sind und dich für eine Bootstour chartern.«

Mack spürte, wie sich sein Magen verkrampfte. Harri. Der Gedanke, dass sie hier war, hatte ihn die ganze Nacht nicht schlafen lassen. Hier sein *könnte*. Noch stand es nicht fest. Madame Scarlet hatte zwar ein paar Punkte miteinander verknüpft, aber … War das wirklich möglich? Er würde es erst glauben, wenn er es mit eigenen Augen gesehen hatte. Wenn er *sie* mit eigenen Augen gesehen hatte. Er bekam einen trockenen Mund bei der Vorstellung, Harri von Angesicht zu Angesicht gegenüberzustehen. Wie oft hatte er sich das gewünscht? Wie oft hatte er davon geträumt, sie lächeln zu sehen, sie lachen zu hören? Mit seiner Lüge hatte er sich zwar herausreden können, heute ins Rum Coconut zu kommen, aber er würde ihr nicht ewig aus dem Weg gehen können. Morgen war Lornas Beerdigung, und er wollte der Frau, die ihn bei seiner Ankunft hier so liebevoll aufgenommen hatte, unbedingt die letzte Ehre erweisen.

»Hör mal, Lester, du musst mir einen Gefallen tun«, sagte er leise, während er mit ölverschmierten Fingern ein Teil zu lösen versuchte, das sich offensichtlich verklemmt hatte.

»O nein!«, rief Lester wie aus der Pistole geschossen. »Als du mich das letzte Mal um einen Gefallen gebeten hast, musste ich allen erzählen, dass dort draußen ein großer Weißer Hai herumschwimmt.«

Mack musste grinsen. Damals hatte er Lester dafür bezahlt, dass er diese Geschichte verbreitete, um Neugierige auf sein Boot zu locken. Es hatte funktioniert. Alle hatten den Hai sehen wollen, und Mack hatte so viel eingenommen, dass er Lester mehr bezahlte, als vereinbart worden war.

»Ganz so schlimm ist es diesmal nicht.«

»Nein?« Lester sah ihn zweifelnd an.

Mack überlegte, wie er es am besten formulierte. Kurz und knapp, entschied er. »Falls dich jemand fragt, könntest du dann sagen, dass du Besuch von Freunden hast und ich mit ihnen rausfahre?«

Er vermied es, Lester anzusehen, und konzentrierte sich stattdessen auf das ölige Metallteil in seinen Händen.

»Wer sollte mich das denn fragen?«

Mack rutschte näher an den Fahrradrahmen. Schmerz schoss ihm durchs Bein. Diese verdammte Ersatzprothese taugte nichts. Als er Dr. Jerome vorhin angerufen hatte, hatte der nur ungläubig die Luft zwischen den Zähnen eingezogen und gemeint, er hätte noch nie einen Patienten gehabt, der so viele Beinprothesen in so kurzer Zeit verschlissen hätte. Vor Weihnachten werde er wahrscheinlich keine neue mehr bekommen, hatte er hinzugefügt.

»Weiß nicht«, antwortete er achselzuckend. »Aber es könnte ja sein.«

Lester nahm Scooter den Lappen ab und begann aufs Neue, mit ihm im Spiel darum zu kämpfen. »Wenn ich das jemandem erzähle, werde ich ausgelacht. Das glaubt mir doch keiner.« Er schüttelte den Kopf. »Mein Wohnwagen hat *ein* Schlafzimmer und eine kaputte Dusche.«

»Die Dusche ist kaputt?« Mack blickte auf. »Wieso hast du nichts gesagt? Soll ich mal einen Blick drauf werfen?«

»Das Fahrrad ist wichtiger. Das brauche ich, um zur Arbeit zu kommen.« Er warf einen Blick auf seine Uhr. »Und dort sollte ich längst sein.«

»Lass das Rad hier. Ich repariere es, und du kannst es später abholen.«

»Ehrlich?«

»Na klar. Und dann nehme ich mir deine Dusche vor. Keine Widerrede!«

Lester strahlte. »Danke, Mack. Ich werde für dich lügen, so gut ich kann.«

Mack erwiderte nichts darauf. Lester sprintete bereits über den Steg zur Straße, die nach Fort Pond Bay und zum Rum Coconut führte. Auf halbem Weg verlangsamte er sein Tempo jedoch und winkte jemandem zu. Es waren zwei Personen, wie Mack jetzt feststellte. Eine in einem grünen Mantel. Und sie kamen direkt auf ihn zu. Ihm stockte der Atem, er wusste, dass er handeln musste, und zwar schnell. Er zog sich an der Sitzkante vom Boden hoch, schnappte Scooter am Halsband und zerrte ihn mit sich in die Kajüte hinunter.

Die eine Person war zweifellos Madame Scarlet. Und die andere? Etwa Harri? Er schloss die Augen. Er musste aufhören, ihren Namen zu sagen oder auch nur zu denken. Es war eine Qual, in die sich Angst und so etwas wie Hoffnung mischten. Er kam sich wie ein Eindringling in seiner eigenen Kajüte vor, als er sich in die Polster duckte und durch das kleine Bullauge zum Steg hinaufspähte. Er hörte Stimmen. Sein Herz raste. Scooter winselte und hechelte, weil ihm das Verhalten seines Herrchens komisch vorkam. Mack tätschelte ihn beruhigend und lauschte angestrengt.

Harriet atmete tief durch, ließ die eisige Luft in ihre Lungen strömen und nahm die Stille in sich auf. Ihr Blick schweifte über das Wasser und das kleine Stück von Montauk, das sich für sie wie ein Zuhause anfühlte. Die Strandlokale, ein paar Boote im Wasser, all die Plätze, mit denen sie sich eng verbunden fühlte. Skeet's Surf Shack, der Laden für Angelausrüstung und Madame Scarlet's Emporium. Das Surfbrett und der Haikopf vor Skeet's Surf Shack waren ein wenig verwittert, die Kette am Ladenschild des Angelausrüsters war noch rostiger, und Madame Scarlets kleines rotes Häuschen hätte einen neuen Anstrich vertragen können, aber alles wirkte so vertraut. Als wäre die Zeit stehen geblieben.

»Hier ist alles noch so, wie es war«, stellte sie fest.

Madame Scarlet lachte laut. »Du meinst, in drei Jahren könnte sich etwas verändern, Schätzchen? Ich sag dir was: Ich wohne mein ganzes Leben lang hier, und in der Zeit hat sich kaum etwas verändert!«

»Aber das ist doch gut, oder?«, murmelte Harriet.

»War das jetzt eine Frage? Oder eine Feststellung?«

Harriet seufzte. »Es ist so schön, hier zu sein.« Sie meinte es ehrlich. Montauk umfing sie liebevoll wie bei jedem ihrer Besuche, aber der wichtigste Teil der Gemeinschaft fehlte: ihre Nana. »Ich habe ein schlechtes Gewissen, weil ich so empfinde.«

Madame Scarlet legte einen Arm um sie, während sie langsam weitergingen. »Ich weiß. Ich kann es nachfühlen, Schätzchen. Alles scheint irgendwie aus dem Gleichgewicht geraten zu sein.« Sie seufzte. »Lorna hatte diese Gabe. Sie sorgte dafür, dass wir im Gleichgewicht blieben.«

Diese Beschreibung traf exakt auf die Frau zu, die es mit freundlichen Worten oder, bei Bedarf, auch einem Tritt in den Allerwertesten geschafft hatte, dass erledigt wurde, was zu erledigen war.

»Sie würde sich so freuen, dass du da bist. Und sie würde nicht wollen, dass du trauerst.«

»Das sagt sich so leicht.« Harriet steckte ein paar verirrte Strähnen unter ihre rote Mütze. »Ich hätte öfter herkommen sollen. Ich hätte öfter anrufen sollen. Ich hätte nicht zulassen sollen, dass …«

»Dass das Leben dazwischenkommt? Ach, Schätzchen,

diese ›Hätte ich doch und wäre ich doch‹-Momente durchleben wir alle irgendwann einmal. Aber das bringt rein gar nichts. Du bist jetzt hier, du bist für Joe da, und das ist alles, was zählt.«

Vor einem am Steg vertäuten Boot blieb Madame Scarlet stehen. Es war weiß mit einem blau abgesetzten Rand, einem hübschen Deck mit Sitzmöglichkeiten und einem geschlossenen Bereich hinter dem Ruder. Die Bullaugen über der Wasserlinie deuteten auf eine Kajüte hin.

»Hm«, machte Madame Scarlet nachdenklich, »das ist ja merkwürdig.«

»Was denn?«

»Ich wollte dich mit jemandem bekannt machen.«

»Ach ja?«

»Er wohnt seit ein paar Jahren hier. Hat deinen Großeltern viel geholfen. Er war es übrigens, der Joe gestern aus dem Wasser gezogen hat.«

»Was? Dann muss ich mich unbedingt bei ihm bedanken. Wer weiß, was passiert wäre, wenn er nicht da gewesen wäre!« Sie durfte gar nicht daran denken. Ihr armer Grandpa war so schwach, dass er beim Frühstück mit Müh und Not eine Scheibe Toast hatte durchschneiden können.

Madame Scarlet trat näher an das Boot, kniff die Augen zusammen und versuchte, durch eins der Bullaugen ins Innere zu gucken.

Mack wagte kaum zu atmen, während er sich in die Polster drückte wie ein Verbrecher auf der Flucht vor der Polizei und Scooter mit einer Hand die Schnauze zuhielt. Etwas durchfuhr ihn von der Fußsohle des gesunden Beins über seinen Beinstumpf und weiter durch seine Eingeweide bis zum Herzen. Sie war es. Harri. Obwohl er ihre Stimme nur ein einziges Mal gehört hatte, würde er sie unter Tausenden wiedererkennen. Und sie war hier. Draußen vor seinem Boot, seinem Zuhause. Er drehte ganz leicht den Kopf Richtung Bullauge, hin- und hergerissen zwischen dem Wunsch, sie zu sehen, und der Angst, ihr tatsächlich gegenüberzustehen. Braune Winterstiefel, schwarze Jeans und ein grüner Mantel. Auf einmal wusste er, dass er ihr Gesicht sehen musste. Unbedingt. Er schob Scooter ein wenig zur Seite und rutschte ans Bullauge, so nahe es ihm möglich war, ohne selbst entdeckt zu werden. Dabei hätte er nicht einmal sagen können, warum er sich so verhielt. Er fuhr sich mit der Zunge über die Lippen, verrenkte sich fast den Hals. Er erinnerte sich, dass ihre Haare bis knapp unter die Schultern reichten und die Farbe von warmen Sonnenstrahlen hatten.

»Er scheint nicht da zu sein.«

Und dann verschwanden die Stiefel und die Jeans und der grüne Mantel einfach so aus seinem Blickfeld. *Sag etwas. Irgendetwas, damit ich deine Stimme noch einmal hören kann.* Er schloss die Augen. Scooter befreite sich von der Hand über seiner Schnauze, stupste sie an und beknabberte sie ein wenig.

»Kommt er auch zu Nanas Beerdigung?«, hörte er von draußen. »Dann kann ich mich dort bei ihm bedanken.«

Mack kniff die Augen fest zu und überließ sich seinen Erinnerungen.

DREIZEHN

Das Rum Coconut

Meine allerliebste Joanna,

Briefe sind für mich die persönlichste Art der Kommunikation. Über geschriebene Worte ist sorgfältig nachgedacht worden, bevor sie mit Tinte zu Papier gebracht werden. Und sobald das geschehen ist, gibt es keine Computertaste, um sie zu löschen. Sie sind da, und der Verfasser hat nur die Wahl, den Brief abzuschicken oder eben nicht abzuschicken. Ich werde dir diese Briefe nicht schicken, Joanna. Du sollst sie lesen, aber zum richtigen Zeitpunkt. Und wenn du diesen ersten Brief jetzt liest, muss dieser Zeitpunkt gekommen sein.

Was möchte ich dir sagen? Als Erstes, mein liebes Kind, möchte ich dir von einem Weihnachtsfest in Montauk erzählen …

»Das ist ein wirklich nettes Beisammensitzen, nicht wahr?«

Harriet holte tief Luft und erwiderte nichts auf Iains Bemerkung. Eine Unterhaltung mit ihrem Großvater zu führen war schwieriger als ein Gespräch über Immobilien bei einer guten Flasche Chenin Blanc, aber von »nett« zu sprechen machte die Situation noch peinlicher. Joe weigerte sich nicht nur zu reden, er aß auch nichts. Und das graue T-Shirt unter seinem schlabbrigen Jeansoverall hatte auch schon bessere Tage gesehen.

Es war fast sieben Uhr abends. Der Vorschlag, gemeinsam zu Abend zu essen, war von Harriet gekommen, nachdem sie den ersten Brief ihrer Großmutter gelesen hatte. Ihr war schwer ums Herz geworden, als sie das Briefpapier aus dem Fotoalbum gezogen und in ihren zitternden Händen gehalten hatte. Sie hatte sich vorgestellt, wie ihre Nana mit einem Füller in der Hand an ihrem Nähtisch oder auf der Veranda in der Hollywoodschaukel saß und über die richtigen Worte an ihre Enkelin nachsann. Jetzt musste Harriet die ganze Zeit die beiden schmucklosen Fichten rechts und links vom Ofen anschauen.

»Der Schweinebraten ist kalt«, stellte Joe fest und knallte seine Gabel hin.

»Aber er schmeckt großartig«, sagte Harriet. »Soll Ruby ihn aufwärmen?« Sie wollte nach seinem Teller greifen, aber Joe zog ihn weg.

»Der von Lorna ist besser.«

»Wir könnten doch woandershin gehen«, schlug Iain vor. »Ich hab mich online ein bisschen informiert und gesehen, dass es in Southampton ein paar tolle Restaurants gibt.«

Anscheinend hatte er immer noch nicht begriffen, dass das keine Vergnügungsreise war. Sie waren hier, um einen geliebten Menschen zu beerdigen und dem Witwer Trost zu spenden und ihn nach Kräften zu unterstützen. Sie könnten sich doch auf dem Immobilienmarkt umsehen, wenn sie schon einmal hier waren, hatte Iain am Nachmittag gemeint. Harriet hatte es nicht fassen können. Normalerweise war sie diejenige, die sieben Tage in der Woche praktisch rund um die Uhr arbeitete, aber morgen würde Lornas Beerdigung stattfinden, da stand ihr wirklich nicht der Sinn nach Geschäftlichem.

»Geht ihr nur, wenn ihr wollt«, sagte Joe, lehnte sich zurück und verschränkte die Arme auf der Brust.

»Kommt nicht infrage«, entgegnete Harriet. »Mir schmeckt Rubys Essen, und ich will dir Gesellschaft leisten.

Deshalb sind wir ja hier«, fügte sie mit einem Seitenblick auf Iain hinzu.

»Und wenn ich lieber allein bin?«, brummte Joe.

»Na ja …« Harriet wusste, dass ihr Großvater durchaus wortkarg sein konnte, aber er hatte sich immer über ihre Gesellschaft gefreut. Es tat ihr weh, ihn so zu sehen. Könnte sie ihre Nana doch herbeizaubern! Sie wünschte, alles wäre wieder so wie früher. Aber so würde es nie wieder sein, und vielleicht war es falsch, so zu tun, als ob alles wieder in Ordnung kommen könnte.

»Möchten Sie, dass Harriet und ich Sie eine Weile allein lassen?«, fragte Iain.

Harriet hielt die Luft an. Ihr Grandpa sagte nie Harriet zu ihr. Aus irgendeinem Grund konnte er diesen Namen nicht ausstehen.

»Joanna!«, schnauzte Joe. »Sie heißt Joanna.« Er wirkte aufgebracht und zupfte nervös an einem Faden an seinem Overall.

Harriet wandte sich Iain zu. »Möchtest du nicht eine Runde joggen oder spazieren gehen oder so? Grandpa würde dir sicher auch den Pick-up leihen, wenn du dich ein wenig in Southampton umsehen willst.«

»Ich will nicht allein unterwegs sein«, flüsterte Iain. »Ich möchte Zeit mit dir verbringen. Für dich da sein.«

»Iain, morgen wird meine Nana beerdigt. Das ist nicht der richtige Zeitpunkt, um ein gutes Glas Wein in einem schicken Restaurant zu trinken, so verlockend der Gedanke auch sein mag.« In Anbetracht der Umstände fand sie den Gedanken keineswegs verlockend. Sie war hundemüde, ihre Augen brannten vom vielen Weinen, und sie wollte nichts weiter, als ihren Großvater durch den Abend zu bringen und dafür zu sorgen, dass er einigermaßen gefasst schlafen ging. Außerdem wollte sie mit ihrem Vater reden. Zur Beerdigung würde er es natürlich nicht mehr schaffen, selbst wenn er gewollt hätte, aber vielleicht konnte sie herausfinden, warum es diesen Riss in der Familie überhaupt gab. Und womöglich würde sie die beiden sogar dazu bringen, sich zu versöhnen.

»Alles in Ordnung mit ihm?«, fragte Iain, als Joe unvermittelt aufstand und Richtung Bar schlurfte.

Harriet konnte sich nur mühsam beherrschen. »Seine Frau ist gestorben. Der Mensch, den er wie keinen zweiten auf der Welt geliebt hat. Das hat ihm den Boden unter den Füßen weggezogen. Er weiß nicht, wie er damit umgehen soll.« Falls Iain es noch immer nicht begriff, war ihm nicht zu helfen. Sie schaute ihrem Großvater nach. Das Leben schien jeden Sinn für ihn verloren zu haben. Ihre Nana war immer diejenige gewesen, die im Vordergrund stand und Probleme löste, aber Joe war das starke Rückgrat. Er redete nicht so viel wie Lorna, aber was er sagte, hatte Hand und Fuß.

»Meinst du nicht, er sollte …«

»Was?«

»Na ja, mal zum Arzt gehen?«

Hatte er es noch nicht kapiert? »Doktor Ambrose hat ihn doch heute Morgen untersucht«, erwiderte Harriet ärgerlich. »Er hat gemeint, es gehe ihm erstaunlich gut nach dem Sturz ins eiskalte Wasser.«

Iain riss die Augen auf. »Was?«

Sie hatte vergessen, dass sie ihm nichts davon erzählt hatte. Jetzt plagte sie das schlechte Gewissen. Aber sie wusste, warum sie es ihm verschwiegen hatte: Sie hatte geahnt, wie er reagieren würde. »Der Arzt hat gesagt, dass ihm nichts fehlt.«

»Aber wieso ist er denn ins Wasser gefallen?«, fragte Iain, eine Spur zu laut für Harriets Geschmack. »Hat er Gleichgewichtsstörungen? Oder eine Krankheit, von der niemand etwas ahnt?«

»Iain, bitte! Wir sind gerade erst angekommen. Meine Nana wird morgen beerdigt. Es stürmt so viel auf mich ein, ich muss erst mal zu mir kommen!« Sie spürte tatsächlich, dass sich Kopfschmerzen anbahnten. Das lag natürlich hauptsächlich am Jetlag und daran, dass sie letzte Nacht kein Auge zugetan hatte, aber Iains Gerede zerrte noch zusätzlich an ihrem dünnen Nervenkostüm.

»Ich will doch nur helfen«, sagte er pikiert.

»Das weiß ich doch.« Harriet seufzte. Sie verhielt sich ihm gegenüber wirklich nicht fair. Er war zu ihrer Unterstützung mit ihr über den Atlantik geflogen, und sie ließ ihn bei jeder Gelegenheit kalt auflaufen. »Es tut mir leid. Es ist bloß …«

»Hab schon kapiert«, fiel er ihr beleidigt ins Wort. »Ist ja auch schlimm, erst ein Todesfall, und dann kommst du hierher zurück und wirst andauernd mit einem völlig anderen Namen angeredet. Weißt du was? Ich lasse dich in Ruhe und kümmere mich lieber um ein paar geschäftliche Dinge.« Er schob seinen Stuhl zurück und stand auf.

Harriet wusste nicht, ob sie ihn zurückhalten sollte oder nicht. »Iain, ich wollte nicht …«

»Schon gut«, erwiderte er in nicht mehr ganz so schroffem Ton. »Ich wollte mich sowieso noch bei Mickey melden.«

Harriet nickte. »Okay.« Sie würde sich später mit ihm aussprechen, wenn ihr Grandpa im Bett war. Iain hatte den Raum noch nicht verlassen, als ihre Gedanken schon wieder bei ihrem Großvater waren. Dank Nanas Brief wusste sie jetzt genau, was sie zu tun hatte.

»Gibst du mir mal die rosaroten Kugeln?«, bat Harriet, die Zungenspitze zwischen den Lippen vor lauter Konzentration. Sie kniete am Feuer und behängte die beiden Fichten mit so viel Weihnachtsschmuck, wie sie finden konnte. Joe hatte auf einem Stuhl Platz genommen und beaufsichtigte das Ganze. Harriets Eltern hatten nie viel für Weihnachten übrig gehabt. Den künstlichen Weihnachtsbaum, den Harriet schmücken durfte, hatten sie jedes Jahr vom Dachboden geholt, aber das war's dann auch schon. Keine Weihnachtsbäckerei, keine gespannten Schnüre, von denen Weihnachtskarten baumelten, kein Fensterschmuck, der Passanten draußen verraten hätte, dass hier ein Fest gefeiert wurde. Harriet hatte nie daran gedacht, wie die Tiki-Bar um diese Jahreszeit wohl aussah. Für sie waren die Hamptons immer mit Sommer, Sonne und Sandstrand verbunden gewesen, mit den bunten Blütenkränzen, mit denen ihre Nana jeden Gast empfangen hatte, mit der warmen Brise, die durch die geöffneten Türen vom Meer hereinwehte, mit Surfern und Fischern, mit Reggae und Kokosnüssen.

»Die rosaroten sind noch nicht dran«, grummelte Joe.

Harriet hielt kurz inne. »Und wieso nicht?«

»Die hat Lorna immer ganz zum Schluss aufgehängt.«

Harriet wandte sich ab, damit er ihr Grinsen nicht sah. Das war nur ein kleiner Test gewesen, den Joe mit Bravour gemeistert hatte. Dass die rosaroten Kugeln zuletzt kamen, hatte sie in Lornas erstem Brief gelesen.

»Und«, sagte sie leise und kramte rotes Lametta hervor, »wie fühlst du dich? Wegen morgen, meine ich.« Die Worte blieben ihr fast im Hals stecken. Wie konnte man sich schon fühlen, wenn man von einem geliebten Menschen für immer Abschied nehmen musste?

»Morgen? Wieso, was ist morgen?«

Harriets Stimmung bekam einen Dämpfer. Und sie hatte ernsthaft geglaubt, ihr Großvater sei im Vollbesitz seiner geistigen Kräfte. Er konnte die Beerdigung doch nicht vergessen haben! Andererseits war Verdrängung ein bewährtes Rezept in dieser Familie, wie die Geschichte mit ihrem Vater bewies. Lieber alles schönreden, statt der Sache auf den Grund zu gehen, damit die Ursachen beseitigt werden konnten. Doch genau das hatte ihre Nana immer getan, deshalb war es umso merkwürdiger, dass sie nie den Versuch unternommen hatte, sich mit ihrem einzigen Sohn auszusöhnen.

»Wir werden von Nana Abschied nehmen, Grandpa.«

Er presste die Lippen aufeinander, bis sie nur noch eine bleistiftdünne, harte Linie waren, und wandte sein Gesicht ab.

»Ich will nicht darüber reden«, knurrte er. »Ich hab gedacht, es kommt irgendetwas Schönes.«

»Na ja«, begann Harriet zögernd, »ich habe mir überlegt, dass wir etwas Schönes daraus machen könnten.« Sie schüttelte etwas Lametta in seine Richtung. »Deshalb schmücken wir jetzt die Bäume, weißt du. Weil …« Sie hielt inne, wartete darauf, dass ihr Großvater eine Reaktion zeigte.

Als er endlich den Kopf ein klein wenig in ihre Richtung drehte, sprudelte sie hervor: »Ich hab mir gedacht, wir könnten übermorgen den Weihnachtsbaumwettbewerb veranstalten.«

In Wirklichkeit war das für sie bereits beschlossene Sache. Den Wettbewerb, bei dem es um den am schönsten geschmückten Weihnachtsbaum ging, hatte ihre Nana hier im Rum Coconut veranstaltet. Auch diese Information hatte sie den Briefen entnommen, deren Fund sich als wahrer Glücksfall erwies, ließen sie sie doch an all den Weihnachtsfesten hier in Montauk teilhaben, die sie versäumt hatte. Und gleichzeitig brachten sie ihr ihre Nana noch näher.

Ihr Großvater schwieg beharrlich.

»Wir sagen es den anderen beim Leichenschmaus, und dann können sie mitmachen, und wir werden Spaß haben und Erinnerungen an Nana austauschen.«

Joe atmete geräuschvoll aus. »Ich weiß nicht.«

»Ich schon.« Harriet legte das Lametta weg und ergriff seine Hand. »Nana hätte sich gewünscht, dass hier alles so ist wie jedes Weihnachten. Wahrscheinlich guckt sie jetzt auf uns hinunter und ist sauer, weil wir die Bäume nicht richtig geschmückt haben.«

Endlich verzogen sich Joes Lippen zu einem Lächeln, und er stieß ein heiseres Lachen aus. »Weißt du, wie sie hier in der Gegend genannt wird? Mrs Claus.«

»Ehrlich?« Harriet rutschte auf den Knien näher zu ihm. »Erzähl mir mehr. Ich will alles möglichst genauso machen wie sie.«

»Sie hat immer einen ganz besonderen Käsekuchen gebacken.« Joe fuhr sich mit der Zunge über die Lippen und setzte sich aufrecht hin.

»Für den Weihnachtsbaumwettbewerb?«

Er schüttelte den Kopf. »Nein, für den Gewinner des Weihnachtscocktailwettbewerbs.«

»Du meine Güte.« Anscheinend musste sie noch viel lernen.

»Eigentlich sind es drei Käsekuchen«, fuhr Joe fort, so lebhaft, wie sie ihn seit ihrer Ankunft noch nicht erlebt hatte. »Alle übereinander, mit Säulen und so, wie eine Hochzeitstorte.«

»Hast du das Rezept?«, fragte Harriet hoffnungsvoll.

»Nein«, antwortete er kopfschüttelnd.

»Oh.«

»Aber Ruby vielleicht.«

»Ich werde sie fragen.«

Joe drückte ihre Hand. Ein Ausdruck von Kummer und Trauer trat auf sein Gesicht, der Ausdruck von jemandem, der Trost suchte. »Es muss schnell gegangen sein«, flüsterte er. »Sie hat nichts gemerkt. Sie ist einfach schlafen gegangen und nicht wieder aufgewacht.«

Er hatte Tränen in den Augen, und Harriet hatte das Gefühl, dass es die ersten seit Nanas Tod waren. »Alles gut, Grandpa«, wisperte sie und spürte, wie ihr selbst die Tränen kamen. »Jetzt bin ich ja da. Alles wird gut werden, du wirst sehen.«

»O Joanna. Was soll ich bloß ohne sie anfangen?«

Bevor Harriet antworten oder ihn in die Arme nehmen konnte, war ein Krächzen und Flattern zu hören, und dann landete Meryl Cheep auf Joes Schulter. Der Papagei ruckte mit dem Kopf und tippelte auf seiner Landebahn hin und her.

»Jo-seph! Jo-seph!«

»Was machst du denn hier draußen, du verrückter alter Vogel?« Joe hielt ihm die Hand hin, und Meryl Cheep kletterte auf seine knotigen Finger und drückte den Schnabel auf seine Haut.

»Vielleicht hat sie gespürt, dass du sie brauchst.« Harriet streichelte den Kopf des großen Vogels.

»Joanna! Joanna!«

»Sie kennt dich noch«, stellte Joe lächelnd fest.

»Ja, Papageien haben ein Wahnsinnsgedächtnis. Das habe ich nachgeschlagen. Nana hat nämlich mal erzählt, dass Meryl den Sohn des Brennholzlieferanten wiedererkannt hat, obwohl der nur zweimal hier war.« Sie kraulte Meryl am Hals. »Du bist wirklich eine clevere Lady.«

»Und du bist ein gutes Kind, Joanna«, sagte Joe. »Das warst du immer schon.«

Harriet legte den Kopf auf die Knie ihres Großvaters und schloss die Augen. Sie wünschte sich nichts sehnlicher, als seinen Schmerz lindern zu können, aber sie wusste, dass das schwer werden dürfte ohne die lebensfrohe Frau, die aus ihrer Mitte gerissen worden war.

Madame Scarlet's Emporium, Fort Pond

»Halt still, Lester, und steck das Hemd in die Hose!«

Mack stand vor einem großen Spiegel, während Lester sich auf der anderen Seite des Vorhangs in der Wahrsagerbude anzog. Mack rührte sich nicht in dem beengten Raum vor Angst, Kerzen oder Räucherstäbchen oder Karten von Chakren herunterzustoßen. Auf einem Bord an der Wand stand ein großer Karton mit Weihnachtsdekoration, der jeden Moment abzustürzen drohte. Zum Glück hatte er Scooter auf der *Warrior* gelassen. Der neugierige Bursche hätte seine Nase in jede Schachtel gesteckt.

Während er Lester ächzen und meckern hörte, betrachtete sich Mack in der Militäruniform, die er heute zum ersten Mal seit Jahren wieder trug – aus verschiedenen Gründen: Zum einen besaß er keinen anderen ordentlichen Anzug, und in Jeans und Pullover zu erscheinen wäre ein Zeichen mangelnden Respekts gewesen. Zum anderen handelte es sich um eine Beerdigung. Er würde nicht nur von Lorna Abschied nehmen, sondern die Gelegenheit nutzen, aller Toten zu gedenken. Seiner Freunde. Der Soldaten. Der Gefallenen. All jener, die er verloren hatte. Einschließlich des Menschen, der in seinen Gedanken immer präsent war. Der ihn gerettet hatte. Er musste kräftig schlucken. Er hatte zwar einen Teil seines Beins verloren, aber er hätte noch viel mehr verlieren können. Sein Leben. Er schloss die Augen. Ungefragt kehrten seine Gedanken in die Vergangenheit zurück. Er riss die Augen auf. Seine Hände begannen zu zittern. Er hielt die eine mit der anderen fest, bis er sich wieder einigermaßen im Griff hatte und nur noch das Gezanke von Madame Scarlet und Lester hörte.

Er rückte seine Krawatte gerade, und sein Blick fiel auf das Distinguished Service Cross, das an seine Brust geheftet war, ein goldenes Kreuz an einem breiten Band und darunter ein Adler. Er war der Meinung, dass er diese Auszeichnung nicht verdient hatte, und abgesehen von seiner körperlichen Behinderung belastete ihn das am meisten. Er hatte die Medaille dennoch angenommen, aus Respekt vor all jenen, die nicht mehr da waren. Denn sie, die Soldaten, die ihr Leben gelassen hatten, waren die wirklich Tapferen. Er war lediglich der übrig gebliebene Teil eines Teams, das den Vereinigten Staaten von Amerika gedient hatte.

Als er seine Hand herunternahm, stieß er mit dem Ellenbogen an den Karton mit der Weihnachtsdekoration. Er kippte um, und der gesamte Inhalt verteilte sich auf dem Fußboden.

»Mack, Schätzchen, alles in Ordnung?«, rief Madame Scarlet.

»Ja, Ma'am«, antwortete er schnell und bückte sich, um Lametta, Christbaumkugeln und eine Reihe kleiner Nussknacker vom Teppich aufzulesen. Er hatte keine Lust auf ein Geplänkel mit Madame Scarlet, wie Lester es über sich ergehen lassen musste, zumal an seinem Anzug nichts auszusetzen war: Er hatte ihn gereinigt und gebügelt in einer Kleiderhülle aufbewahrt. Nachdem er alles wieder eingesammelt hatte, stellte er den Karton auf das Bord zurück, zupfte dann an seinen Jackenärmeln und warf einen letzten prüfenden Blick in den Spiegel. Als er sich mit beiden Händen in seine lockigen Haare griff, merkte er, wie sehr er immer noch zitterte. Was er auch tat, sooft er sich auch ermahnte, nicht an Harri zu denken, es gelang ihm nicht, sie aus seinen Gedanken zu verbannen. Was tun? Würde er ihr auf der Beerdigung aus dem Weg gehen können? Er spielte nervös mit einem der Goldknöpfe an seiner Uniform. Aber Lorna war ihre Großmutter. Die Menschen in Montauk trauerten um eine herausragende Persönlichkeit der Stadt, was musste da in Harri vorgehen? Wie fühlte sie sich? Er lauschte, was sein Herz ihm zu sagen hatte. Das war *Harri*. Das Mädchen, an das er seit so vielen Jahren jeden einzelnen Tag gedacht hatte. Das durfte jetzt keine Rolle spielen, aber wie mit Gefühlen umgehen, die beim Gedanken an die bevorstehende Begegnung gleichsam Amok liefen?

»Mack, Schätzchen, ist wirklich alles in Ordnung?«, rief Madame Scarlet. »Halt dich zum Schnuppern an Kamille und Bergamotte, hörst du? Alles andere in diesen Schachteln eignet sich nicht für einen Tag wie heute.«

Er musste sich am Riemen reißen. Er war mittlerweile ein anderer Mensch als damals. So viele Jahre waren vergangen, und jedes hatte Spuren hinterlassen. Vielleicht machte er sich unnötig Gedanken, vielleicht würde sich Harri gar nicht an ihn erinnern. Ein Gedanke, der ihn deprimierte.

Er schob den Vorhang zurück und hätte beinahe laut aufgelacht. Lester trug einen schlichten schwarzen Anzug und dazu eine wie eine Klaviertastatur schwarz-weiß gestreifte Krawatte. Der Anblick holte ihn in die Wirklichkeit zurück.

»Was ist?«, fragte Lester, dem Macks belustigte Reaktion nicht entgangen war.

»Keine Ahnung«, erwiderte Madame Scarlet. Eine Dose Haarspray in der Hand ging sie auf Mack zu. Er hoffte, dass sie nicht die Absicht hatte, ihn damit einzusprühen. Sie sah

Mack mit einem Blick an, der jenen vorbehalten war, die erst noch von ihren spirituellen Fähigkeiten überzeugt werden mussten. »Das ist die einzige Krawatte, die ich habe«, flüsterte sie.

»Seh ich wie ein Klavierspieler aus?«, fragte Lester, hob seine Krawatte hoch und betrachtete sie.

»Nein, absolut nicht. Ihr seht beide richtig schick aus«, versicherte Madame Scarlet. »Lorna wäre stolz auf euch, wenn sie euch jetzt sehen könnte.«

Mack warf einen Blick auf seine Uhr. Die Trauerfeier begann in einer Stunde. Er hatte ein mulmiges Gefühl im Magen. Dieser Tag würde alles andere als leicht werden.

Die Kirche in Montauk

Dem Wagen mit Lornas Sarg zu folgen, vorbei an weihnachtlich dekorierten Fenstern und Vorgärten, hatte etwas seltsam
Unwirkliches gehabt. Rentiere und lustige Pinguine leuchteten auf Hausdächern, Christbäume funkelten in den Fenstern
von Imbissbuden, und Coffeeshops lockten mit winterlichen
Angeboten zum Aufwärmen von Körper und Seele. Harriet
waren die Tränen gekommen. Doch dann hatte sie die festliche Stimmung als Zeichen betrachtet, als Aufforderung zu
feiern, was Lorna den ihr Nahestehenden bedeutet hatte.
Später, sobald sie eine ruhige Minute hätte, würde sie wieder einen ihrer Briefe lesen. Jetzt waren sie vor der wunderschönen kleinen Kirche mit der Steinfassade in Zinnenoptik
angekommen. Der Parkplatz war voller Autos. Schneeflocken schwebten vom Himmel.

»Alles in Ordnung?«

Iain wollte den Arm um sie legen, aber sie wich aus. »Ja, es
geht schon«, antwortete sie mit einem kleinen Lächeln, obwohl sie fröstelte. »Ich muss mich um Grandpa kümmern.«
Sie stieg aus und ging zum Leichenwagen.

Eigentlich hätte Joe mit ihr und Iain fahren sollen, aber er
hatte sich geweigert, und so war einer der Sargträger ausgestiegen und hatte ihm seinen Platz überlassen. Harriet hatte
beobachtet, wie ihr Großvater sich so hingesetzt hatte, dass
er die Hand auf den weißen Holzsarg mit den Trauergeste-

cken legen konnte. Er hatte sie bis zur Kirche nicht mehr weggenommen.

Harriet ging lächelnd auf ihn zu. Ruby zupfte an seinem Kragen und versuchte dann zu seinem großen Missfallen, sein schütteres graues Haar zu kämmen. Er hatte seine Militäruniform anziehen wollen, aber als er sie gestern spätabends anprobiert hatte, hatte sich herausgestellt, dass sie ihm viel zu groß geworden war. Harriet hatte ihm einen hellgrauen Anzug und einen Schlips herausgesucht, den Nana immer an ihm gemocht hatte. Auf einer der berüchtigten Partys im Rum Coconut hatte er ihn umgebunden, das wusste sie noch. Den Unabhängigkeitstag hatten sie in der Bar immer groß gefeiert, einschließlich Livemusik von einer Steelband und Hulatänzerinnen. Nana Lorna hatte großen Wert darauf gelegt, dass alle sich schick machten. Ihr Großvater hätte normalerweise nie diese cremefarbene Krawatte mit den zarten rosaroten Rosen darauf getragen, aber bei besonderen Anlässen oder wenn er wusste, dass er seiner Frau eine Freude damit machte, band er sie sich lächelnd um.

»So«, sagte Ruby und trat einen Schritt zurück. »Du siehst toll aus.«

»Wieso sind denn so viele Leute da?«, fragte Joe und ließ seinen Blick über die Grüppchen auf dem Parkplatz schweifen.

»Nana hatte eine Menge Freunde, Grandpa, das weißt du doch«, antwortete Harriet.

»Aber in der Kirche wird nicht Platz genug für alle sein«, nörgelte Joe.

»Lass das die Sorge des Geistlichen sein«, sagte Harriet und hakte sich bei ihm unter. Sie sah Ruby an. »Setzt du dich zu uns?«

»Oh, also ich weiß nicht, ob …«

»Bitte! Und Lester auch.« Harriet versuchte krampfhaft, die Lücke ihres Vaters in der ersten, für die Familie reservierten Bankreihe zu schließen. Als sie gestern mit Madame Scarlet gesprochen hatte, weil sie glaubte, die Abwesenheit ihres Dad rechtfertigen zu müssen, hatte die nur abgewinkt und gemeint: »Warum eine lebenslange Gewohnheit ändern.« Dann hatte sie schnell das Thema gewechselt. Wusste die engste Freundin ihrer Nana vielleicht mehr über die Funkstille zwischen Eltern und Sohn, als sie zugab?

»Kann ich irgendetwas tun?«, fragte Iain, der zu ihr aufgeschlossen hatte.

Plötzlich fühlte sich Harriet unsagbar einsam. Die Tragweite des Verlusts wurde ihr erst jetzt richtig bewusst. Der Schmerz traf sie mit voller Wucht. Sie stand auf dem Parkplatz der Kirche, wo gleich die Trauerfeier für ihre Nana stattfinden würde, und außer ihrem Grandpa war sie die einzige Angehörige. Lorna hatte keine Verwandten, und die zwei Brüder ihres Großvaters waren vor ein paar Jahren gestorben. Was würden die Leute von ihrer Familie denken? Der einzige Sohn kam nicht zur Beerdigung seiner in der Gemeinde so angesehenen und geschätzten Mutter. Und dann Grandpa, so hilflos und verloren, nur noch ein Schatten seiner selbst.

»Iain, ich … mir geht es nicht so gut«, stammelte Harriet. Ihre Knie zitterten, der Arm, mit dem sie sich bei Joe untergehakt hatte, fiel herunter.

»Okay.« Iains Ton machte klar, dass er die Situation im Griff hatte. »Lass uns reingehen.« Er fasste sie am Ellenbogen.

Da regte sich Widerstand in ihr. Nein, sie konnte jetzt nicht zusammenbrechen. Sie musste stark sein für ihren Großvater. Deshalb war sie doch hier. Das würde ihre Nana von ihr erwarten.

»Gib mir nur eine Minute«, bat Harriet und stemmte sich gegen Iain, der sie vorwärtsschieben wollte wie einen Star auf der Flucht vor den Paparazzi.

»Joanna?« Joe musterte sie besorgt.

»Möchtest du ein Pfefferminz?« Ruby zog eine kleine Plastikdose aus ihrer Manteltasche und hielt sie ihr hin. »Rufus hat sie im Auto auf den Boden fallen lassen, aber ich glaube, man kann sie noch essen.«

Harriets Blick ging zum Eingang der Kirche. Immer noch strömten scharenweise Trauergäste hinein. Da war Maggie aus dem Blumenladen, bei der Nana immer ihre Liliensträuße für das Rum Coconut gekauft hatte; der Automechaniker. Manch einen kannte sie, wusste aber nicht, wie er oder sie hieß. Sie schüttelte sich ein Pfefferminz heraus und warf es in den Mund.

»Alles in Ordnung?«, fragte Iain und machte ein Gesicht, als wäre es ihm unangenehm.

Das Pfefferminz brannte ihr auf der Zunge, und sie wünschte, sie hätte es nicht genommen. Sie schob es im Mund herum und wollte gerade nicken, als sie Madame Scarlet erblickte, rot gewandet wie immer, die Haare schräg über das halbe Gesicht frisiert. Lester war bei ihr. Und noch jemand. Das Pfefferminz rutschte ihr in die Luftröhre. Sie bekam keine Luft mehr. Die Khakikleidung. Die Haare seitlich rasiert und oben Locken. Ihr Herz hämmerte, während ihr Verstand verzweifelt zu begreifen versuchte. Sie konnte beinahe Judes Stimme hören, die ihr *Soldier Boy* ins Ohr wisperte. Harriet kniff die Augen zu und öffnete sie wieder. Unmöglich! Das konnte doch nicht sein!

»Joanna«, sagte Joe, fasste sie am Arm und schob sich vor Iain. »Keine Sorge, ich pass schon auf dich auf.«

Sie wandte sich ihm zu und riss sich zusammen. Dieser

Jetlag machte sie fix und fertig. Sie war erschöpft, ihr Verstand glich einer geleeartigen Masse, und ihr trauernder Großvater versicherte ihr, *er* werde auf *sie* achtgeben. Sie setzte ein tapferes Lächeln auf, ergriff seine Hand und wappnete sich innerlich für die Trauerfeier.

»Es geht mir gut, Grandpa.« Zärtlich drückte sie seine Hand. »Komm, wir passen aufeinander auf, einverstanden? Du auf mich und ich auf dich.«

KAPITEL
SIEBZEHN

Das Rum Coconut

Mack schlenderte ziellos umher. Hätte er ein Ziel, würde er nicht herumschlendern. Ergab das einen Sinn? Schneeflocken schwebten herab, schmolzen in seinen Haaren, blieben aber nicht auf dem Boden liegen. Der Sand war immer noch nass von dem vielen Regen, den der Sturm gebracht hatte. Die von Wolken verschleierte blasse Sonne bemühte sich, dem winterlichen Strand wenigstens ein klein wenig Licht zu spenden. Mack spazierte langsam am Wasser entlang und warf für Scooter einen Stock, den der Hund seinem Herrchen mit unermüdlicher Begeisterung zurückbrachte, damit er ihn ein weiteres Mal so weit wie möglich schleuderte. Mack tat ihm den Gefallen. Er wünschte, er hätte wie sein Hund keine größere Sorge als das Warten auf die nächste Mahlzeit.

Als er Harri draußen vor der Kirche gesehen hatte, war er wie gelähmt gewesen. Nur mit äußerster Kraftanstrengung war es ihm gelungen, einen Fuß vor den andern zu setzen. Hätte sich Madame Scarlet nicht bei ihm untergehakt, hätte er auf dem Absatz kehrtgemacht und wäre geflüchtet. So aber hatte er sie zu einer Bankreihe begleitet und sich dann in die hinterste Ecke verzogen, wo ihn hoffentlich niemand sehen konnte. Und mit »niemand« meinte er Harri.

Er hatte keinen Blick von ihr gewandt. Er hatte beobachtet, wie sie mit Joe ganz nach vorn gegangen war und die beiden ihre Plätze eingenommen hatten. Ruby setzte sich zu ihnen. Und ein Mann. Groß. Dunkelhaarig. Gepflegt und gut angezogen. Mack hätte gern geglaubt, dass er ein Bruder oder Cousin war, aber in seinem tiefsten Inneren wusste er es besser. Was hatte er denn erwartet? Dass sich nach so vielen Jahren nichts verändert hatte? Dass die Welt sich genau im richtigen Tempo drehte, damit er alles auf die Reihe kriegte?

»Mackenzie!«

Er schloss die Augen beim Klang der Stimme, die zusammen mit den Schneeflocken um ihn herumwirbelte. Es gäbe nur eine Möglichkeit, einer Begegnung aus dem Weg zu gehen: sich auf der *Warrior* einigeln, bis Harri wieder nach England zurückkehrte. Aber er hatte keine Ahnung, wann das sein würde. Vielleicht unmittelbar nach der Zeremonie? So lange ließ es sich sicher vermeiden, dass ihre Wege sich kreuzten – falls er das wollte. Und das war das Problem: Er wusste nicht, was er wollte. Er hätte nie geglaubt, dass er noch einmal mit dieser Frage konfrontiert werden würde. Diese Tür hatte sich geschlossen und war zugeblieben, weil er es so entschieden hatte.

»Mackenzie, Schätzchen!«

Und jetzt musste er reagieren, bevor Madame Scarlets lautes Organ ihn noch verriet. Er rief Scooter zu sich, drehte sich um und rang sich ein Lächeln ab. »Ja, Ma'am?«

»Danke, dass Sie gekommen sind.« Harriet lächelte einem weiteren Gast zu, während sie Kaffee ausschenkte und sich um eine heitere Miene bemühte. Schließlich hatte sich ihre Nana ein fröhliches Fest voller Gelächter gewünscht und, wie sich herausstellte, nichts dem Zufall überlassen. Sie hatte die Lieder für die kirchliche Trauerfeier ausgesucht, das Essen für die Party und sogar einen Cocktail erfunden, »Lornas letzter Absacker«. Der Bestatter hatte Lester das Rezept über die

Theke zugeschoben, als sie nach der Kirche in die Bar zurückgekommen waren. Harriet war erst einmal hinaufgegangen, um sich frisch zu machen und ihre vom Weinen geröteten Augen mit kaltem Wasser zu kühlen. Als sie am Schlafzimmer ihrer Großeltern vorbeigekommen war, hatte sie gesehen, dass eine Tür von Lornas Kleiderschrank ein wenig offen stand und die leuchtend blaue Bluse mit den großen rosaroten Punkten, die ihre Nana so gerne getragen hatte, herausschaute. Sie hatte dreiviertellange Ärmel und eignete sich dadurch sowohl für warme als auch für kühlere Tage. Harriet hatte die Schranktüren ganz geöffnet und sich auf eine Reise in die Vergangenheit begeben. Strickjacken, alle mit Pailletten- oder Perlenschmuck, schicke schwarze Hosen mit Bügelfalte und Gummizugbund, altmodische Kleider – einige mit hautengem Rock, andere mit ausgestelltem, glockigem Unterteil. Harriet kamen die Tränen beim Anblick der diversen Badekappen. Lorna war nie ohne schwimmen gegangen, wenn sie beide im Meer gebadet hatten. So wunderschön alle diese Erinnerungen waren, sie taten auch unsagbar weh.

»Und, wie sieht's aus?«

Iain brachte ein Tablett mit leerem Geschirr.

»Ich bin mir, ehrlich gesagt, nicht sicher«, sagte Harriet und stellte ihr eigenes Tablett auf einem Tisch ab.

»Großer Tag, was?« Iain rieb sich die Hände.

»Hm.« Das hörte sich an, als wären sie in einem Fußballstadion und es würde um das Erreichen der nächsten Runde gehen. Konnte er überhaupt nachvollziehen, was dieser Verlust für sie bedeutete? Sei nicht so streng, sagte sie sich dann. Vielleicht hatte Iain diese Erfahrung nie gemacht. Vielleicht verstand er es deshalb nicht.

»Willst du dich nicht ein wenig hinlegen?«, schlug er vor. »Ich schaffe das hier auch allein.«

Hinlegen? Obwohl sie völlig kaputt war und außer schwarzem Kaffee seit vielen Stunden nichts zu sich genommen hatte, würde sie ihren Großvater jetzt ganz sicher nicht allein lassen.

»Kommt nicht infrage«, versetzte sie schroff. »Ich habe doch nicht den weiten Weg gemacht, um mich hinzulegen, sondern um mich um Grandpa zu kümmern und … um meine Großmutter zu trauern und ihr die letzte Ehre zu erweisen.« Das war sie ihr schuldig. Wieder kamen ihr die Tränen.

»Es tut mir leid, Harriet«, sagte Iain leise. »Das war dumm von mir. Ich wollte nicht taktlos sein.«

In Wirklichkeit war sie es, die sich dumm benahm. Iain hatte schließlich auch einen weiten Weg hinter sich. Ihretwegen. Um ihr zur Seite zu stehen. Sie schluckte. »Es geht mir gut, Iain. Ehrlich.«

»Schön. Kann ich dir wenigstens was zu essen besorgen? Die Fisch-Tacos sind wirklich hervorragend.«

Normalerweise hätte der Gedanke an in Tacos gewickelte Fischfiletstückchen mit Limone, Paprika, Chili, Rotkohl, Koriander, Honig, Jalapeño und Mayo ihre Geschmacksknospen zum Kribbeln gebracht, aber im Augenblick konnte sie nicht einmal an Essen denken.

»Ich glaube nicht, dass ich …«

»Mir zuliebe«, bat Iain. »Joe unterhält sich bestens mit seinen Freunden dort, er ist im Moment versorgt. Lass mich dir einen Teller holen, und dann versuchst du, ein bisschen was zu essen.« Er sah sie treuherzig an und lächelte. »Tu mir doch den Gefallen.«

Harriet nickte. »Also gut.« Manchmal war es einfacher nachzugeben.

Iain strahlte und eilte zum Büfett hinüber, wo Ruby und eine der Kellnerinnen die Gäste bedienten.

»Wie geht es dir, Liebes?«

Beim Klang von Madame Scarlets Stimme drehte sich Harriet um, aber es war der Mann neben ihr, der ihren Blick auf sich zog. Der Mann aus ihren Träumen. In einer khakifarbenen Ausgehuniform, auf der Brust Ordensbänder und eine Medaille, auf dem Kopf ein Barett. Ihr Herz machte einen Hüpfer und zerschellte am Boden, es schien nicht zu wissen, was es tun sollte. Das konnte nicht real sein. Das ergab keinen Sinn. Lag es an der Kombination aus Trauer und Jetlag? So wie das Gehirn unter der glühenden Wüstensonne Luftspiegelungen heraufbeschwor, während es zwischen Aufgeben und Weitermachen schwankte? Sie bemerkte Madame Scarlets besorgten Gesichtsausdruck. Sie hatte ihr noch nicht geantwortet, und sie bezweifelte, dass sie auch nur ein Wort herausbringen würde. Sie hatte das Gefühl, dass die Wände der Bar immer näher rückten. Und dann nahm der Mann sein Barett ab und klemmte es sich unter den Arm, und als Harriet seine kurzen rötlich blonden Locken sah, wusste sie, dass jeder Irrtum ausgeschlossen war.

»Alles in Ordnung, Kindchen?«, fragte Madame Scarlet.

Harriet nickte stumm. Wieso nickte sie? Nichts an dieser Szene hatte ein Nicken verdient. Wie war es möglich, dass *er* hier vor ihr stand? Wie?

Als hätte ihr Körper eine geschlagene Minute gebraucht, um das Geschehene zu verarbeiten, befanden sich alle ihre Sinne plötzlich im freien Fall. Madame Scarlet redete immer noch, aber Harriet verstand kein einziges Wort. Es war, als würde das von Panik verursachte Rauschen ihres Bluts ihre Trommelfelle vibrieren und summen und surren lassen, als sänke sie auf den Grund eines tiefen, dunklen Sees, aus dem es kein Entkommen gab, während das trübe Wasser ihr in den Kopf sickerte …

Ihr Verstand driftete ab, sie schwankte, hielt den Blick aber unverwandt auf die wunderschönen grünen Augen gerichtet. Das musste aufhören. Sie musste von hier weg.

»Ich«, stammelte sie. »Sorry …«

»Kindchen, fehlt dir was? Du siehst gar nicht gut aus.«

Harriet konnte nicht länger warten. Wenn sie jetzt nicht ging, würde sie sich möglicherweise übergeben. Sie riss ihren Blick los von dem Mann in der Uniform und stürzte zur Tür.

KAPITEL
ACHTZEHN

Harriet bekam keine Luft. Ihre Lungen weigerten sich, den Sauerstoff weiterzutransportieren. Den Blick aufs Meer gerichtet, die Stiefelabsätze in den Sand gestemmt, versuchte sie krampfhaft, im Rhythmus der Wellen tief und gleichmäßig zu atmen. Ihre Gedanken schwirrten zwischen Montauk und Afghanistan hin und her.

»Harri.«

Sie kniff die Augen fest zusammen und tat so, als wäre ihr die Stimme gleichgültig. Als würde sie ihr nicht mitten durchs Herz schneiden. Ihn zu sehen war eine Sache gewesen, aber seine Stimme zu hören eine ganz andere. Obwohl sie sie nur ein einziges Mal während eines viel zu kurzen Videotelefonats gehört hatte, hätte sie sie überall wiedererkannt, so vertraut war sie ihr, so unverschämt vertraut.

»Harri, bitte.«

Nein, sie konnte nicht. Sie konnte ihn nicht einmal ansehen. Aber dann berührte sie plötzlich etwas, und sie stieß einen spitzen Schrei aus. Als sie die Augen öffnete, sah sie unter sich ein kleines Hundegesicht. Es war ein Mischling mit braunem Fell und braunen Augen, der sie mit seiner Nase anstupste. Harriet vergaß ihre wild durcheinanderwirbelnden Emotionen für eine Sekunde. Sie bückte sich und tätschelte den Hund. »Hallo, du.«

»Scooter, hier.«

Wieder seine Stimme. Sie wollte seinen Namen nicht einmal denken. Sie hatte Jahre gebraucht, um diesen Mann aus ihrem System zu löschen, und jetzt war er wieder da. Der Hund lief zu seinem Herrchen zurück. Harriet rührte sich nicht. Vielleicht würde er gehen, wenn sie nicht reagierte. Oder sich in Luft auflösen.

Doch dann stand er vor ihr. Sie konnte ihn riechen. Zum allerersten Mal konnte sie ihn riechen. Es war wie ein Schlag in die Magengrube, weil er nach Nadelbäumen, Holzfeuer und einem moschusartigen Aftershave duftete. Ihre Lieblingsdüfte. Wahrscheinlich hatte sie sich immer vorgestellt, dass er genau so riechen würde.

Sie ließ den Blick über seine breite Brust und die ebenso breiten Schultern schweifen, den kantigen Kiefer und die Ryan-Phillippe-Nase bis hinauf zu den unglaublich grünen Augen.

»Du«, stieß sie mit einem Zittern in der Stimme hervor, das sie zu ihrem Ärger nicht unterdrücken konnte, »du hast … kein Recht, hier zu sein.«

»Harri«, hauchte er. »Du siehst einfach umwerfend aus.«

»Sei still«, flehte sie, als er einen Schritt auf sie zu machte. »Du bist nicht hier. Du kannst nicht hier sein.«

»Aber ich *bin* hier«, flüsterte er. »Wir sind beide hier.«

Auf einmal packte sie ein unbändiger Schmerz. Sie holte mit der Faust aus, so heftig war das Verlangen, ihn zu schlagen.

Aber bevor sie dazu kam, hatte er ihre Hand gepackt und hielt sie fest, den Blick unverwandt auf sie gerichtet.

»Gut gemacht«, sagte er rau. »Die Hand genau so zur Faust geballt, wie ich es dir gezeigt habe.« Um seine Lippen spielte ein kleines Lächeln, als er hinzufügte: »Ganz ehrlich, ich habe mir unsere erste Begegnung ein wenig anders vorgestellt.«

Harriet war sich seiner Berührung mehr als bewusst. Sie hatte sich so oft ausgemalt, wie es sich anfühlen würde, wenn es endlich so weit wäre, wie er sie an sehr viel intimeren Stellen berührte, wenn sie ehrlich war, aber das Gefühl Haut an Haut war einfach unbeschreiblich.

»Du hast mich eiskalt abserviert«, sagte sie, und ihre Lippen zitterten.

»Ich …«

»Du hast mich belogen.«

»Ich weiß.«

Harriet hatte immer noch das Gefühl, keine Luft zu bekommen. »Und du warst heute auf der Beerdigung meiner Nana. Ich hab dich gesehen.« Spätestens jetzt war klar, dass sie es sich nicht eingebildet, sein Bild nicht heraufbeschworen hatte, um diesen schmerzlichen Tag besser zu überstehen.

»Ja, um einer Frau, die sich seit meiner Ankunft hier um mich gekümmert hat, die letzte Ehre zu erweisen.«

Harriet schüttelte langsam den Kopf. »Das ist doch verrückt.«

Plötzlich bellte der Hund, und sein Kläffen zerriss die angespannte Atmosphäre wie ein Blitz schwere Gewitterwolken. Harriet riss ihre Hand zurück, als hätte sie sich verbrannt.

»Das ist übrigens Scooter«, stellte er den Hund vor und zerzauste ihm kurz das Fell.

Ihr Herz konnte sich nicht beruhigen. Er war hier. Direkt vor ihr.

»Harri.«

Als er ihren Namen sagte, rieselte es ihr heiß über den Rücken. Niemand außer ihm nannte sie Harri. Er war der Einzige, der je auf diese Idee gekommen war.

»Wir müssen reden«, fuhr er fort.

»Ich habe dir nichts zu sagen.« Und was hätte er ihr auch sagen können?

Wenn sie müde war oder gestresst oder überarbeitet, konnte sie nicht verhindern, dass er sich in ihre Träume schlich, aber im Wachzustand hatte sie ihn schon längst aus ihren Gedanken verbannt. Sie hatte keine andere Wahl gehabt. Ohne einen sauberen Schnitt konnte man die Vergangenheit nicht hinter sich lassen und sein Leben weiterleben. Sie hatte ihn geliebt. Wie sie noch nie jemanden geliebt hatte. Und er hatte sie geghostet, noch bevor es diesen Begriff überhaupt gab.

»Und wenn ich dir nun etwas zu sagen habe? Wenn ich dir so viel zu sagen habe?«

Harriet sah ihm in die Augen und entdeckte unzählige Geschichten im Grün seiner Iris. Doch die einzige, an die sie sich selbst erinnerte, war die ihres gebrochenen Herzens. Und das, was ein gewisser Jackson Tate ihr geschrieben hatte …

»Es ist zu spät«, erwiderte sie mit der ganzen Bitterkeit, dem ganzen Schmerz, den sie empfunden hatte, in der Stimme. Dass er da war, änderte nichts. Er war nicht länger Teil ihres Lebens. Er verdiente es nicht einmal, Teil ihrer Erinnerungen zu sein. Er liebe sie, hatte er immer wieder beteuert, und dann war er auf einmal verschwunden. Sie drehte sich um, bereit, sich dazu zu zwingen, zur Tiki-Bar zurückzugehen, wo Iain und ihr Großvater auf sie warteten und wo sie in Erinnerungen an ihre Nana schwelgen könnte. Das waren die realen, triftigen Gründe für ihren Aufenthalt hier.

»Das kann ich nicht glauben«, entgegnete er mit fester Stimme.

Sie wandte sich wieder zu ihm um und sah ihn mit aller Entschlossenheit, zu der sie fähig war, an. »Was?«

Er machte einen Schritt auf sie zu. Sie konnte wieder diesen Duft riechen, der sie daran erinnerte, was sie verloren hatte.

»Okay.« Er atmete tief durch. »Vielleicht will ich es einfach nicht glauben.«

»Tja, da hast du Pech gehabt«, gab sie bissig zurück. »Die Entscheidung liegt nämlich nicht bei dir.«

Wieder wollte sie sich wegdrehen, doch dieses Mal ergriff er ihre Hand und verschränkte seine Finger mit ihren.

»Sag mir nur eins. Sag mir, dass du nicht genau das Gleiche fühlst wie ich jetzt gerade.«

Wieso machte sie sich nicht los? Wieso schwieg sie?

»Mein Herz ist ganz durcheinander«, fuhr er fort. »Und es hämmert wie verrückt.« Er rieb seine Finger an ihren. »Ich will, dass es aufhört. Einerseits. Und andererseits will ich es auch wieder nicht.«

Harriet ging es ganz genauso, auch wenn sie es sich nicht eingestehen mochte.

»Harri, bitte, gib mir nur eine Sekunde, damit ich versuchen kann, dir alles zu erklären.«

Es wäre so leicht, ihm diese Bitte zu erfüllen. Hatte sie sich nicht immer eine Erklärung gewünscht? Damit sie endlich abschließen konnte? Aber was spielte es für eine Rolle, was er zu sagen hatte? Was würde es ändern? Er hatte sie fallen lassen. Er hatte sie beide aufgegeben.

»Tut mir leid«, sagte sie leise und zog ihre Hand zurück. »Aber die Antwort lautet Nein.«

Sie wandte sich um und lief über den Sand davon, so schnell ihre Füße sie trugen.

KAPITEL
NEUNZEHN

Vor dem Rum Coconut

Es waren insgesamt dreißig, und Harriet schob sie seit einer geschlagenen Stunde hin und her. Eingetopfte Nadelbäume. Kurz nach sechs Uhr morgens geliefert, wie sie es gestern bestellt hatte. Schön, vielleicht hatte sie einen von Lornas Letzten Absackern zu viel getrunken, während sie sich die Anekdoten über ihre Nana angehört hatte, aber schließlich hatte sie ja angekündigt – unterstützt von einer krächzenden, flügelschlagenden Meryl Cheep –, dass der jährliche Weihnachtsbaumwettbewerb wie gewohnt stattfinden würde. Und zwar heute.

Es würde bald hell werden. Die Nacht machte allmählich dem Tag Platz, und hinter den Winterwolken konnte man bereits den blauen Himmel erahnen. Es war bitterkalt. Harriet trug einen Pulli unter ihrem Jeansoverall und darüber eine Weste. Über ihre offenen blonden Haare hatte sie sich eine Wollmütze gestülpt. Als sie im Garten vor dem sandigen Uferbereich wieder einen Topf zurechtrückte, glitt sie auf einer vereisten Stelle aus und drohte das Gleichgewicht zu verlieren.

»Hoppla, immer langsam!«

Iain hatte sie am Arm gepackt und hielt sie fest, bis sie ihr Gleichgewicht wiedergefunden hatte.

»Was machst du denn hier draußen?«, wollte er wissen. »Es ist ganz schön kalt und noch nicht mal richtig hell.«

»Das hab ich dir gestern Abend doch erzählt. Heute findet der Weihnachtsbaumwettbewerb statt. Und weil die Leute um zehn kommen, mussten die Bäume so früh geliefert werden.«

»Na ja«, sagte Iain und rieb sich die Hände wie ein Masseur kurz vor einer Behandlung, »ich meine, es ist, wie gesagt, ziemlich kalt, und …«

»Und?« Harriet sah ihn stirnrunzelnd an.

»Die Leute waren gestern schon hier, und deshalb haben sie vielleicht keine Lust …«

Harriet kniff die Augen ein wenig zusammen. Es war fast, als wartete sie, ob er sich trauen würde, den Satz zu beenden.

»Ich sage ja nur, es könnte sein, dass sie … ich meine, sei nicht enttäuscht, wenn sie nicht pünktlich sind.«

»Du glaubst, sie werden nicht kommen?«

Harriet schwankte zwischen Verdruss über Iains Äußerung und der bangen Frage, ob er womöglich recht hatte. Lorna hatte in ihrem Brief mit so viel Begeisterung von diesem Wettbewerb erzählt. Die Leute wären scharenweise herbeigeströmt und hätten Familienteams gebildet, um den schönsten Baum zu schmücken und den ersten Preis zu gewinnen: ein Essen im Rum Coconut. Gestern Abend hatte sie noch befürchtet, dreißig Bäume könnten zu wenig sein, aber jetzt dachte sie, dass sie die Hälfte vielleicht selbst würde dekorieren müssen. Hatten diese Ereignisse überhaupt noch die gleiche Anziehungskraft ohne ihre Nana? Und wenn nicht? Bedeutete das, dass alles vorbei war? Dass sie gar nicht weiter versuchen sollten, die Vergangenheit wieder aufleben zu lassen?

»Ich meine ja nur, dass es besser wäre, nicht deine ganze Energie für diesen Wettbewerb zu verschwenden, weißt du. Sich ausschließlich auf eine Sache zu konzentrieren ist nicht immer eine kluge Entscheidung.«

Harriet musste bei dieser Anspielung schlucken. Sie durfte nicht zulassen, dass ihr die Vergangenheit in die Quere kam. Es gab kein Zurück. Sich in die Arbeit zu stürzen war für sie immer schon der beste Weg gewesen, Krisen zu meistern. Damals wie heute.

Mack beobachtete die Szene seit zehn Minuten. Seit seine Laufrunde ihn auf die Straße am Rum Coconut entlanggeführt hatte. Obwohl Harri ihn gestern hatte stehen lassen und er danach nicht mehr in die Bar zurückgekehrt war, musste er unentwegt an sie denken, zumal er ihre Hand gehalten hatte. Für ihn war das ein Ereignis gewesen, etwas absolut Großartiges. Und jetzt versteckte er sich hinter einem Baum, als wollte er etwas auskundschaften, das Gelände sondieren. Da war wieder dieser Typ. Ganz nahe bei der Frau, die Mack trotz aller Bemühungen nie hatte vergessen können. Warum hatte er ihr so wehgetan? Hatte er gedacht, sie werde ihn einfach aus ihrem Leben streichen, als ihre Briefe zurückkamen? Er kannte Harri doch, so gut, wie man einen Menschen nur kennen konnte, er hatte doch gewusst, dass sie nicht aufgeben, sondern Fragen stellen, der Sache auf den Grund gehen würde.

Er stieß mit der Carbonfeder kräftig gegen den Boden und bereute es sofort, als ihm der Schmerz durchs Bein schoss. Was machte er hier? Was sollte dieses Herumschleichen? Jemanden beobachten, der nichts mehr von ihm wissen wollte?

»Ach, du lieber Himmel! Die Suppe!«, schrie Harri plötzlich.

Mack sah, wie sie sich mit beiden Händen an ihre Mütze fasste und mit den Stiefeln aufstampfte. Der Boden war gefroren und stellenweise vereist, Mack hatte beim Laufen um Haaresbreite Bekanntschaft mit dem Asphalt gemacht.

»Die hab ich vor lauter Bäumen ganz vergessen! Ich wollte Ruby doch fragen, was da alles reinmuss. Wie lange braucht eine Suppe eigentlich, bis sie fertig ist?«, rief Harri beinahe panisch.

Mack hatte genug gehört. Es wurde Zeit, dass er die Sache in die Hand nahm.

KAPITEL
ZWANZIG

Das Rum Coconut

»Wie viele Leute kommen denn normalerweise?«

Harriet schaute auf die Uhr. Es war kurz nach zehn, und es hatten sich gerade einmal sechs Teams für den Wettbewerb eingefunden. Die Sonne spendete ein bisschen Wärme, der Boden taute auf, und die Fichten waren bereit für Lametta, Kugeln oder was auch immer zum Dekorieren mitgebracht wurde. Doch einige Grüppchen bestanden aus lediglich zwei Personen. Eine Frau war ganz allein gekommen, sah man einmal von dem Kaninchen ab, das sie an einer Leine mit sich führte. Von dem Andrang, den ihre Großmutter in ihrem Brief schilderte, war jedenfalls nichts zu sehen.

Die Leute kommen von weit her, Joanna. Der Parkplatz ist immer brechend voll, manchmal muss der Sandstreifen als Ausweichparkplatz dienen. Dieses Ereignis ist einzigartig auf Long Island. Natürlich schmücken die Leute Bäume zu Weihnachten, aber normalerweise nur ihren eigenen. Ich habe mir diesen Wettbewerb ausgedacht, weil er eine gute Gelegenheit bietet, die Leute zusammenzubringen, den Zusammenhalt in der Gemeinde zu stärken und Geld für wohltätige Zwecke zu sammeln. Die Mrs Claus in mir freut sich über die strahlenden Kindergesichter. Ich weiß noch, wie dein Vater zum allerersten Mal mithelfen durfte, einen Baum zu schmücken, wie er mit seinen Patschehändchen in die Schach-

tel langte und irgendetwas hervorzog. Danach hat er jedes Jahr drei oder vier Kugeln an jedem Zweig angebracht, an den er herankam. Ich habe es so gelassen, wie er es aufgehängt hat. Daran muss ich oft denken, wenn ich die Bäume bei diesem Wettbewerb bewerte. Dein Vater und die übervollen unteren Zweige. Es kann alles Mögliche als Dekoration benutzt werden, Joanna. Manche Leute in der Gegend besitzen nicht besonders viel. Und die Bäume müssen nicht so perfekt sein wie die auf den Titelseiten von Magazinen. Wichtig ist es, gemeinsam Spaß zu haben, nicht das Ergebnis.

Harriets Augen waren feucht geworden, als sie das gelesen hatte. Es hatte also eine Zeit gegeben, wo sich der kleine Joe Junior über Weihnachten gefreut und schöne Momente mit seiner Mum erlebt hatte. Aber dann war irgendetwas schiefgegangen. Wie hatte es dazu nur kommen können?

»Ich kann dir keine genauen Zahlen nennen«, antwortete Ruby achselzuckend. »Das ist von Jahr zu Jahr verschieden. Lester hängt vorn am Zaun gerade ein Plakat auf, um ein bisschen Werbung zu machen.« Sie gestikulierte in Richtung des leeren Parkplatzes und der stillen Straße.

Das Ganze war ein Fehler. Erstens war sie nicht ihre Nana, und zweitens mussten Veranstaltungen weiter im Voraus geplant werden. Harriet wusste das aus eigener Erfahrung. Bevor sie mit Iain ins Immobiliengeschäft eingestiegen war, hatte sie in einer Fliesenhandlung gearbeitet, wo sie hauptsächlich für die Buchhaltung zuständig war. Nachdem Terence in Frührente gegangen war, hatte sie die Abteilung Marketing und Promotion übernommen, daher wusste sie, dass Timing alles war. Den Weihnachtsbaumwettbewerb hatte sie erst gestern angekündigt. Keine Vorankündigung. Keine Zeit für die Herstellung von Flyern, die in Briefkästen eingeworfen, in Coffeeshops oder Restaurants ausgelegt werden konnten. Warum hatte sie auf dem heutigen Tag als Termin für die Veranstaltung bestanden? Anstatt das Vermächtnis ihrer Großmutter zu bewahren, hatte sie es vielleicht zerstört. Jude hatte das in ihrer letzten Textnachricht angedeutet. Sie fand die Idee zwar prinzipiell gut, hatte ihr aber ein erschrockenes Emojigesicht geschickt, als Harriet ihr mitteilte, dass der Wettbewerb schon heute stattfinden würde.

»Wo ist eigentlich mein Grandpa?«, fragte sie plötzlich. Sie hatte ihn dazu bewegen können, zum Frühstück wenigstens ein paar Löffel Porridge zu essen, ihn aber seitdem nicht mehr gesehen.

»Ich schau mal nach«, sagte Ruby und strich ihre Schürze glatt.

»Nein, lass nur, ich geh schon«, sagte Harriet schnell. Sie konnte den trostlosen Anblick der ungeschmückten Bäume nicht mehr ertragen. »Soll ich bei der Gelegenheit auch nach der Suppe sehen?«

»Nein, nein, nicht nötig.« Ruby fasste sich in ihre Locken. »Ist alles schon geregelt.«

Irgendetwas an ihrem Ton und ihrer Miene machte Harriet misstrauisch, aber sie hatte jetzt keine Zeit nachzuhaken. Sie musste zu Joe, das war wichtiger.

Mack war kein sehr erfahrener Suppenkoch, aber er ging davon aus, dass die Menge mehr als großzügig bemessen war für die Leute draußen vor dem Rum Coconut. Madame Scarlet, die zweite Küchenchefin, bestand darauf, dass sie sich strikt an Lornas Rezept hielten. Das war ein ungeschriebenes Gesetz.

»Da fehlt etwas«, murmelte sie jetzt. Den Zeigefinger an die Lippen gelegt, die Brille mit dem Glitzergestell auf der

Nasenspitze, überflog sie das handgeschriebene Rezept. Als sie sich ein wenig über den Kessel beugte, in dem Mack fleißig umrührte, beschlugen die Brillengläser.

»Wir haben alles dreimal kontrolliert«, wandte Mack ein. Er musste fast schreien. Da Lorna die Suppe immer zu Weihnachtsmusik gekocht hatte, waren auch jetzt aus dem altmodischen Radio auf dem Kühlschrank weihnachtliche Klänge zu hören.

»Lass uns die Liste noch einmal durchgehen.« Madame Scarlet nahm ihre Brille ab und wedelte sie hin und her, damit die Feuchtigkeit verflog. Heute trug sie eine Lockenfrisur.

»Aber ich meine, das kocht ja schon, oder? In einer Stunde müsste alles fertig sein.« Mack hatte das Gefühl, dass Mäuse in seinem Bauch nisteten. Seine Emotionen fuhren Achterbahn, weil ihm bewusst war, dass er Harri in Kürze wiedersehen würde. Es war nur eine Frage der Zeit, vielleicht eine Frage von Minuten.

»Salbei!«, entfuhr es Madame Scarlet. »Hier steht es groß und deutlich! Wie konnte ich bloß den Salbei vergessen?«

Die Rezeptsammlung landete unsanft auf der Arbeitsplatte, gefährlich nah am glühend heißen Kochfeld. Dann warf sie sich ihren Mantel über und eilte Richtung Tür.

»Wo wollen Sie denn hin? Sie können mich hier doch nicht allein lassen!«

Macks Stimme klang so panisch, wie er sich fühlte. Das war so nicht vorgesehen! Der Plan war, dass er sich um die Suppe kümmerte, aber mit Madame Scarlet als großem rotem Puffer. Ohne sie würde Harri ihn vermutlich zum Frühstück verspeisen, wenn sie ihn ertappte. Obwohl sie gestern klargemacht hatte, dass sie nicht an einer Aussprache interessiert war, hoffte er immer noch, eine Gelegenheit zu bekommen, ihr alles zu erklären. Auch wenn es nichts ändern würde.

»Wir brauchen Salbei, Mackenzie! Lorna würde sich im Grab umdrehen, wenn wir ihre Weihnachtssuppe ohne Salbei zubereiten.«

»Sie hat doch bestimmt welchen da, oder? In dem Schrank dort sind alle möglichen Kräuter und Gewürze. Ich sehe mal nach.«

Er legte den Kochlöffel auf dem Topfrand ab, durchquerte die Küche und öffnete die Schranktür. Im Radio lief jetzt ein stimmungsvoller Weihnachtssong von Kelly Clarkson. Lorbeer. Zimtstangen. Knoblauchpulver. Oregano. Verzweifelt schob er die Gläser hin und her und betete inständig um das wundersame Auftauchen des Küchenkrauts.

»Er muss frisch sein. Zu Hause hab ich noch welchen. Ich werde Joe bitten, mich hinzufahren. Dann kann er sich nützlich machen, und ich bin in einer Minute wieder da.«

Bevor Mack etwas einwenden konnte, rauschte sie zur Tür hinaus. Sekunden später hörte er ein Geräusch aus der Bar. Er kehrte an den Herd zurück und griff nach dem Kochlöffel. Rasche Schritte näherten sich der Küche, und er brauchte nicht Einstein zu sein, um zu wissen, wer da kam.

KAPITEL
EINUNDZWANZIG

Harriets Wangen brannten, was teils an der Kälte lag, teils daran, dass sie erfahren hatte, wer sich in der Küche ihrer Nana aufhielt. Sie hatte ihm doch klipp und klar gesagt, dass sie nicht mit ihm reden wollte. Doch anstatt ihren Wunsch zu respektieren, tauchte er uneingeladen hier auf! So eine Frechheit! Dem würde sie was erzählen! Noch drei wütend stampfende Schritte bis zur Küche. Als ob sie Zeit für eine solche Konfrontation hätte. Joe war mit Madame Scarlet unterwegs, Lester hielt in der Bar die Stellung, und Ruby flitzte zwischen Parkplatz und ihren Brüdern hin und her. Inzwischen waren weitere Teams eingetroffen, die am Wettbewerb teilnehmen wollten. Und Rufus und Riley saßen vor dem an der Wand montierten Fernseher und unterhielten sich lautstark über das NASCAR-Rennen, das sie sich ansahen. Iain hatte ihr seine Hilfe angeboten, aber als er wieder eine Bemerkung über die vielen Nadelbäume für den Wettbewerb gemacht hatte, hatte sie ihn entnervt angeschnauzt, und er war beleidigt abgezogen. Wahrscheinlich saß er oben an seinem Laptop, arbeitete oder schäumte innerlich. Oder beides.

Harriet blieb vor der Tür stehen, atmete tief durch und dachte kurz nach. Wenn sie jetzt in die Küche stürmte, hochgradig erregt, wie sie war, und ihn zur Rede stellte, würde das nur beweisen, dass er recht hatte und tatsächlich etwas unter ihrer Oberfläche brodelte. Sie musste sich kühl und sachlich geben. Als ginge es nur um die Suppe und sonst gar nichts. Der Erfolg dieser Veranstaltung war alles, was im Moment zählte. Sie spürte, wie sie ein klein wenig abkühlte. Sie stieß die Tür auf und trat ein. Das war *die* Gelegenheit, die Kontrolle zu erlangen.

»Madame Scarlet hat gesagt, du machst die Suppe.«

Kein Gruß, nur eine Feststellung. Sie stand nah genug am Herd, dass sie in den großen Topf gucken konnte, aber nicht so nah, dass sie ihn versehentlich berührte. Oder er sie.

»Das ist richtig, Ma'am«, antwortete er.

»Und wie kommst du darauf, dass du dafür qualifiziert bist?«, ätzte sie und hätte sich im gleichen Moment ohrfeigen können. Sachlich und kühl war das nicht.

»In Pittsburgh habe ich meiner Grandma immer geholfen, ihre berühmten Kirschkuchen für unsere Nachbarschaft zu backen. Und ich habe ein paar Jahre Küchendienst in Afghanistan geleistet. Du erinnerst dich bestimmt.«

Er blickte vom Umrühren auf. *Diese Augen.* Ja, er hatte ihr von der Feldküche in Afghanistan erzählt. Unter einer Zeltplane, manchmal in unerträglicher Hitze, Reihen von Metalltabletts, beladen mit Essen. Die Szenen waren so anschaulich beschrieben, dass sie meinte, dort gewesen zu sein. Sie erinnerte sich, wie sie auf ihrem Bett gelegen hatte, seine Briefe in den Händen, und wenn sie sie gelesen hatte, mit geschlossenen Augen versuchte, jede Einzelheit plastisch heraufzubeschwören.

»Außerdem ist das nicht mein erster Auftritt als Weihnachtssuppenkoch«, fuhr er fort. »Womit ich nicht behaupten will, dass ich Lorna das Wasser reichen könnte.«

Wie bitte? Wollte er damit sagen, dass er das Rezept kannte?

»Du hast diese Suppe schon einmal gekocht? Hier? An Weihnachten?«

Wow. Drei Fragen. Emotionen pur.

»Harri«, begann er und wandte sich ihr zu.

»Beantworte einfach meine Frage.«

»Welche?«

Sie zog ärgerlich die Luft ein und verschränkte die Arme vor der Brust, wie sie es als Sechs- oder Siebenjährige getan hatte, als Marnie Eiscreme vom Speiseplan streichen und durch fettarmen Joghurt ersetzen wollte.

»Ich habe Lorna geholfen, an meinem ersten Weihnachten hier«, sagte er. »Sie hat darauf bestanden, und es war nicht leicht, ihr einen Wunsch abzuschlagen.«

Harriet musste lächeln. Da hatte er allerdings recht. Um Lorna Cookson eine Bitte abzuschlagen, brauchte es schon einen guten Grund, und manchmal genügte nicht einmal das. Harriet hatte oft genug erlebt, wie ihre Nana in ihrer Begeisterung sich mit einer an Bevormundung grenzenden Autorität durchgesetzt hatte.

»Ich weiß nur nicht, ob ich es so perfekt hinbekomme wie sie.«

Harriet hatte diese berühmte Suppe nie probiert. Einerseits war es vielleicht gut, dass sie keine Vergleichsmöglichkeit hatte, aber andererseits wurde sie daran erinnert, wie wenig Anteil sie am Leben ihrer Nana gehabt hatte. Es war zu spät, um gemeinsam mit ihr neue Erinnerungen zu schaffen, aber sicher nicht zu spät, ihre Traditionen fortzuführen.

Sie holte tief Luft. Würde es ihr gelingen, das eine vom anderen zu trennen? Ihm beim Kochen helfen. Vergessen, dass er ihr das Herz gebrochen hatte.

»Brauchst du vielleicht …«

»Hey, Joanna, das musst du dir ansehen!«

Ruby, gefolgt von ihren Brüdern, platzte in die Küche. Harriet wusste nicht, ob sie aufgeregt oder panisch war. Von ihrem Gesicht ließ sich das nur schwer ablesen, wie Harriet schon festgestellt hatte.

Sie trat vom Herd zurück. »Ich komme.«

KAPITEL
ZWEIUNDZWANZIG

Harriet traute ihren Augen nicht. Innerhalb von dreißig Minuten hatten alle Bäume ein Team gefunden, ja mehr noch: Sie musste einer enttäuschten Frau mit ihrem Kind, für die kein Baum mehr übrig war, erlauben, Meryl Cheeps Käfig zu schmücken. Dass der Papagei am Lametta zupfte und die Kugeln anpickte und zum Klirren brachte, störte die beiden nicht im Geringsten.

Der eingezäunte Garten hatte sich von einer trostlosen Einöde in ein Winterwunderland verwandelt. Lester hatte Wimpel mit Rentierdrucken in den Bäumen und an der Hausfassade aufgehängt, die Leute, von denen Harriet einige von der Trauerfeier wiedererkannte, sangen alle miteinander Weihnachtslieder, während sie voller Hingabe ihre Bäume schmückten.

»Das sieht gut aus.« Joe stupste Harriet mit dem Ellenbogen an. »Das könnten sogar mehr sein als letzten Dezember.«

»Ehrlich?«, meinte Harriet freudig.

Joe nickte bedächtig. »Letztes Jahr mussten wir ja Abstand halten und Masken tragen und durften nichts anfassen, was schon jemand anders in der Hand gehabt hatte, und was weiß ich nicht alles.«

»Bei uns in England war es nicht anders, Grandpa.«

»Du weißt ja, wie gern deine Nana jeden umarmt hat.« Er lächelte. »Es hat sie fast umgebracht, als sie das nicht mehr durfte.«

Joe gab einen erstickten Laut von sich, als ihm klar wurde, was er gesagt hatte. »Fast umgebracht« war in Anbetracht der Situation ein wenig unglücklich ausgedrückt. Harriet legte ihm tröstend den Arm um die Schultern und führte ihn zu Madame Scarlet, die nicht recht zu wissen schien, ob sie beim Anbringen einer batteriebetriebenen Lichterkette helfen oder aus der Hand lesen sollte.

Mack konnte den Blick nicht von Harri wenden. Gierig saugte er jedes nervöse Lächeln, jedes Lachen, jeden Austausch mit den Einheimischen auf, für den Fall, dass er nie wieder die Gelegenheit bekam, ihr so nahe zu sein.

»Und ich habe gedacht, du machst dir Sorgen, weil du meinen Brüdern erlaubt hast, mit Scooter spazieren zu gehen«, sagte Ruby. Sie trat neben ihn an den Tisch, wo die Suppe bis zum Austeilen auf einem Campingkocher köchelte.

»Mache ich mir auch«, antwortete Mack und zupfte an der Alufolie über dem großen Topf.

»Hm-hm«, machte Ruby wie eine Highschoollehrerin, die nicht ganz sicher war, ob ihr Schüler sie anlog.

»Was?«

»Ich sehe doch, dass du dich für Joanna interessierst.«

Mack senkte den Blick wie ein Zwölfjähriger, der mit einem Pornoheft ertappt worden war. Er nahm die Alufolie vom Topf und sagte: »Es darf sich auf keinen Fall eine Haut auf der Suppe bilden.«

»Du weißt schon, dass sie mit diesem Typ zusammen ist, oder?« Ruby zog eine Scheibe Brot unter der Plastikabdeckung hervor und biss hinein. »Iain.«

Mack versuchte, sich sein Unbehagen nicht anmerken zu lassen. Er hatte kein Recht so zu fühlen. Er hatte Harris Gleichgültigkeit verdient. Auch wenn er hoffte, dass die

Chance bestand, eine Veränderung zum Guten herbeizuführen. Und darauf konzentrierte er sich. Indem er half. Mit dieser Suppe zum Beispiel.

»Ich kenne sie«, gestand er.

»Wow.« Ruby kaute auf ihrem Brot, während zwei kreischende Kinder an ihr vorbeiflitzten und Kunstschnee aus der Dose versprühten. »Sie ist gerade erst angekommen.«

»Nein, ich meine …« Mack stülpte die Folie wieder über den Topf. Sein Blick suchte Harri, die ihrem Großvater beim Dekorieren eines in der Tischmitte aufgespannten Schirms half. »Ich meine, ich kenne sie von früher.«

Es fühlte sich richtig an, sich hier und jetzt alles von der Seele zu reden.

»Das musst du mir näher erklären«, sagte Ruby, immer noch kauend, aber ihre ganze Aufmerksamkeit auf ihn konzentriert.

»Ich …« Er bereute es bereits. Was sollte er denn sagen?

»Du hast eine Zeit lang in England gelebt?«

Er schüttelte den Kopf. »Nein.«

»Sie ist in Pittsburgh aufgewachsen?« Ruby runzelte die Stirn.

Na los, sag es schon. Sag die Wahrheit. »Wir haben uns geschrieben. Als ich einen Auslandseinsatz hatte.« Und schon tauchte die Vergangenheit vor seinem inneren Auge auf. Die Briefe. Die Vorfreude, eine Mischung aus Adrenalin und Angst, das Verlangen nach mehr und die Sorge, die ihn fast wahnsinnig machte, sie würde nicht zurückschreiben. Er war mit dem Finger die tintengeschriebenen Worte nachgefahren, wo ihre Fingerspitzen möglicherweise das Papier berührt hatten, hatte sich ihre Stimme vorgestellt und gefühlt, wie sein Herz im Rhythmus dazu schlug.

»Ihr habt euch geschrieben«, echote Ruby.

»Ja. Drei Jahre lang.«

»Was?«

Er hatte jeden einzelnen Brief aufgehoben. Hoffnungen. Träume. Ihre und seine. Pläne, die sie gemeinsam geschmiedet hatten. Er nickte. »Ja.«

»Schön, und dann … ich meine … ich weiß ja nicht … drei Jahre?«

Wieder nickte er. »Heftig, oder?«

»Das kannst du laut sagen.« Ruby zerrieb ein Stück Brot zwischen Daumen und Zeigefinger. »Und was läuft da zwischen euch?« Plötzlich zählte sie zwei und zwei zusammen, man konnte es ihr vom Gesicht ablesen. »Bist du gestern Abend deshalb so schnell verschwunden?«

»Nein.«

»Da hast du sie seit ihrer Ankunft zum ersten Mal gesehen, richtig?« Ruby hob den Zeigefinger. »Hast du denn nicht gewusst, dass sie Joes und Lornas Enkelin ist?«

Jetzt, wo es laut ausgesprochen worden war, wurde ihm bewusst, wie völlig verrückt das war. »Nein«, antwortete er kopfschüttelnd.

»Wie bitte?«, krächzte Ruby. Es hörte sich an, als würde sie Meryl Cheep nachäffen, wenn die um einen Snack von der Bar bettelte.

Mack wandte sich schnell dem Kochtopf zu, weil Harri in ihre Richtung schaute. »Nicht so laut! Auch wenn ich weiß, dass dir das schwerfällt.«

»Sei vorsichtig!« Ruby gab ihm mit der Brotrinde einen Klaps auf den Arm.

»Und hör auf zu essen! Sonst haben wir nichts mehr zum Verkaufen, und unsere Spendenbüchse soll ja voll werden.«

Ruby machte eine wegwerfende Handbewegung. »Es ist genug da. Wie ist es denn weitergegangen mit dir und Joanna?« Sie wickelte sich eine Locke um den Finger. »Ich meine, hast du ihr nicht mehr geschrieben? Oder hat sie dir nicht mehr geschrieben? Was ist passiert?«

Mack stieß einen Seufzer aus. Erinnerungen, wie sie schlimmer nicht sein könnten, brachen in sein Gehirn ein, walzten alles nieder wie ein hässlicher Panzer auf Zerstörungsfahrt. Nein, kein Panzer. Nur zwei Soldaten, die die Straße beobachteten, nicht ahnend, dass ihre Welt gleich in die Luft gesprengt werden würde. *Dieser Geruch. Dieser Geschmack.* Sein Herz schlug schneller, sein Kopf begann zu pulsieren.

»Mackenzie!«

Madame Scarlets Stimme riss ihn aus seinen Gedanken und nahm ihm die Gelegenheit, weiteren Ballast bei Ruby abzuladen. Was vielleicht ganz gut war.

»Passt du auf die Suppe auf?«, bat er. »Ich sehe mal nach, was Madame Scarlet will.«

KAPITEL

DREIUNDZWANZIG

»Sie sind alle ganz toll geworden, findest du nicht?«, flüsterte Harriet ihrem Großvater zu, als sie an den geschmückten Bäumen entlanggingen.

»Ja, wunderschön«, entgegnete er genauso leise. »Den ein oder anderen könnte man in einem Haus in Wainscott aufstellen.«

Harriet lächelte. In Wainscott in den Hamptons standen einige der teuersten Villen in der Gegend, deshalb war der Ort für Joe der Inbegriff von Luxus und Exklusivität. Aber er hatte schon recht. Harriet hatte selten so hübsche und originell geschmückte Bäume gesehen. Jetzt wusste sie, was ihre Nana gemeint hatte. Es gab Kugeln in allen Größen, Formen und Farben, Lametta in Silber, Gold und allen Schattierungen des Regenbogens. Für einen Baum war Plastikmüll zu weihnachtlichen Motiven zurechtgeschnitten worden. Eine andere Familie hatte eine Krippenszene aus Wolle gebastelt – das Jesuskind ganz oben auf der Baumspitze bis hinunter zu einem Huhn und einem Weihrauchgefäß. Neben rustikalen Holzsternen und Tonfigürchen gab es blinkende Lichter fast wie am Broadway, sich drehende Gestirne und eine Eisenbahn, die zur Melodie von »Jingle Bells« um den Fuß eines Baums herumfuhr.

»Nach welchen Kriterien wählen wir denn den Sieger aus?«, fragte Harriet im Flüsterton. Sie blieb vor dem Baum einer Familie mit drei Kindern stehen, der ausschließlich mit Früchten und Gemüse dekoriert war. Der Esel, den sie mitgebracht hatten, versuchte die ganze Zeit, von den Köstlichkeiten zu naschen. »Wie hat Nana das gemacht?« Lorna hatte in ihrem Brief nichts davon erzählt.

»Hm«, machte Joe und ließ seine Blicke über die Kandidaten schweifen, als würde er sie aufs Neue in Augenschein nehmen. »Deine Nana hatte da ihre ganz eigenen Methoden.«

Harriet nickte. »Ich weiß. Wie ist sie also vorgegangen?«

»Na ja.« Joe stieß einen tiefen Seufzer aus und wandte sich Harriet zu. »Ihr fiel die Entscheidung auch nicht leicht, weißt du.«

»Das kann ich verstehen. Die Leute haben sich so viel Mühe gegeben und so kurzfristig die tollsten Ideen gehabt. Gibt es vielleicht eine Art Punktesystem?« Aber dann hätte Lorna es in ihrem Brief doch genau beschrieben. Harriet hätte sich selbst ein paar Gedanken machen sollen, und zwar vorher. Aber sie hatte nur an die Bäume gedacht und dass sie pünktlich geliefert wurden und an die Frage, wie sie die Leute zur Teilnahme am Wettbewerb bewegen konnte, und an die Suppe – und den Suppenkoch. Die Bewertungskriterien hatte sie darüber völlig vergessen.

»Das haben wir einmal versucht«, antwortete Joe leise. »Aber das wurde zu kompliziert.«

»Wie seid ihr dann vorgegangen?«

»Na ja, wir haben so getan, als würden wir angestrengt nachdenken.«

»Und dann?«

»Dann haben wir auf die Bäume gezeigt, mal auf diesen, mal auf jenen.« Er deutete auf einen Baum, an dessen Zweigen Barbie-Puppen aus verschiedenen Epochen hingen, tat so, als flüstere er Harriet etwas zu, und zeigte dann auf einen Baum mit Figuren aus verschiedenen Marvel-Filmen.

»Und dann?«

»Dann«, sagte Joe und sprach noch leiser, »haben wir die Namen aller Teams aufgeschrieben, die Zettel in meine Mütze geworfen und einen herausgezogen.«

»Grandpa!«, entfuhr es Harriet. Schnell schlug sie sich die Hand vor den Mund. »Das ist nicht dein Ernst!«

Joe lachte leise. »Deine Nana konnte sich nie entscheiden. Die Leute hätten bis Sonnenuntergang gewartet, wenn wir dem Glück nicht ein bisschen auf die Sprünge geholfen hätten.«

»Aber was wenn … ich meine … wenn wir das jetzt auch so machen und … der Baum dort gewinnt!«

Sie nickte unauffällig zu dem Strauch hinüber, der mit großer Wahrscheinlichkeit aus irgendeinem Vorgarten herausgezerrt worden war. Rufus und Riley hatten ihn rot, grün und schwarz besprüht und eine Mütze mit der Aufschrift *RAGE* über die Spitze gestülpt.

»Das ist ein Argument«, stimmte Joe ihr zu. »Es ist nicht nötig, dass die beiden eine kostenlose Mahlzeit gewinnen, die futtern schon genug von meinem Essen, ohne was dafür zu bezahlen.« Er zuckte die Achseln und trat von einem Fuß auf den andern. »Andererseits haben sie vermutlich noch nie etwas in ihrem Leben gewonnen. Und Lorna hat immer gesagt, wenn etwas für dich bestimmt ist, wird es seinen Weg zu dir finden.«

Harriet musste schlucken. Die Worte trafen sie wie ein Faustschlag. Unwillkürlich wanderte ihr Blick zu dem Suppenausschank hinüber, wo Mack stand.

Da, jetzt war es passiert. Sie hatte an seinen Namen gedacht. Jetzt war es Wirklichkeit. Er war hier, und sie musste damit umgehen. Die Frage war nur, wie. Den Kopf in den Sand stecken und sich möglichst viel Arbeit aufladen, wie sie es normalerweise tat, um Problemen aus dem Weg zu gehen? Oder sollte sie sich anhören, was er zu sagen hatte? Du meine Güte, wo war das denn jetzt hergekommen? Vielleicht hatte ihre Nana aus dem Grab zu ihr gesprochen. Und dann die Worte ihres Großvaters: *Wenn etwas für dich bestimmt ist, wird es seinen Weg zu dir finden* …

Joe zog sich seine Mütze vom Kopf. »Komm, wir schreiben alle Namen auf und losen einen Gewinner aus, dann werden wir ja sehen, wem das Glück heute hold ist.«

Mack fuhr sich durchs Haar, als er bemerkte, dass Harriet in seine Richtung blickte. *Idiot.* Für wen hielt er sich denn? Außerdem war sie in festen Händen. Er sollte die Gelegenheit zu einer Entschuldigung nutzen, mehr nicht.

»Ich sehe dich«, sagte Ruby trocken, als sie noch mehr Schüsseln und Teller auf die Tischplatte stellte.

»So?« Mack bemühte sich verzweifelt, gelassen zu wirken. »Das ist gut, ich bin nämlich der Typ, der gleich die Suppe austeilen wird.«

»Deine Frisur sitzt übrigens perfekt«, neckte sie ihn.

»Das sind die Fliegen. Die mögen meine Locken.«

»Fliegen. Im Winter.« Ruby grinste. »Noch nie gehört. Aber ich hab was anderes gehört. Dass du von Haus zu Haus und von Café zu Café gegangen bist, um die Leute zu überreden, heute hierherzukommen.«

»Das bleibt aber unter uns, verstanden?«

Auf dem Weg zu Madame Scarlet, die er um ihre Mithilfe bei der Zubereitung der Suppe gebeten hatte, hatte er überall angeklopft, um die Leute dazu zu überreden, an dem Wettbewerb teilzunehmen. Es war schließlich für einen guten Zweck. Und es war bald Weihnachten. Außerdem wollte er nicht, dass Harri enttäuscht war, falls niemand kam.

Ruby zog die Brauen hoch. »Joanna soll nicht erfahren, dass du den Tag heute gerettet hast?«

»So ist es«, sagte Mack und nickte zur Bekräftigung.

»Das kapier ich nicht.« Ruby verschränkte die Arme über der Brust. »Du hast mir übrigens noch nicht erzählt, was genau da eigentlich läuft zwischen euch.«

»Was kann ich denn dafür, dass Madame Scarlet einen starken Mann an ihrer Seite gebraucht hat«, wich er aus.

Ruby musterte ihn stirnrunzelnd. »Was auch immer zwischen euch vorgefallen ist – wieso willst du nicht die Lorbeeren für den Erfolg heute einheimsen? Gar nicht zu reden davon, dass du Joe gerettet hast.«

»Weil ich beides nicht wegen Ruhm und Ehre getan habe, sondern weil es einfach das Richtige war. Ich will nicht, dass die Leute mich für einen Helden halten. Das bin ich nämlich nicht, okay?«

Die Unterhaltung war unangenehm ernst geworden, und er hatte dieses mulmige Gefühl im Magen, so wie wenn er auf dem Deck der *Warrior* stand und eine besonders hohe Flut kommen spürte. Er wollte nichts weiter, als Harri helfen, sie zum Lächeln bringen, ihren Schmerz ein wenig lindern, wiedergutmachen, was er ihr angetan hatte. Er wollte auf keinen Fall, dass sie sich ihm verpflichtet fühlte.

»Mack, ich hatte nicht die Absicht …«

»Sag es ihr nicht.« Er sah sie flehentlich an. »Bitte. Sie soll denken, dass die Leute gekommen sind, weil sie sie beim Leichenschmaus dazu eingeladen hat oder weil sie das Schild draußen gesehen haben oder … egal was, aber sie darf nicht erfahren, dass ich da meine Finger im Spiel habe.«

Ruby zuckte mit den Schultern. »Wie du willst. Ich kapier's zwar nicht, aber …«

»Mack!«

Lesters Schrei hörte sich panisch an. Im nächsten Augenblick sah Mack seinen Hund herangaloppieren. Er schleifte seine Leine hinter sich her und rannte alles um, was sich ihm in den Weg stellte.

»O verdammt, die Bäume!« Mack stürzte hinter dem Tisch hervor. »Scooter! Stopp! Komm sofort her!«

Harriet lag inmitten einer Mischung aus Bonbons, Lebkuchen und einer Figur von Loki auf dem harten Boden, Scooter über sich. Der Hund leckte ihr Gesicht so hingebungsvoll ab, als hätte es sich in Büffelhaut verwandelt. Obwohl er sie vollsabberte, hatte seine ungestüme Freude etwas Ansteckendes.

»Schluss jetzt! Runter da!«

Während Harriet noch nach Luft schnappte, packte Iain den Hund am Halsband, um ihn wegzuzerren. Scooter begann zu knurren, tief und bedrohlich. Es hörte sich an, als käme das Geräusch tief aus seiner Kehle.

»Lass doch, Iain, es ist alles okay.« Harriet rappelte sich in eine sitzende Position hoch und warf einen raschen Blick auf die neugierigen Gesichter ringsum. Niemand schien verärgert, weil die Weihnachtsdekoration seines Baums gelitten hatte. Rufus und Riley beobachteten die Szene sichtlich entzückt.

»Es ist überhaupt nichts okay«, widersprach Iain. »Wem gehört der Hund? Den Besitzer oder die Besitzerin werde ich mir vorknöpfen! Das Tier hier unbeaufsichtigt herumrennen zu lassen!«

»Iain …« Harriet war mittlerweile aufgestanden und klopfte sich mit der Hand ihren Mantel ab. Als Iain den Hund hinter sich herzerren wollte, setzte dieser sich zur Wehr und fletschte ein wenig die Zähne. Harriet wusste genau, zu wem er gehörte.

»Hey, alles in Ordnung?«

Und da war er schon. Mack. Er sah aus, als würde er es gern übernehmen, ihr den Schmutz von den Sachen zu klopfen. Harriet bemühte sich nach Kräften, nicht in den Sog dieser grünen Augen zu geraten, als sie antwortete:

»Es ist nichts passiert. Wirklich nicht.«

»Sicher?«

Sie nickte und schüttelte Arme und Beine, wie um zu demonstrieren, dass alles funktionierte.

Beruhigt drehte Mack sich um und eilte Iain hinterher, der Scooter zu den Wettbewerbsteilnehmern schleifte, um den Besitzer ausfindig zu machen und eine Erklärung zu verlangen.

»Hey, Kumpel, das ist mein Hund, den Sie da fast erdrosseln!«

Iain wirbelte herum und maß Mack mit abschätzenden Blicken, als wollte er seine Reaktion von der Größe seines Kontrahenten abhängig machen. Harriet hielt die Luft an. Sie sollte eingreifen. Iain den Hund abnehmen und die Wogen glätten. Ihr Grandpa wunderte sich bestimmt schon, warum sie ihm nicht nach drinnen zur »Wahl« des schönsten Baums gefolgt war.

»Sie haben den Hund offensichtlich nicht unter Kontrolle«, entgegnete Iain. »Er ist gefährlich! Er fletscht die Zähne und knurrt!«

»Ja, das habe ich ihm beigebracht. Unter anderem. Er ist außerdem ein hervorragender Menschenkenner.« Mack machte einen Schritt auf ihn zu. »Wie würden Sie denn reagieren, wenn ich Sie packen und Ihnen den Hals zudrücken würde?«

»Wollen Sie mir drohen?« Iains Stimme wurde lauter. »Hier, vor so vielen Zeugen? Das wagen Sie nicht!«

»Sie können es ja darauf ankommen lassen, Kumpel.«

»Okay, das reicht«, sagte Harriet. Sie trat zwischen die beiden Männer, nahm Scooter am Halsband und tastete sich dann weiter bis zur Leine. Der Hund wedelte freudig mit dem Schwanz und sprang an seinem Herrchen hoch.

Der Schmerz schoss Mack durch seinen Beinstumpf. Scooter hatte eine empfindliche Stelle getroffen. Er knirschte unwillkürlich mit den Zähnen und versuchte, sich nichts anmerken zu lassen. Diese verdammte Ersatzprothese taugte nichts. Er musste vor den Weihnachtsfeiertagen unbedingt zu seinem Spezialisten. Er hatte zwar noch die sehr viel besser passende Carbonfederprothese, doch weil es sich um eine Laufprothese handelte, war es schwierig, im Stehen das Gleichgewicht zu halten, was eine zusätzliche Belastung für Knie und Rücken bedeutete. Doch der wahre Grund, weshalb er im Moment nicht darauf zurückgreifen wollte, war ein anderer: Eine herkömmliche Prothese ließ sich unter Jeans und Turnschuh verbergen. Wer es nicht wusste, würde niemals auf die Idee kommen, dass ihm ein Unterschenkel fehlte. Und Harri hatte bis jetzt keine Ahnung, es sei denn, jemand hatte es ihr erzählt.

»Hier«, sagte sie jetzt und drückte ihm die Leine in die Hand. »Es ist nichts passiert. Willst du nicht mit ihm reingehen und ihm was zu trinken geben?«

Himmel, wenn bloß dieser verfluchte Schmerz nicht wäre! Er konnte nicht mehr klar denken, geschweige denn einen zusammenhängenden Satz bilden. Das würde vorbeigehen, es ging immer vorbei, aber so lange konnte er nicht warten.

»Alles in Ordnung?«

Verdammt, er wollte nicht, dass sie sich um ihn sorgte. Die Ader an seiner Schläfe pulsierte, er konnte es spüren.

Vielleicht sollte er sich ein wenig zur Seite drehen, damit sie es nicht bemerkte. Was konnte schon passieren? Dass die Schmerzen noch schlimmer wurden und er auf seinen Hintern fiel und die Prothese sich von seinem Bein verabschiedete ... Harri musterte ihn, als ob sie eine Attacke erwartete.

»Ja, alles in Ordnung«, stieß er gepresst hervor.

»Harriet, Joe wartet drinnen auf dich«, meldete sich Iain zu Wort.

Sie musste weg, sehr gut. Da hatte er sich die ganze Zeit eine Gelegenheit erhofft, mit ihr zusammen zu sein, und jetzt war er froh, dass sie ging. Was für eine verdammte Ironie.

»Ich komme«, sagte Harri.

Nach einem letzten Blick, halb besorgt, halb neugierig, drehte sie sich um und ging Richtung Tiki-Bar davon.

Er wartete, bis sie hineingegangen war. Dann atmete er lange und geräuschvoll aus und sackte ein klein wenig in sich zusammen. Er musste sich irgendwo abstützen, und zwar schnell.

»Mack.« Lester nahm ihm die Hundeleine ab. »Das mit Scooter tut mir wahnsinnig leid. Ich hab das schnuckelige Personal von der Autowaschanlage im Auge gehabt, und plötzlich sieht Scooter dieses Kaninchen und schießt los wie ein geölter Blitz.«

»Schon gut, Lester«, murmelte Mack. »Aber sei so gut und hilf mir zum Suppenausschank zurück, okay?«

KAPITEL

FÜNFUNDZWANZIG

Babette's, East Hampton

Jude: Deine Blumen leben alle noch.

Jude: Lebst du auch noch?

Jude: Wenn ja, bist du immer noch mit Iain zusammen?

Jude: Ich kann nicht glauben, dass Soldier Boy dort ist!

Jude: Hast du die Traumgeräusche schon in Wirklichkeit gemacht?

Jude: Falls ja, lautet die Antwort auf Frage zwei vermutlich Nein.

Jude: Sag mir bitte nicht, dass Iain deine Gesichtserkennung überlisten und diese Nachrichten lesen kann.

Jude: Der Zeitunterschied ist ätzend. Wir müssen unbedingt mal reden! Heute Abend hab ich Bridgerton Club. Heute Abend nach meiner Zeit.

Dad: Hat alles geklappt mit der Beerdigung? Wunderschönes Wetter hier in Spanien. X ⚙️ 😎

Hat alles geklappt mit der Beerdigung? Er fasste seine Anteilnahme am Tod seiner Mutter und sein Interesse daran, wie seine Tochter mit ihrem Großvater und der Bar zurechtkam, in einem einzigen Satz zusammen. Und als hätte sie nicht schon genug Sorgen, lebte auch noch die Liebe ihres Lebens hier. Die *frühere* Liebe ihres Lebens. Jetzt saß sie nämlich mit Iain in einem bezaubernden Restaurant in East Hampton. Man konnte sich kein hübscheres Lokal als Babette's vorstellen. Eine aufwendig gestaltete Fassade ganz in Weiß, ein Außenbereich, der an wärmeren Tagen sehr beliebt sein musste, eine originelle Kaffeehausatmosphäre. Alle Tische waren besetzt. Harriet steckte das Handy in ihre Handtasche zurück und nahm sich vor, Jude morgen anzurufen. Sie überlegte noch, was sie ihrem Vater sagen würde. Immerhin hatte er ihr eine Nachricht geschickt. Immerhin hatte er sich wegen der Beerdigung erkundigt.

Iain hatte ihr beim Aufräumen nach dem Wettbewerb geholfen. Er hatte sich auch geduldig angehört, wie Madame Scarlet sich über jeden einzelnen Kandidaten ausgelassen hatte, mindestens fünf Minuten über den Gewinner – den Baum mit den Barbie-Puppen aus verschiedenen Epochen. Harriet fand, dass sie es ihm schuldig war, seinen Vorschlag, essen zu gehen, anzunehmen. Im Gegensatz zu ihr kannte er die Gegend nicht, und er hatte eine kleine Pause vom Rum Coconut verdient. Außerdem wollte sie ihm etwas von der Magie der Hamptons zeigen. Das Restaurant sei ein Mekka für Vegetarier, hatte er online recherchiert.

»Das ist viel besser, nicht wahr?«

Iain nippte an dem Cocktail, den er für sie beide bestellt hatte – Möhren- und Zitronensaft, Ingwer und Wodka. Harriet versuchte, das »viel besser« nicht persönlich zu nehmen. Niemand liebte das Rum Coconut so wie sie, und Iain kannte es ja auch noch nicht richtig. Aber hier war es auch ganz nett, die Atmosphäre entspannt und die Weihnachtsdekoration dezent. Draußen auf der Straße sah es ganz anders aus. Überall Weihnachtsstimmung! An Markisen und Vordächern hingen rote und grüne Girlanden, die Bäume waren mit Lichterketten umwickelt, und am Ende der Straße gab es einen Stand, wo Adventskränze verkauft wurden.

»Ja, wirklich sehr hübsch«, sagte Harriet. Sie nahm sich vor, beim Trinken zurückhaltend zu sein, damit sie den Ford ihres Großvaters zurückfahren konnte. Es war, als müsste sie zu einer List greifen, um sich ans Steuer seines geliebten Pick-up setzen zu können.

»Die letzten Tage waren ziemlich hektisch«, bemerkte Iain nachdenklich und lehnte sich ein wenig zurück. »So gestresst waren wir nicht mehr, seit wir damals die drei Wohnungen am selben Tag gekauft haben.«

Harriet erinnerte sich. Eigentlich hatten sie nur diese eine Wohnung ersteigern wollen, dann aber zwei weitere gekauft, womit sie sich beinahe übernommen hätten. Ob man das allerdings mit der jetzigen Situation vergleichen konnte, wo sie am Tag nach der Beisetzung ihrer Großmutter einen Weihnachtsbaumwettbewerb veranstaltet hatten, bezweifelte sie.

»Sorry!«, sagte Iain schnell. »Das war jetzt furchtbar egoistisch und total gefühllos.« Er wollte ihre Hände ergreifen, ließ es dann aber sein. »Ich musste ja auch nicht alles schultern so wie du.«

Harriet seufzte. »Du hast mir deine Hilfe oft genug angeboten, aber ich habe ja jedes Mal abgelehnt.«

»Na ja«, meinte er und griff nach seinem Cocktailglas, »dadurch hatte ich wenigstens Zeit für Geschäftliches. Ich habe mich ein wenig umgesehen.«

»Du hast dich ein wenig umgesehen?«, echote sie. Sie war eigentlich davon ausgegangen, dass er die Fortschritte der Renovierungsarbeiten überwachte und nicht, dass er sich durch irgendwelche Immobilienportale klickte. Obwohl sie selbst das heute Morgen auch schon getan hatte, um sich von der Geschichte mit den Weihnachtsbäumen abzulenken. Wie in den guten alten Zeiten, als ihr alles recht gewesen war, um ihre Gedanken in andere Bahnen zu lenken.

Iain richtete seinen Zeigefinger auf sie. »Ich habe doch gewusst, dass wir auf derselben Wellenlänge sind!«

Auf derselben Wellenlänge? Sie hatte nicht die geringste Ahnung, wovon er sprach. Ein mulmiges Gefühl beschlich sie.

»Ich habe mir einige Immobilien in der Gegend hier angesehen«, fuhr er fort.

»Hier in der Gegend?« Sie nippte an ihrem Cocktail. Der Ingwer brannte ihr ein bisschen auf der Zunge.

»Das ist doch unser Geschäft, oder?« Iain lächelte. »Auf den Schnäppchenzug aufspringen. Potenzial erkennen, wo andere nur viel zu viel Arbeit sehen.«

»Ja, schon, aber wir haben doch gesagt, dass wir …«

»Ich habe für morgen drei Besichtigungstermine für uns vereinbart«, platzte Iain heraus. »Eigentlich wollte ich es dir erst nach dem Essen sagen, weil der Gedanke an ein aufregendes neues Projekt in Verbindung mit einer Chickpea Buddha Bowl fast zu viel sein könnte, aber … na ja, jetzt ist es heraus!«

Harriet begriff gar nichts. Drei Besichtigungstermine? Hier in den Hamptons? *Er wollte, dass sie hier Immobilien kauften?* Sie schüttelte leicht den Kopf, als hoffte sie, die fehlenden Teile dieser Unterhaltung fielen durch die Bewegung an den richtigen Platz.

»Da ist ein kleines Haus, von dem ich noch nicht hundertprozentig überzeugt bin, aber ich bin gespannt, was du dazu sagst. Dann ein Apartment mit Meerblick, perfekt als Ferienwohnung. Und ein großes Grundstück direkt am Strand.«

»Iain«, begann Harriet und fühlte sich plötzlich wie auf einem dieser Fahrsteige am Flughafen. Sie wurde unerbittlich weitertransportiert, ob sie nun rannte, schnell ging oder einfach stehen blieb. »Du hast Termine vereinbart, damit wir uns Immobilien ansehen? Habe ich das richtig verstanden?«

Iain lachte und wischte sich mit der Serviette ein paar Tropfen Cocktail vom Mund. »Entschuldige, dass ich dich so überrumpelt habe! Aber ich bin so aufgeregt.« Er nickte. »Ja, das hast du richtig verstanden.«

»Aber …« Harriet fehlten die Worte. Das fühlte sich völlig falsch an, und das Timing war total daneben. Außerdem hatten sie den Kauf von Auslandsimmobilien nie in Erwägung gezogen. Wie sollten sie ein solches Projekt von England aus stemmen? Sicher, sie konnten Leute einstellen, die sich vor Ort um alles kümmerten, aber wenn nun etwas schiefging – und das kam durchaus vor –, wie sollten sie von der anderen Seite des Atlantiks aus Probleme lösen? Und das hier waren *die Hamptons*. Das hier war Montauk. Hier ging es nicht ums Geschäft, sondern ums Vergnügen. Um die *Familie*.

»Was?« Iain lächelte. »Du meine Güte, Harriet, du machst ein Gesicht, als hätte ich gerade vorgeschlagen, den Mond vom Himmel zu reißen.«

»Na ja, ich habe nicht damit gerechnet, dass wir uns hier nach Immobilien umsehen würden.« Schon gar nicht, wenn sie noch um ihre Nana trauerte. Oder überhaupt. Ihr Magen verknotete sich derart, dass sie wünschte, sie hätte die Tofuquesadillas nicht bestellt. »Wir kaufen doch immer was in unserer Nähe. Immobilien, die wir schnell wieder loswerden können.«

»Sagt die Frau, die dieses grässliche, kleine, feuchte Cottage kaufen wollte, weil ihr die Frösche im Teich leidtaten«, entgegnete Iain lachend.

Das Cottage rieb er ihr jedes Mal unter die Nase. Sie hatte ihn praktisch zwingen müssen, es sich anzusehen. Als es ihr auf der Webseite aufgefallen war, hatte sie nicht an Profit gedacht, sondern an sie beide. Alle sagten, es sei längst überfällig, dass sie zusammenzögen. Sogar ihre Mutter. Das nagte an ihr. Sie hatte das Haus als schnuckeliges Heim für sie beide betrachtet, nicht als Objekt, das renoviert und weiterverkauft werden sollte. Doch als Iain durch die Räume ging, heruntermachte, was sie so liebenswert schrullig fand, über die knarrenden Bodendielen spottete und den Finger in die Astlöcher der Balken steckte und von einem potenziellen Schädlingsproblem faselte, erkannte sie, dass sie und Iain für diesen Schritt einfach noch nicht bereit waren, so dankbar sie auch für ihre Beziehung war. Und in Augenblicken wie dem jetzigen fragte sie sich, ob sie jemals dafür bereit sein würde.

Das Essen wurde serviert. Harriet kehrte in die Wirklichkeit zurück.

»Das sieht fantastisch aus, findest du nicht?« Iain griff zu Messer und Gabel.

Es sah gut aus, ja, aber ihr war der Appetit in dem Moment vergangen, als Iain ihr von seinen Plänen für morgen erzählt hatte.

»Hm, ich liebe Butternutkürbis!« Er stach mit der Gabel in sein Essen.

Harriet betrachtete die perfekten Quesadillas und hatte Mitleid mit ihnen wie damals mit den Fröschen in dem Teich des kleinen Häuschens.

Die Warrior, Fort Pond

Lieber Mack,

hey! Hi! Oder wie wir Engländer sagen: Hello! Wie lange hat dieser Brief gebraucht, um bei dir anzukommen? Sitzt du auf dem Bett? Rappt Sanders so laut, dass dein Gehirn gar nicht anders kann, als mitzurappen? Ist es dort an Weihnachten immer noch so heiß? Kann es in Afghanistan überhaupt richtig kalt werden? Da fällt mir ein, willst du mir nicht verraten, wofür Mack steht? Maxwell? Maximus? Maximilian? Schreib es mir das nächste Mal, sonst gibt's keine Cadbury-Schokolade mehr! Und auch nichts von Haribo! Die Bärchen schmecken grauenvoll, da waren wir uns einig, oder?

Ich muss dir was beichten. Mein richtiger Name ist nicht Joanna. Ich heiße Harriet. Meinen ersten Brief habe ich mit Joanna unterschrieben, weil man ja vorsichtig im Umgang mit seinen persönlichen Daten sein soll. Und ein paar Leute in meiner Familie sagen Joanna zu mir. Eigentlich fühle ich mich nicht wie eine Joanna oder eine Harriet, aber vielleicht fühlst du dich ja auch nicht wie ein Maximus. Jetzt hab ich dich einfach mal zu einem Maximus gemacht! Bist du einer? Ha, jede Wette, dass du einer bist. Das ist ein süßer Name. Bist du auch ein süßer Typ? Ich kann nicht glauben, dass ich das geschrieben habe! Sorry! Aber weißt du, ich hab dir doch ein Foto von mir geschickt, und ich musste ganz schön lange suchen, bis ich eins gefunden hatte, auf dem ich nicht blöd aussehe oder grauenvolle Klamotten anhabe oder beides, und so langsam glaube ich, dass es dir nicht gefallen hat. Du hast mir keins von dir geschickt, ich weiß gar nicht, wie du aussiehst. Wie Leonardo DiCaprio? Oder eher wie Usher? Kannst du tanzen? Keine Ahnung, warum ich das wichtig finde, aber wo ich schon gefragt habe: Kannst du?

Du musst diese Frage nicht beantworten. Natürlich möchte ich mehr über dich wissen, aber ich gehe es völlig falsch an. Ich sollte dir lieber von meinem Alltag erzählen, dich mit irgendwelchen Geschichten aufmuntern, um dich von der Tatsache abzulenken, dass du jede Sekunde dein Leben riskierst. Und mit diesem letzten Satz ist niemandem geholfen. Sorry! Bitte schick mir doch ein Foto, wenn's geht. Mir egal, ob du wie Leo oder Usher oder Larry King aussiehst, ich möchte dir einfach ein Gesicht geben können. Versprochen, ich werde dir weiter schreiben, auch wenn du Ähnlichkeit mit Pinhead aus Hellraiser *hast. Mir ist gerade klar geworden, dass ich dich ganz übel beleidigt habe, falls du tatsächlich Ähnlichkeit mit Pinhead hast, und jetzt bestimmt nichts mehr von mir wissen willst. Schick mir doch ein Foto von dir und Sanders, und ich muss raten, wer wer ist. Das wäre garantiert lustig und …*

Mack seufzte, nahm die Brille ab, ließ den Brief auf die Tischplatte fallen und begann, an dem Brillenbügel zu kauen. Warum las er diese Briefe ein weiteres Mal? Was sollte das bringen? Er kannte sie praktisch auswendig, jeden einzelnen von ihnen. Joanna und Harriet. Ein und dieselbe Person. Und dann waren da noch die Erinnerungen an Sanders. Während dieses letzten Auslandseinsatzes hatten sie jeden Tag einen Grund zu lachen gefunden. Er hatte nie einen besseren Freund gehabt. Er seufzte wieder und blickte Richtung Anleger. Es war noch nicht lange hell. Der Morgen war bisher kalt und sonnig, Raureif lag auf dem Steg, weiß bereifte Spinnennetze glitzerten in den Winkeln der Eisenkonstruktionen, Nebel stieg vom Wasser auf. Lester war vorhin auf seinem wackeligen Fahrrad vorbeigeradelt, die Knie fast rechtwinklig nach außen gestreckt, nur mit größter Mühe das Gleichgewicht haltend. Mack hatte überlegt, ob er zum Frühstücken ins Rum Coconut gehen sollte. Früher hatte er das ein paarmal in der Woche gemacht. Vor Lornas Tod. Vor Harris Ankunft. Und der Ankunft dieses Trottels, ihres Freundes. Und niemand konnte ihm erzählen, dass dieser Iain kein Trottel war. Wie er Scooter am Halsband gepackt hatte, so aufbrausend und widerwärtig, anstatt Harri auf die Beine zu helfen …

Aber zwischen der Suppe und seinem durchgedrehten Hund hatte sie mit ihm gesprochen. Ganz normal, so wie er es sich erhofft hatte. Eigentlich war das sogar mehr gewesen, als er sich erhofft hatte. Und was würde als Nächstes kommen? Er wusste es nicht. Er sah zu Scooter hinüber, der auf der anderen Bank schlief. Von ihm durfte er im Moment keine Antwort erwarten.

Harriets Atem ging schnell und stoßweise, als sie, die Hände in die Seiten gestemmt, vor dem Bootssteg anhielt. Ausgeatmetes warmes Kohlendioxid vermischte sich mit der kalten Luft. Seit sie mit dem Boxen und dem Selbstverteidigungstraining aufgehört hatte, hatte sie sich nicht mehr so verausgabt. Ihr Herz hämmerte wie wild, sie bezweifelte, dass sie den ganzen Weg zurück zum Rum Coconut würde joggen können. Aber jetzt musste sie erst einmal verschnaufen und überlegen, ob sie das wirklich durchziehen wollte.

Als sie um fünf Uhr morgens aufgewacht war, hatte sie es für eine großartige Idee gehalten, aber jetzt, den Blick auf die im Wasser schaukelnden Boote gerichtet, war sie sich nicht mehr so sicher, und ein völlig anderes Gefühl nagte an ihr.

»Du machst dir viel zu viele Gedanken, Harriet«, sagte sie leise zu sich selbst. »Wie immer in deinem Leben.« Sie begann auf und ab zu gehen, ihre Turnschuhe hinterließen dunkle Spuren im Raureif. »Du klopfst einfach an seine Tür ... haben Boote überhaupt Türen?« Sie schaute nach oben, als erhoffte sie sich von dort eine Antwort. »Natürlich ist da eine Tür. Er wohnt schließlich dort.« Sie schüttelte den Kopf über sich selbst. »Jetzt mach schon, du tust das für Nana und für Grandpa. Da ist überhaupt nichts Peinliches an der Situation.«

Was nicht ganz stimmte. Sie hatte den starken Verdacht, dass sich ihr Herz beim Anblick von Mack in Pudding verwandeln würde.

»Du musst dich bei ihm bedanken«, schärfte sie sich ein, während sie sich zwang weiterzugehen. »Und dann fragst du ihn einfach, ob er dir sein Boot für Nanas Weihnachtskreuzfahrt leiht. Sag einfach, es war Madame Scarlets Idee.« Sie nickte, so toll fand sie diesen Geistesblitz. Die Weihnachtskreuzfahrt. Auf so etwas konnte auch nur ihre Nana kommen. Sie hatte ihr in dem Brief, den sie gestern spätnachts gelesen hatte, davon erzählt. Nach der Lektüre hatte sie so getan, als wäre sie hundemüde, weil sie keine Lust hatte, sich auf Iains iPad Einzelheiten über die Objekte anzusehen, die er im Auge hatte.

Du weißt, wie sehr wir in Montauk das Wasser lieben! Und so habe ich mir gesagt: Warum sollen Bootsausflüge nur im Sommer stattfinden? Das kleine Angelboot deines Grandpa eignet sich allerdings nicht für so etwas. In dem alten Ding würdest du im Dezember erfrieren, selbst wenn du noch so viele Decken und Thermoskannen mit heißem Kaffee mitnimmst. Deinem Vater hat die Kälte nichts ausgemacht, er ist auch im Winter gern angeln gegangen. Im Winter seien die Fische so hungrig, dass sie auch den ekligsten Köder fressen würden, und weil ihnen so kalt sei, könnten sie auch nicht so schnell wegschwimmen, hat er immer gesagt. Das vergesse ich nie!

Und jetzt zur Weihnachtskreuzfahrt. Sie verbindet die Magie der Weihnachtszeit mit dem Zauber der Hamptons ...

Okay, jetzt traute sie sich. Also los.

Es klopfte an der Tür. Mack ließ den Brief auf den Tisch fallen. Das war bestimmt Lester. Vermutlich war die Fahrradkette zum zweiundvierzigsten Mal rausgesprungen.

In T-Shirt und Shorts, ohne Prothese, sich mit den Händen abstützend, hoppelte er auf seinem Bein zur Tür und öffnete. »Lester, sag mir nicht ... oh.« Ihm wurde schlecht. »Du ... bist ja gar nicht Lester.«

Es dauerte ungefähr drei Sekunden, bis Harris Blick von seinem Gesicht nach unten wanderte. Mack rührte sich nicht. Was hätte er auch tun sollen? Sie sah ihn an, wie jeder ihn ansah, der feststellte, dass ihm ein Teil seines Beins fehlte. Wie würde Harri reagieren? Normalerweise gab es zwei Möglichkeiten. Die einen sprachen ihn direkt darauf an: »Himmel, was ist denn mit dir passiert, Kumpel?« Worauf er meistens eine witzige Antwort parat hatte: »Kleine Auseinandersetzung mit einer Klapperschlange. Du solltest erst mal die Schlange sehen!« oder: »Das kommt davon, wenn man zu viel Salz isst. Also halte dich lieber zurück!« Die anderen vermieden es tunlichst, dorthin zu schauen, wo sein Unterschenkel hätte sein sollen, und erwähnten die fehlende Gliedmaße mit keinem Wort.

»Mack! O mein Gott!«

Okay, das war eine neue Variante. Sie war völlig geschockt, hatte die Hände vor den Mund geschlagen, die Augen vor Entsetzen weit aufgerissen. Aber sie hatte ihn zum ersten Mal seit ihrer Ankunft in Montauk mit Namen angesprochen. Das war ein gutes Gefühl. Aber er durfte nicht vergessen, dass er aufgeflogen war. Sozusagen nackt vor ihr stand.

»Alles in Ordnung?«, fragte er sie. *Er* lebte schon seit langer Zeit damit. Es war, wie es war. Er hatte es akzeptiert. Zumindest, was die körperlichen Einschränkungen betraf. Mental damit umzugehen war eine andere Sache.

»Was ist passiert?«, keuchte Harri.

Mack schaute an sich hinunter und stieß einen schrillen Schrei aus. »Mein Bein! Wo ist mein Bein?« Er hüpfte ein wenig herum. »Scooter! Warst du das?«

Er sah Harri an, doch sie lachte nicht, sie lächelte nicht einmal. Sie sah eher aus, als würde sie gleich auf ihn losgehen. Oder in Tränen ausbrechen.

»Hey, tut mir leid«, flüsterte er, beugte sich ein wenig vor und streckte die Hand aus, um … was zu tun? Ihre Wange zu berühren? Er stützte seine Hand am Türrahmen ab, damit er nicht auf dumme Gedanken kam. »Hör mal, hast du Hunger?«

»Ich …«

»Ich werde mein fehlendes Teil umschnallen, und dann genehmigen wir uns einen Hummer.«

Ohne auf Antwort zu warten, drehte er sich um und ging in die Kajüte hinunter. Er hoffte inständig, dass Harri noch da war, wenn er zurückkam.

KAPITEL

SIEBENUNDZWANZIG

South Etna Avenue, Montauk

Harriet saß auf einem Motorrad. Hinter einem Fahrer, dem ein Unterschenkel fehlte. Brauchte man zum Motorradfahren nicht zwei komplette Beine? Ihr Helm schützte zwar ihren Kopf und verhinderte, dass der Wind an ihren Haaren zerrte, doch ihr Herz hätte viel dringender einen Schutzpanzer benötigt. Sie hatte die Arme fest um Macks Taille gelegt, fühlte sich dabei jedoch wie betäubt. Als Mack die Kajütentür geöffnet hatte, hatte sie im ersten Augenblick gedacht, ihr Gehirn verarbeite die empfangenen Signale fehlerhaft. Teile des Bildes fehlten, und die Informationen zu seiner Vervollständigung erreichten sie nicht. Doch dann fügte sich schlagartig alles zusammen. Der eine Unterschenkel war nicht da. Sie wusste immer noch nicht, wie sie damit umgehen sollte. Der Gedanke hatte sich regelrecht in ihr Gehirn verbissen, während sie an Deck auf ihn gewartet und gehört hatte, wie es unten polterte und Scooter bellte. *Er hat ein Bein verloren*, war alles, was sie denken konnte, und dann: *War das damals schon, und ich hab's nur nicht gewusst?* Sie stöberte in ihrem Gedächtnis, kramte alle seine Briefe hervor, in denen er vom Joggen und vom Schwimmen erzählt hatte, davon, wie er auf Panzer kletterte und als Kind in einem an einem Baum festgebundenen Autoreifen über einem See geschaukelt war. Und dann dieser Videoanruf. Unzählige Male hatte sich die Szene vor ihrem geistigen Auge abgespult. Mack, wie er auf einen Tisch sprang und mit anderen Männern seiner Einheit zu Kim Wildes »Kids in America« grölte und dazu ausgelassen tanzte, bis einer von ihnen vom Tisch fiel. Sie musste schlucken. War wirklich eine andere Frau im Spiel gewesen, wie er sie hatte glauben lassen? Oder war das der Grund, warum er sich von ihr abgewendet hatte?

Er bog von der Hauptstraße ab und hielt vor einem blauweiß gestrichenen Lokal mit einem großen, blinkenden Weihnachtsmann neben dem Eingang. Die Fensterscheiben waren beschlagen, was darauf hindeutete, dass es drinnen kuschelig warm sein musste. Der Duft von Zucker und Zimt, von Chili und Salsa lag in der Luft und erinnerte Harriet daran, wie hungrig sie war.

Sie wollte ihren Helm abnehmen, bekam den Verschluss mit ihren kalten, klammen Fingern aber nicht auf.

»Alles in Ordnung?« Mack drehte sich ein wenig nach hinten. Er hatte seinen Helm bereits abgenommen und fuhr sich durchs Haar, obwohl es an seiner Frisur nichts auszusetzen gab.

»Ja, ja«, antwortete Harriet schnell.

Er grinste. »Ich helfe dir mit dem Helm, aber du musst absteigen, weil ich den Platz brauche, um von der Maschine runterzukommen.«

»Ach so, ja, klar.« Sie spürte, wie sie rot wurde. Natürlich brauchte er Platz, er hatte ja eine Beinprothese! Sich mit einer Hand an seiner Schulter abstützend, schwang sie sich so elegant wie möglich von der Sitzbank.

Dann stand sie da und wusste nicht, ob sie Mack beim Absteigen zusehen sollte oder nicht. Einerseits übte das Ganze eine seltsame Faszination auf sie aus, andererseits wollte sie mit ihrer Neugier seine Gefühle nicht verletzen. Sie hatte immer noch Probleme, es überhaupt zu begreifen. Zu guter

Letzt konzentrierte sie sich auf den blinkenden Weihnachts-mann, der einen Teller mit Weihnachtsplätzchen auf seiner ausgestreckten Hand balancierte.

»Hey«, sagte Mack plötzlich dicht neben ihr, so dicht, dass sie den Duft von Nadelbäumen und Moschus riechen konnte. »Willst du den Helm zum Frühstücken aufbehalten?«

»Oh. Nein, natürlich nicht.« Sie griff wieder an den Ver-schluss.

Mack hatte die gleiche Idee gehabt, sodass sich ihre Finger unter Harriets Kinn berührten. Schnell zog sie die Hände zu-rück. Mack klickte den Verschluss auf, streifte ihr den Helm vorsichtig ab und legte ihn auf die Motorradbank.

»Und jetzt komm, ich bin am Verhungern!«

Mack gefiel das schlichte Lokal. Mit dem Shabby-Chic-Holzboden und den maritimen Accessoires war es einem Boot oder einer Wohnung am Meer nachempfunden. Es hatte nicht den Meerblick wie so manches Restaurant in den Touristenhochburgen – oder wie das Rum Coconut –, aber dafür Charme. Und jetzt in der Vorweihnachtszeit sorgten Weihnachtssterne und Glitzerdeko für eine festliche Stim-mung.

Sie hatten sich in eine Nische ganz hinten gesetzt. Harri konzentrierte sich auf die Karte. Außer einem »Hallo« zu Tom, dem Besitzer, als Mack sie miteinander bekannt ge-macht hatte, hatte sie noch kein Wort gesagt.

»Den Hummer kann ich dir wärmstens empfehlen.« Mack ließ seine Karte sinken. »Aber wem sage ich das? Du warst ja diejenige, die mir erzählt hat, wie fantastisch der Hummer in den Hamptons schmeckt.«

»Es gibt hier Hummer zum Frühstück?« Harris Augen leuchteten auf.

»Na klar«, antwortete Mack lachend. »Hier kriegst du rund um die Uhr was zu essen. Lester und ich haben uns mal um vier Uhr morgens ein Thunfischsandwich bestellt. Aber es ist ihm nicht geheuer hier, die Rettungsringe an der Wand behagen ihm nicht. Lebt in den Hamptons und hat panische Angst vorm Wasser, das muss man sich mal vorstellen!«

Sie lächelte. Genau das war es, was er wollte. Was er brauchte. Ein bisschen Normalität inmitten dieser verrückten Situation, in die sie geraten waren. Auch wenn er sich eine andere Art von Normalität für sie beide gewünscht hätte.

»Also?«, begann Mack.

»Also was?«

»Hummer?«

Sie lächelte wieder und nickte. »Hummer.«

»Hey, Tom!« Mack drehte sich um. »Zwei warme Hummerbrötchen mit möglichst viel Krautsalat, bitte! Und zwei Root Beer!« Tom machte ein Zeichen, dass er verstanden hatte, und Mack wandte sich wieder Harri zu.

»Root Beer?«

»Magst du das nicht? Ich kann dir auch was anderes bestellen.«

»Doch, ich mag es schon, aber zum Frühstück?«

»*Gerade* zum Frühstück.«

Sie lachte. »Okay, ich hab's kapiert. Du bist der Mann von Welt!«

Er grinste. »Und jetzt sag mir, was ich für dich tun kann.«

Sie wirkte verwirrt. »Was meinst du?«

»Du bist doch bestimmt nicht grundlos um halb acht morgens bei mir aufgekreuzt, oder?«

»Ach so, nein, stimmt.«

»Also raus mit der Sprache.«

»Na ja, die Sache ist die … ich weiß, dass du es warst.« Sie zögerte, schien zu überlegen. »Dass du meinen Großvater aus dem Wasser gezogen hast.«

Sie sah ihn direkt an, und auf einmal war diese intensive Verbindung zwischen ihnen wiederhergestellt. Obwohl sie sich nur ein einziges Mal bei diesem Videotelefonat in die Augen gesehen hatten, war durch ihre Briefe ein Kontakt entstanden, der tiefer ging als alles, was er je zuvor erlebt hatte. Und durch diese persönliche Begegnung wurde das damals Empfundene noch verstärkt.

»Ja«, sagte er nur.

Sie tat einen tiefen Atemzug. »Ich danke dir.« In ihrem Ton schwang tiefe Dankbarkeit und Erleichterung.

Er zuckte die Achseln. »Nichts zu danken. Zum Glück war ich ja da und konnte helfen.«

Sie druckste ein wenig herum. »Und … Wie ist das passiert … ich meine, als du …«

Sein Bein. Das hatte ja kommen müssen. Hätte er es ihr doch nur ein bisschen länger verheimlichen können. Jetzt würden sie vielleicht nie wieder eine normale Unterhaltung führen können. Andererseits, was hätte ihm die Heimlichtuerei gebracht? Wem hätte es geholfen, wenn er ihr etwas vorgemacht hätte? Ihm ganz sicher nicht.

»Also pass auf, das war so.« Mack stieß den Pfefferstreuer um und zeigte auf die Pfefferkörnchen. »Dein Grandpa ist ins Wasser gefallen, und ich – das Salz da – bin über den Steg gelaufen, und Scooter – der Senf – hat verrücktgespielt.« Er bellte. »Und dann bin ich reingesprungen – bäng!« Er schob Salz und Pfeffer zusammen. »Und dann kam Lester, der Ketchup hier.« Er tippte die Plastikflasche an. »Er hat Panik bekommen.« Er schüttelte die Flasche kräftig, sodass der Inhalt blubbernd herumschwappte. »Aber er hat es geschafft,

Joe aus dem Wasser zu ziehen.« Er stellte die Flasche wieder hin. »Und dann hat er ihn in die Bar gebracht, und ich habe den Verlust einer weiteren Gliedmaße beklagt.«

»Was?«, rief Harri mit überschnappender Stimme.

»Halb so wild. Ich rede von Carbonfaser und Thermoplasten, nicht von Fleisch und Knochen«, erwiderte er grinsend. »Mein Arzt liebt es, wenn eine kaputtgeht. Und er liebt es noch viel mehr, wenn ich eine im Meer versenke. Ich erinnere ihn immer daran, dass ich ein Draufgänger bin, aber er zieht einen intellektueller klingenden Begriff vor. Einen Haudegen nennt er mich meistens.«

»Du meine Güte! Das ist ja ... hast du denn noch andere ... Beine, meine ich, nicht Ärzte.«

»Hab ich uns hergefahren oder nicht?«

Sie nickte. »Hast du, stimmt.« Er konnte ihr ansehen, dass sie sich unbehaglich fühlte, und das hasste er. Mit ihr zusammen zu sein war so, wie er es sich erträumt hatte. Eine *Freundschaft*. Er durfte nicht vergessen, dass er im Moment nicht mehr erwarten konnte.

»Harri, ich weiß, das ist eine komische Situation, aber das muss es nicht sein.«

»Nein?« Ihr Blick sagte alles. Sie spielte nervös an der Senfflasche aus Plastik herum.

»Jetzt komm schon. Ich gebe ja zu, das Ganze ist einfach verrückt. Du. Ich. Wir beide hier in Montauk. Aber das muss nicht peinlich sein. Ich will nicht, dass es irgendwie peinlich ist.«

»Ich ja auch nicht«, flüsterte sie. »Aber ...«

Tausend Fragen standen in ihrem schönen Gesicht geschrieben, und er überlegte, welche sie wohl zuerst stellen würde. Er hatte so eine Vermutung. Weil es letzten Endes immer darauf hinauslief.

»Was ist mit dir passiert, Mack?«

Er zog die Luft scharf durch die Zähne ein. Das war eine bedeutsame Frage. Was war mit ihm passiert? Wo sollte er anfangen?

»Wow«, sagte er. »Direkt wie eh und je. So wie damals, als du mich gefragt hast, wie groß meine Füße sind.« Er lachte leise, während er immer noch nach den richtigen Worten für seine Antwort suchte. »Was für eine Ironie! Ich meine, als ob dich die Größe meiner Füße wirklich interessieren würde.« Er zwinkerte ihr zu.

Ein kleines Lächeln spielte um Harris Lippen. »Und du meinst, das ist jetzt nicht peinlich?«

Um Zeit zu gewinnen, stellte er die Ketchupflasche und den Pfeffer- und Salzstreuer wieder an ihren Platz zurück. Hatte er sich nicht gewünscht, mit ihr zu reden, ihr alles zu erklären?

»Ich möchte es dir ja erzählen«, begann er, »aber es ist eine ganze Menge, und ich habe noch nie mit jemandem darüber geredet, und deshalb …«

»Dann rede mit *mir* darüber«, bat sie. »Ich weiß, ich habe gesagt, dass es nichts mehr zu reden gibt, aber das war …«

»Bevor du wusstest, dass mir der linke Unterschenkel fehlt?« Mack schüttelte den Kopf. »Der arme Mack ist behindert, da muss ich dem armen Mack doch zuhören. Ist es das? Kommst du mir jetzt mit der Mitleidstour?«

»Kannst du nicht eine Sekunde ernst bleiben, du … Baby!«, schrie Harri.

Harris Herz hämmerte. Sie war wütend und unfassbar traurig, und die Gefühle, die sie nach wie vor für ihn hegte, wühlten sie zutiefst auf. Mack war immer noch der lustige, attraktive, sexy Typ, den sie aus seinen Briefen kannte; sie hatten immer noch diese ganz besondere Verbindung, die auf ihrer Korrespondenz und nicht auf körperlicher Anziehungskraft gründete. Und es knisterte immer noch zwischen ihnen.

Mack brach in schallendes Gelächter aus, das durch den ganzen Raum dröhnte. Er hatte auch während dieses einen Videotelefonats viel gelacht und herumgeblödelt. Manchmal geflüstert und manchmal geschwiegen, und in der Stille hatten sie sich einfach nur in die Augen gesehen. Jetzt lachte er wieder, so heftig, dass er sich die Rippen hielt.

»Wie hast du mich gerade genannt?«

Sie lächelte. »Ein Baby. So, jetzt weißt du's.«

»Ist das eine Beleidigung?«

»Allerdings. Was hast du denn erwartet? Dass ich kein Wort über deinen fehlenden Unterschenkel verliere? Ich müsste blind sein, wenn mir das nicht aufgefallen wäre, als du mir auf dem Boot die Tür geöffnet hast. Mir ist allerdings auch aufgefallen, wie sich dein Waschbrettbauch unter deinem T-Shirt abgezeichnet hat, bevor mein Blick weiter nach unten gewandert ist.« Sie atmete durch. »Ehrlich gesagt, würde ich es als die größere Beleidigung empfinden, wenn ich dein Bein *nicht* erwähnt hätte. Zumal du dich sonst praktisch nicht verändert hast.« Sie schluckte schwer. »Dasselbe Haar. Dasselbe Kinn. Dieselben Augen.«

»Hey, checkst du mich etwa ab, Harri?« Er grinste, und da waren sie wieder, diese süßen Grübchen …

Schluss damit. Sie war mit Iain zusammen, Mack gehörte der Vergangenheit an. Sie wäre an dem Liebeskummer damals fast zugrunde gegangen. Sie setzte sich ein wenig aufrechter hin, wie um der Unterhaltung einen förmlicheren Anstrich zu verleihen.

»Was ich damit sagen will, ist, dass ich zwar geschockt war über unser Wiedersehen auf einer Beerdigung, mit der ich erst in vielen Jahren gerechnet hätte …« Sie hielt kurz inne. »Dass es mich aber trotzdem interessiert, wie es dir ergangen ist und wo du warst und wie du ausgerechnet hier gelandet bist.« Sie lächelte.

»Okay«, sagte Mack.

»Aber zuerst muss ich dich etwas fragen. Das war der eigentliche Grund, warum ich heute Morgen zu dir gekommen bin.«

»Schieß los.«

»Kann ich dein Boot für die alljährliche Weihnachtskreuzfahrt chartern?«

»Du willst mich nur wegen meines Boots.« Mack nickte. »Ich weiß alles über Frauen wie dich.«

»Der Vorschlag stammt eigentlich von meiner Großmutter. In einem Brief an mich hat sie geschrieben, dass der Typ von Skeet's letztes Jahr ein bisschen zu schnell gefahren sei und dass sie einen lieben Freund namens Mackenzie Wyatt hätte …«

»Okay, okay, schon gut! Ältere Damen haben nun mal eine Schwäche für mich.«

»Also, was ist? Bist du bereit, die Kinder und den Weihnachtsmann über den Fort Pond zu schippern?«

»Du hast schon einen Weihnachtsmann?«

»Na ja, meine Nana hat geschrieben, dass Doktor Ambrose diese Rolle immer übernommen hat, aber ich dachte, ich könnte Grandpa fragen. Was hältst du davon?«

Mack nickte. »Das ist eine ausgezeichnete Idee.«

»Zwei warme Hummerbrötchen mit extraviel Salat und zwei Root Beer«, sagte Tom, der mit einem Tablett an ihren Tisch getreten war.

»Du meine Güte!«, entfuhr es Harriet. »Das sieht ja fantastisch aus.«

Hummerfleisch in verschiedenen Rosatönen war mit Mayonnaise und Sellerie in ein riesiges helles Stangenbrot geschichtet, und daneben häufte sich eine riesige Portion Krautsalat.

»Worauf wartest du? Hau rein!«, befahl Mack.

Das ließ sie sich nicht zweimal sagen.

KAPITEL

ACHTUNDZWANZIG

»Schlag zu!«

»Was?«

Harriet und Mack standen draußen vor dem Lokal. Zum Spaß hatte sie die geballte Faust ausgestreckt, als wollte sie dem blinkenden Weihnachtsmann einen Kinnhaken verpassen.

»Deine Beinstellung ist prima, und deine Faust geschlossen, wie es sein soll. Also los, gib's mir! Du hast doch gesehen, was sich unter meinem T-Shirt verbirgt«, grinste Mack. »Ich stecke das schon weg.«

Harriet sah ihn an. »Ich werde dich nicht schlagen. Ich hab dir doch gesagt, dass ich mit dem Training aufgehört habe.«

»Hast du etwa Mitleid mit dem armen Beinamputierten? Das wäre nämlich Diskriminierung!«, witzelte er.

Sie musste lachen. »Ich will nicht, dass du zu Boden gehst, weißt du.«

»Wenn ich zu Boden gehe, gehst du mit.«

Bei der zweideutigen Bemerkung überlief sie ein Prickeln. Sie ballte die Hände, dachte an das, was Mack ihr damals beigebracht hatte. Was als Fitnesstraining begonnen hatte, hatte sich zu Übungen in Selbstverteidigung und ein bisschen Boxen weiterentwickelt, nachdem eine ihrer Kolleginnen unweit der Fliesenhandlung überfallen worden war. Das körperliche und mentale Training hatten ihr das beruhigende Gefühl vermittelt, sich wehren zu können. Aber das alles war so lange her …

»Na los, schlag zu«, forderte er sie noch einmal auf. »Da hin.« Er tätschelte seinen Bauch.

»Du bist ja verrückt.«

»Wenn du das sagst.«

Sie holte aus und schlug mit voller Wucht zu. Er zuckte nicht einmal.

»Sehr gut! Noch einmal, aber fester.«

Ihre blonden Haare flogen nach hinten, als sie ihr ganzes Gewicht in den nächsten Schlag legte und dabei ächzte.

»Besser. Noch mal.«

»Das gibt's doch nicht!«, rief sie frustriert. »Tut dir das gar nicht weh? Der Typ in meinem Selbstverteidigungskurs hat uns gezeigt, wie wir einen Angreifer windelweich prügeln können, aber wie soll das gehen, wenn du nicht mal die kleinste Regung zeigst?«

»Ich bin ein ausgebildeter Killer, vergiss das nicht.«

»Du hast mir erzählt, du wärst Scharfschütze.«

»Nur an Werktagen. Jetzt komm schon, Harri! Du hättest mir doch neulich am liebsten schon eine verpasst. Also tu's! Als ob es dir richtig ernst wäre damit.«

Sie ballte die Finger noch fester zusammen und erinnerte sich. Der Kerl da vor ihr hatte sie so tief verletzt wie noch nie jemand in ihrem Leben. Nicht einmal die Scheidung ihrer Eltern hatte sie so getroffen wie dieser Verlust. Sie war am Boden zerstört gewesen, hatte sich selbst verloren, hatte gekämpft, um wieder ins Leben zurückzufinden. Und jetzt fühlte sie sich wieder ein klein wenig verloren, weil ihre Nana nicht mehr da war. Sie legte alle diese Gefühle in ihren nächsten Schlag.

»Au! Himmel!« Mack wich einen halben Schritt zurück und griff sich an die Brust.

»Was ist los?« Harriet duckte sich und tänzelte hin und

her wie im Boxring. »Wird es dir zu viel?« Sie schlug erneut und mit der gleichen Wucht zu.

»Im Ernst, Harri, das reicht!«

»Bäng!« Sie holte wieder aus, aber dieses Mal packte er ihre Hand, und bevor sie wusste, wie ihr geschah, lag sie auf dem Boden, und er hatte sich über sie gebeugt. Ihre Unterlippe begann zu zittern, als die Anspannung schlagartig nachließ und sie sich gefährlich nah am Rand eines Zusammenbruchs befand.

»Entschuldige«, wisperte sie. »Hab ich dir wehgetan?«

Er schüttelte den Kopf, sodass seine kurzen Locken hin und her flogen. »Nein. Aber ich weiß, wie sehr ich dir wehgetan habe.«

Sie würde nicht zulassen, dass eine Bresche in ihre emotionale Schutzmauer geschlagen wurde. Sie hatte ihr Herz fest verschnürt, und so sollte es auch bleiben. Macks Gesicht war ihrem so nahe, dass sie die blassen Sommersprossen auf seiner Nase und die hauchdünne, pigmentierte Linie erkennen konnte, die seine Oberlippe begrenzte. Er hielt sie immer noch am Handgelenk fest. Und plötzlich fiel ihr Blick auf ihre Uhr. Schon so spät!

Sie befreite sich aus seinem Griff, schob Mack energisch von sich und rappelte sich panisch auf die Füße. »Ich müsste schon längst zurück sein! Iain will sich ein paar Objekte mit mir ansehen!«

»Was für Objekte?«

»Immobilien. Ich muss sofort zurück. Ich werde zu spät kommen, und dann kommen *wir* zu spät, und Iain hasst es, zu spät zu kommen, und …«

»Wow, das waren aber verdammt viele ›zu spät‹ in einem Satz.« Mack richtete sich auf. »Und was macht Iain, wenn du zu spät kommst? Ausflippen? So wie mit Scooter?«

»Ich gehe zu Fuß.« Sie würde Iain von unterwegs anrufen und ihm sagen, dass sie gleich da wäre.

»Rede doch keinen Unsinn, Harri. Los, steig auf. Ich fahr dich zur Bar.«

Sie drehte sich zu ihm um. Er setzte seinen Helm auf. Zu Fuß wäre sie eine Ewigkeit unterwegs, aber auf dem Motorrad war sie Mack viel zu nah, und diese Nähe wurde zum Problem. Im Moment schien sie allerdings kaum eine andere Wahl zu haben.

NEUNUNDZWANZIG

Navy Road

Denise, die Immobilienmaklerin, sah aus, als hätte sie nach diesem Termin noch einen TV-Gastauftritt in einer Glamourserie, so aufgebrezelt war sie, angefangen von ihren makellosen, hochhackigen Stiefeln, die für das unbefestigte Gelände außerhalb des kleinen Hauses denkbar ungeeignet waren, bis hin zu ihren tellergroßen goldenen Ohrringen, die auch als Traumfänger hätten dienen können. Sie legte eine unglaubliche Begeisterung an den Tag und tippte ständig mit einem manikürten Fingernagel auf ihrem iPad herum.

Das Haus war wirklich entzückend, wie Harriet zugeben musste. Es lag nur ein paar Schritte vom Sandstrand entfernt, und bis zu den nächsten Nachbarn waren es etliche Meter. Allerdings war es auch stark renovierungsbedürftig. Zum Beispiel musste das Dach erneuert werden. Und der Preis überstieg die Grenzen, die sie sich für ein Anlageobjekt gesetzt hatten, bei Weitem. Sie überlegte, was Iain bewogen haben mochte, gerade dieses Haus auszusuchen.

»Gemütlich, nicht wahr?«, flötete Denise, als Harriet ihr in das Badezimmer folgte, das eindeutig schon bessere Tage gesehen hatte. Das Oberlicht war mit toten Insekten und Spinnweben verklebt. Vielleicht sollte Denise lieber ihre Immobilien stylen als sich selbst, wenn sie etwas verkaufen wollte.

»Es hat definitiv Potenzial«, stimmte Iain zu.

Wie bitte? Harriet schnellte herum, aber da war Iain bereits auf dem Weg ins Wohnzimmer. Das Haus hatte nichts mit ihren üblichen Objekten gemeinsam. Es erfüllte keines der Kriterien, an die sie sich strikt hielten. Was hatte das alles zu bedeuten?

»Stellen Sie sich Fenster vor, die sich zum Meer hin öffnen, helle Gardinen, das Holz weiß gestrichen und ...«

»Wenn Sie uns fünf Minuten entschuldigen würden, Denise?«, fiel Harriet ihr ins Wort.

Iain schlenderte in die Küche, die aus einer fleckigen Spüle und drei Wandschränken bestand.

»Aber sicher doch«, erwiderte die Maklerin. »Ich bin draußen, falls Sie mich brauchen.«

Harriet wartete, bis sie auf ihren Absätzen über den leicht verzogenen alten Holzboden gestöckelt und nach draußen gegangen war.

»Iain, das Haus ist ...«

Er drehte sich zu ihr um. »Gefällt es dir?«

»Gefällt es dir denn? So richtig, meine ich?«

»Ich habe zuerst gefragt.«

Okay, das war jetzt ein bisschen merkwürdig. »Es geht nicht darum, ob es mir gefällt, sondern ob es zu unserem Konzept passt, und davon ist es weit entfernt.« Sie lachte auf. »Ich meine, Iain, wir erneuern Bäder und Küchenfronten. Wir reißen keine Holzböden heraus oder decken Dächer neu ein.«

»Noch nicht.«

Harriet war platt. Was war denn in ihn gefahren? So kannte sie Iain gar nicht. Er war vorhersehbar und solide, immer schon gewesen. Das gefiel ihr am meisten an ihm. Sie schüttelte langsam den Kopf und fragte: »Was willst du damit sagen – *noch nicht?*«

»Na ja, die Suche hier muss ein wenig anders aussehen als die zu Hause in England.« Er ging ins Wohnzimmer zurück und klopfte mit der Hand an die Wand. »Hier dreht sich alles um Ferien. Hast du eine Ahnung, wie viel Miete man für so ein Strandhaus im Sommer bezahlt?«

»Äh, ich …« Nein, das wusste sie nicht, weil sie sich nie um eine Unterkunft hatte kümmern müssen, sondern immer bei ihren Großeltern gewohnt hatte. Es gab zwar Gästezimmer über der Bar, doch die waren ihres Wissens nie vermietet worden.

»Über dreitausend Pfund die Woche! Und das ist nur eine vorsichtige Schätzung anhand einiger Zahlen vom Juni. Denise sagt, im Juli oder August ist es noch mehr.«

»Oh.«

Iain lachte. »Ich hatte mir eigentlich eine andere Reaktion erhofft.«

Harriet begriff rein gar nichts. Wie oft hatte sie vorgeschlagen, ihre Immobiliensuche auf andere Objekttypen auszudehnen, war jedoch immer auf taube Ohren gestoßen?

»Iain, ich finde nur … es muss so viel Arbeit in dieses Haus gesteckt werden, und der Kaufpreis sprengt völlig unseren finanziellen Rahmen …«

Lächelnd griff er nach ihrer Hand. »Komm, ich zeig dir was.«

Er führte sie aus dem Haus und an Denise vorbei, die gerade telefonierte.

»Wo willst du denn hin?«, fragte Harriet, als Iain die Straße überquerte und zum Sandstrand hinunterging.

Der Wind frischte auf, und sie wünschte, sie hätte ihre Mütze mitgenommen. Die eisige Kälte kroch ihr unter die Haare und ging ihr durch und durch. Sie hatte das Gefühl, sich in einen Eiszapfen zu verwandeln.

»Es ist nicht weit«, erwiderte Iain.

Sie gingen weiter in östlicher Richtung. Nach ungefähr fünf Minuten blieb er stehen und zeigte über den Sand.

»Siehst du das Schild dort?«

Das große blau-weiße Plakat am Ende des langen Sandstreifens, an den ein paar Holzhütten grenzten, war nicht zu übersehen. »Ja, warum?«

»Na ja«, sagte Iain und legte eine dramatische Pause ein. »Der komplette Strandabschnitt hier steht ebenfalls zum Verkauf.«

»Okay.« Worauf wollte er hinaus?

»Was hältst du davon, wenn wir das Grundstück kaufen und einen Block mit Ferienwohnungen daraufstellen?«

Harriet sah ihn an und wartete auf die Pointe. Anstatt neue Toiletten und Waschbecken einzubauen und ein paar Dachziegel auszutauschen, wollte er einen Neubau hochziehen? Doch es kam nichts mehr. Iain rief auch nicht: »War nur ein Witz, entspann dich«, nein, er sah sie erwartungsvoll an.

Sie lächelte. »Das Haus da hinten muss dir wirklich gefallen.«

»Was?«

»Na ja, ich soll doch jetzt bestimmt denken, dass es verglichen mit einem Neubau ein Kinderspiel ist, das Dach der alten Hütte neu einzudecken, oder?«

»Nein, das ist ein ernst gemeinter Vorschlag«, erwiderte Iain völlig perplex.

»Aber das sind doch zwei völlig verschiedene Dinge! Wir vermieten nicht. Wir renovieren und verkaufen weiter. Und Ferienanlagen haben nie zur Diskussion gestanden.«

»Ich habe auch nicht von Ferienanlagen gesprochen«, entgegnete Iain, als sei das der Knackpunkt.

»Iain, was ist los?«

Harriet hatte den Eindruck, dass es hier um mehr als nur Immobilien ging. Sie beobachtete, wie er seine Hände in die Manteltaschen schob und sich ein wenig zum Meer hin drehte. Der Wind zerzauste seine dunklen Haare.

»Sag du es mir«, antwortete er. »Fangen wir doch damit an, wieso du vor Tagesanbruch das Haus verlassen hast und dich dieser … dieser Gangster auf seinem Motorrad zur Bar zurückgefahren hat.«

Harriet seufzte. Iain hatte mit Denise auf dem Parkplatz des Rum Coconut gestanden, als Mack herangebrettert war. Sie hatte sich den Helm heruntergezerrt und rotgesichtig und mit Haaren, die nach allen Seiten abstanden, Entschuldigungen und zusammenhangloses Zeug gefaselt.

»Er ist kein Gangster.« Vielleicht hätte sie nicht gerade damit anfangen sollen. Schnell fuhr sie fort: »Es ging um Großmutters Weihnachtskreuzfahrt. Ich habe jemanden mit einem Boot gesucht, und Nana sagt, er hätte eins, also bin ich zur Anlegestelle gejoggt und hab ihn gefragt, ob ich sein Boot chartern könnte, und außerdem wollte ich mich bei ihm bedanken, weil er meinen Großvater vor dem Ertrinken gerettet hat, und …« Sie verstummte, weil sie Luft holen musste. Ians Miene war wie versteinert.

»Ich habe keine Ahnung, wovon du redest«, sagte er. »Ich weiß nur, dass es sich völlig irre anhört. Weihnachtskreuzfahrt? Deine Großmutter spricht mit dir? Du stehst mitten in der Nacht auf, steigst auf das Motorrad eines Wildfremden … Bist du sicher, dass mit dir alles in Ordnung ist, Harriet? Vielleicht solltest du mal zu einem Arzt.«

Sie musterte ihn, suchte in seinem Gesicht nach Hinweisen, ob er das tatsächlich ernst meinte. Es sah ganz danach aus. »Es geht mir gut.« Es ging ihr überhaupt nicht gut, und vielleicht war es das, was er hören musste. »Nein, es geht mir nicht gut. Meine Nana ist vor ein paar Tagen gestorben, Iain.« Ihr kamen wieder die Tränen, und sie fragte sich, ob sie jemals darüber würde sprechen können, ohne zu weinen.

»Das weiß ich doch, aber das Leben geht schließlich weiter.«

Er begriff es immer noch nicht. Es ging hier nicht um einen Goldfisch, sondern um ihre Großmutter, bei der sie jeden Sommer sechs Wochen verbracht hatte. Um einen Menschen, der sie geformt hatte. Den sie nie wiedersehen würde. Iain verstand überhaupt nichts, sonst hätte er sie nicht in dieser Eiseskälte hierhergeführt, um ihr ein Grundstück zu zeigen. Sie musste ihm klarmachen, dass seine Idee abwegig war.

»Iain, ein Grundstück unmittelbar am Meer ist garantiert nicht billig, und dann die Baukosten für einen Apartmentblock! Außerdem müssen Baugenehmigungen eingeholt werden und was weiß ich nicht alles, und wir kennen uns mit den Bestimmungen in den USA doch gar nicht aus.«

»Na und? Man kann sich doch informieren. Das macht man nämlich, wenn man neue, aufregende Projekte angeht. Etwas völlig Neues wagen will. Etwas, das einem einen kalten Schauer über den Rücken jagt.«

Wer war dieser Iain? Allmählich hatte sie den Verdacht, dass er geklont worden war und hier nicht das Original vor ihr stand. Und ihr jagte tatsächlich ein kalter Schauer über den Rücken. Aus verschiedenen Gründen. Hauptsächlich deshalb, weil ihr gemeinsames Geschäft ihr Fels in der Brandung war, etwas, das ihr Halt gab, das sie dazu gebracht hatte, morgens aufzustehen, anstatt sich im Bett zu verkriechen. Und jetzt wollte Iain alles umkrempeln? Und ihre gesamten Ersparnisse und noch viel mehr in sein neues Projekt stecken?

»Auf den kalten Schauer kann ich verzichten«, murmelte sie.

»O Harriet, so hab ich das doch nicht gemeint!« Iain nahm sie in die Arme und zog sie an sich. Es hätte eine tröstende Geste sein sollen, doch Harriet empfand es als einengend. Ihr Verstand kam nicht zur Ruhe, ihre Emotionen fuhren Achterbahn. Sie hätte etwas sagen müssen. Dass sie sich überrumpelt fühlte. Ihn fragen, wie lange er schon mit dem Gedanken an diese Konzeptänderung spielte. Ihn darauf hinweisen, dass sie in ihrer Trauer emotional instabil und der Zeitpunkt deshalb schlecht gewählt war. Doch sie schwieg.

Iain löste sich von ihr, hielt sie auf Armeslänge von sich und grinste über das ganze Gesicht. »Überleg doch mal, Harriet! Eine Immobilie direkt am Meer! Wie neidisch die anderen wären!« Er nahm sie an die Hand. »Komm, wir sehen uns das Grundstück mal aus der Nähe an. Und versprich mir, dass du zumindest über die Idee nachdenkst.«

Sie schüttelte den Kopf und fragte sich, wann es je darum gegangen war, andere neidisch zu machen. »Ich …«

»Komm, Denise hat alle Einzelheiten. Lass uns zurückgehen.« Er ließ ihre Hand los und marschierte davon.

Harriet schaute ihm nach. Der schneidende Wind fühlte sich plötzlich einige Grad kälter an, als er ihr ins Gesicht blies. Sie hatte das Gefühl, dass alles in ihrer Welt auseinanderbrach und in verschiedene Richtungen wegrutschte.

Das Rum Coconut

Sowohl in der Bar als auch im Restaurant herrschte zu Harriets großer Freude Betrieb. Anfangs hatte man die Gäste fast an einer Hand abzählen können, und sie hatte schon befürchtet, den Laden schließen zu müssen. Aber jetzt, als sie Jude per FaceTime das Lokal zeigte, schwenkte die Kamera über zahlreiche Gäste, die sich Rubys Minihamburger mit Huhn schmecken ließen oder das traditionelle Surf and Turf, das auf der Karte stand, solange Harriet zurückdenken konnte, oder Lornas berühmte mit Truthahn und Austern gefüllte Weihnachtspastete. Sie musste noch eine ganze Menge über diese Feiertagsbräuche lernen. Zum Glück hatte sie ja Nanas Briefe und Ruby!

Gemeinsam mit ihr, Lester und ihrem Großvater hatte sie den Raum noch ein bisschen weihnachtlicher dekoriert. Joe hatte darauf bestanden, selbst auf die Stehleiter zu klettern, wo er, die Arme voller Lametta und Laternen, ziemlich geschwankt hatte. Harriet war froh gewesen, als er heil wieder heruntergestiegen war. Und der Raum sah jetzt wunderschön aus. Sogar Meryl Cheep machte einen vollkommen entspannten Eindruck und begrüßte jeden neuen Gast, indem sie freudig mit dem Kopf auf und ab ruckte. Nur Iain saß oben an seinem Laptop, wo er sich, das Handy am Ohr, durch Tabellen und Designtools scrollte.

»Ich dachte, du fährst nach New York«, sagte Jude gerade,

als Harriet ihr Smartphone mithilfe von Untersetzern und einem Strohhalmbehälter auf die Theke stellte.

»Ja, schon, aber da gibt's noch mehr als Broadway und Central Park, weißt du. Das haben wir doch schon durchdiskutiert.« Harriet kletterte auf einen Barhocker.

»Aber es sieht aus, als ob du auf Hawaii wärst.« Jude hielt sich das Smartphone so nah vors Gesicht, dass Harriet ihre Wimpern zählen konnte. »Nachdem der Weihnachtsmann den ganzen Weihnachtsschmuck vom Nordpol herangekarrt hat.«

Harriet musste lachen. »So soll eine festlich geschmückte Tiki-Bar auch aussehen. Gefällt's dir?«

Jude setzte eine ausdruckslose Miene auf. »Es sieht jedenfalls festlicher aus als hier in der Wohnung. Soll ich winzige Lamettakrönchen für deine Blumen basteln? Ich will sie aber auf keinen Fall ersticken.«

»Nicht nötig.«

»Da bin ich aber froh. Und jetzt kommen wir zum Allerwichtigsten. Erzähl mir alles über Soldier Boy!«

Harriet warf einen panischen Blick über die Schulter, weil Judes Stimme sich plötzlich zehnmal lauter anhörte. Aber niemand achtete auf sie. Iain war immer noch oben auf ihrem Zimmer. Joe führte Gäste an ihren Tisch. Das Personal ging seiner Arbeit nach, Ruby war in der Küche, und Lester stand hinter der Bar.

»Da gibt's nichts zu erzählen.« Das war eine glatte Lüge und noch dazu eine so lächerliche, dass Harriet sich hätte ohrfeigen können.

»Ach ja?« Aus irgendeinem Grund richtete Jude die Kamera auf ihre Brauen. »Da ist also ein Typ, der dir feuchte Träume beschert, der dir das Herz in Fetzen gerissen hat, weil einer seiner dämlichen Kumpel dir erzählt hat, er sei tot, und ein anderer nicht weniger dämlicher, er werde heiraten, ein Typ, den du einmal so sehr geliebt hast, spaziert ganz lässig wieder in dein Leben, und du meinst, da gibt es nichts zu erzählen? Willst du diese Aussage eventuell korrigieren?«

Jude hatte die Situation ziemlich korrekt zusammengefasst. Bis auf eine Kleinigkeit, von der sie noch nichts wusste.

»Er hat mich zu einem Hummerfrühstück eingeladen«, flüsterte Harriet. Eine ganze Wagenladung Emotionen rollte über sie hinweg. »Aber er hat sich verändert.«

»Oh, ist er nicht mehr so heiß wie früher?« Jude seufzte. »Das kann passieren. Ich kannte mal einen Typ vom Origamikurs, der war so was von süß, aber dann ging er weg, und als er zurückkam, hätte ich ihn fast nicht wiedererkannt. Sein Kopf sah aus wie ein riesiger, hässlicher Rosenkohl. Ehrlich!«

Harriet führte ihre Kaffeetasse an die Lippen, um ein paar Sekunden Zeit zu gewinnen. Mack war immer noch so heiß wie früher, vielleicht sogar noch viel heißer. Eigentlich dürfte sie so etwas gar nicht mal denken, immerhin war sie mit Iain zusammen. Aber es stimmte. Sie musste sich allerdings noch daran gewöhnen, dass ihm ein Unterschenkel fehlte. Inwieweit ihn das psychisch belastete, konnte sie sich nicht einmal ansatzweise vorstellen. Und sie würde es vielleicht nie herausfinden, wenn er sich weiterhin weigerte, darüber zu reden.

»Er …«, begann sie und holte noch einmal tief Luft, »hat einen Teil seines Beins verloren.«

Jetzt war es raus. Sie hatte es laut ausgesprochen. Judes Gesicht füllte jetzt den ganzen Bildschirm aus, aber sie verzog keine Miene. Harriet blinzelte angestrengt.

»Jude? Was ist los? Bist du erstarrt?«

»Glaub schon.« Die Kamera erfasste ihre Halskette, als sie ihre Position ein wenig veränderte. »Ich hab nämlich die Wörter ›Bein‹ und ›verloren‹ gehört und versuche gerade, sie in einen sinnvollen Zusammenhang zu bringen. Also, was hast du gerade gesagt?«

»Mack hat einen Teil seines Beins verloren«, wiederholte Harriet. »Den linken Unterschenkel.«

Jude schwieg. Harriet sah nur das Oberteil ihrer Latzhose, bis sie sich schwer auf das Sofa fallen ließ. »Verdammt.«

»Ich weiß. Ich versuche, nicht daran zu denken, was ihm passiert ist, und dass das vermutlich auch damit zu tun hat, wie das mit uns beiden ausgegangen ist, und ich sage mir die ganze Zeit, er ist bloß ein guter Bekannter meiner Großmutter, aber ...« Sie verstummte, weil sie nicht genau wusste, wohin diese Worte sie führen würden.

»Aber?«

»Es ist verdammt schwer, weißt du.«

»Weil er immer noch heißer als heiß und jeden Traum wert ist und du wissen willst, was damals, als du geglaubt hast, er sei tot, wirklich passiert ist. Weil du jetzt weißt, dass er eben nicht ums Leben gekommen ist oder irgendeine Hinterwäldlerin geheiratet, sondern offenbar ein Trauma erlitten hat, und du warst wütend auf ihn, weil er dich belogen hat, aber jetzt denkst du, dass du vielleicht ein wenig voreilig warst und dass du ihm die Chance geben solltest, alles zu erklären, anstatt voreilige Schlüsse zu ziehen.«

Jude hatte den Nagel so ziemlich auf den Kopf getroffen. Ja, möglicherweise hatte sie übereilt gehandelt. Aber wie viele Lügen, wie viele Zurückweisungen konnte man ertragen, bevor man sagte: »Es reicht«, um sich wenigstens ein Minimum an Selbstachtung zu bewahren?

»Wann siehst du ihn wieder?«, fragte Jude und riss sie aus ihren Gedanken.

»Er wohnt nur ein Stück weit die Straße runter. Auf einem Boot.«

»Er wohnt auf einem Boot?«

»Ja, mit einem Hund namens Scooter.«

»Sag mal, ist aus deinem Leben ein Film geworden?«

»Ich weiß auch nicht«, antwortete Harriet seufzend. »Kann schon sein.« Sie wollte ihrer Freundin lieber nicht erzählen, dass Iain im Moment herauszufinden versuchte, wie groß ihr Kreditrahmen für den Bau einer bewachten Ferienwohnanlage war.

»Also, wann triffst du dich wieder mit ihm?«

»Ich weiß noch nicht. Wahrscheinlich bei der jährlichen Weihnachtskreuzfahrt meiner Nana.«

»Weihnachtskreuzfahrt?«

»Ja, nur so eine Rundfahrt auf dem Fort Pond, hauptsächlich, um den Kindern eine Freude zu machen.«

»Und was hast du jetzt vor?« Jude stopfte sich gleich mehrere Ferrero Rocher auf einmal in den Mund.

»Das, was ich von Anfang an geplant hatte«, antwortete Harriet und nickte zuversichtlich.

»Nach Hause kommen und deine Zimmerpflanzen vor dem sicheren Dürretod bewahren?«

»Noch nicht. Ich werde mich um Grandpa kümmern und von meiner Nana alles über Weihnachten in Montauk lernen.«

Ihr Großvater und die Bar. Darauf musste sie sich konzentrieren. Auch wenn Mack hier war, durfte sie nicht zulassen, dass ihre alten Gefühle für ihn sie von ihren Aufgaben in der Gegenwart ablenkten. Wegen Iain und seinen großen Plänen würde sie sich noch etwas einfallen lassen müssen.

»Das ist der Stoff, aus dem die Hallmark-Filme sind, Harriet, ehrlich!«, nuschelte Jude mit vollem Mund. »Bravo!«

Fort Pond

»Und wenn nun keiner kommt?« Harriet und Madame Scarlet folgten Lester, der eine Schubkarre voller Lunchboxen, Geschenktüten und Dekoartikeln über den Anlegesteg schob. »Oder wenn ihnen das Essen nicht schmeckt? Oder wenn eins der Kinder sich übergeben muss? Oder sogar mehrere? Oder wenn …«

»Ein riesiger Wal aus dem Wasser schnellt und sich eins der Kleinen schnappt?«, ergänzte Madame Scarlet mit kehligem Lachen. Heute trug sie eine Pixiefrisur.

»Ich bin hysterisch, nicht wahr?« Harriet atmete geräuschvoll aus. Obwohl sie gemeinsam mit Ruby, Madame Scarlet und Joe die Weihnachtskreuzfahrt bis ins Detail geplant hatte, war sie schrecklich nervös. Die Eltern oder Begleitpersonen der Kinder hatten alle notwendigen Formulare und Erklärungen, zum Beispiel hinsichtlich Allergien, ausgefüllt, ein Elternteil oder eine Begleitperson würde mitfahren, Mack hatte ihr versichert, dass er alle erforderlichen Lizenzen besaß, und ihr Grandpa hatte mindestens dreimal betont, dass in all den Jahren noch nie einem Kind irgendetwas zugestoßen war. Außerdem käme ein hübsches Sümmchen für wohltätige Zwecke zusammen. Der Verkauf der Fahrkarten deckte die Unkosten der Bar; was übrig blieb, kam in die Spendenbüchse. Harriet schluckte kalte Luft hinunter. Sie hatte sich nicht einmal erkundigt, wie viel Mack für das Chartern seines Boots verlangte.

»Die Frage kannst du dir selbst beantworten, Kindchen«, erwiderte Madame Scarlet.

»Stimmt. Sag mal, worum geht es bei *Der Weihnachtsmann und der Pirat* eigentlich?«

»Du kennst die Geschichte nicht?« Ruby hatte zu ihnen aufgeschlossen. Sie trug Meryl Cheep in ihrem goldenen Transportkäfig, wodurch sie lustigerweise so aussah, als stamme sie direkt von einem Piratenschiff.

»Nein.« Harriet schüttelte den Kopf. »Ich hab das erste Mal aus dem Brief von meiner Nana davon erfahren.«

Ich weiß, dass du nie an Weihnachten in Montauk warst, Joanna, aber dein Vater hat dir ganz bestimmt die Geschichte vom Weihnachtsmann und dem Piraten vorgelesen. Als Kind hat er sie geliebt. Der Weihnachtsmann ist auf die Hilfe eines niederträchtigen Piraten angewiesen, um das Weihnachtsfest zu retten. Mir gefällt das, weil es zeigt, dass Hilfe manchmal von dort kommt, wo man es am wenigsten erwartet, und weil es uns lehrt, nicht vorschnell zu urteilen. Wir alle machen manchmal diesen Fehler …

Madame Scarlet und Ruby schnappten entsetzt nach Luft. Diese Geschichte nicht zu kennen schien fast so schlimm, wie nicht gesehen zu haben, wie Joe Biden auf den Stufen zur Air Force One hinauf ins Stolpern geraten war.

»Ist das dein Ernst?«, rief Ruby ungläubig. »Bei uns hier ist das Buch ungefähr so bekannt wie die Bibel. Meine Brüder würden sich lieber die Augen ausstechen, als ein Buch in die Hand zu nehmen, aber im Dezember bestehen sie darauf, dass ich ihnen die Geschichte jeden Abend vorlese.«

»Ich kann gar nicht glauben, dass Lorna sie dir nie erzählt

hat. Oder dein Vater«, sagte Madame Scarlet und schloss die Finger fester um die Griffe ihrer beiden Taschen.

Meryl Cheep krächzte, als wäre Harriets Unwissenheit auch ihr ein absolutes Rätsel. Es war wirklich komisch. Harriet hatte nicht die geringste Ahnung vom Leben hier im Winter, und sie hatte irgendwie das Gefühl, dass ihr Weihnachten in Montauk absichtlich vorenthalten worden war. Warum hatten ihre Großeltern, die offensichtlich so aktiv in ihrer Gemeinde waren, ihr nie von diesen Veranstaltungen und den Spendensammlungen erzählt? Warum musste sie aus Briefen davon erfahren?

»Hey«, sagte Ruby und legte Harriet einen Arm um die Schultern, »ich bin fast ein wenig neidisch, weil du die Geschichte zum ersten Mal hören wirst.«

»Geht mir genauso«, pflichtete Madame Scarlet ihr bei. »Komm, Schätzchen, wir werden dafür sorgen, dass sich die Leute noch lange an diese Weihnachtskreuzfahrt erinnern werden!«

Harriet nickte. In diesem Moment vibrierte ihr Handy in der Tasche ihrer Jeans.

»Ein herzliches Willkommen!«

Mack sprang heraus, als Lester am Boot ankam, und erschreckte ihn dermaßen, dass die Schubkarre beinahe umgekippt wäre.

»Du meine Güte, Mack, ich hätte fast einen Herzinfarkt bekommen!« Lester ließ die Griffe los und fasste sich an die Brust.

»Ist das Piratenkostüm übertrieben, was meinst du?« Mack strich seine Weste glatt und zupfte an den gerüschten Manschetten seines weißen Hemds. Die große Schnalle am Gürtel seiner Jeans stammte vermutlich noch aus den

Achtzigerjahren, und den Piratenhut setzte er auf, wenn er Touristen durch die Gegend schipperte.

»Kann sein, dass du doch den Weihnachtsmann spielen musst«, sagte Lester. »Als ich gegangen bin, hat Joe sich gerade lauthals über den Rauschebart beschwert.«

»Nein, nein, ich habe alles, was ein Pirat braucht. Klasse Haare, sexy Lächeln.« Er warf Lester einen schmachtenden Blick aus seinen grünen Augen zu. »Immer gut für einen heißen Flirt! Bereit, für deine Ehre zu kämpfen! Ganz zu schweigen von meinen individuellen physiognomischen Eigenschaften. Ich bin die Idealbesetzung für einen Piraten!«

Doch als er Harri über den Holzsteg auf sich zukommen sah, wusste er, dass er für sie auch in jede andere Verkleidung schlüpfen würde.

»Und da kommt ja auch mein Papagei!« Mack stieg vom Deck der *Warrior* auf den Steg. »Guten Morgen, ihr Landratten!«, empfing er die Neuankömmlinge.

»Mackenzie!«, quietschte Madame Scarlet wie ein vierzehnjähriger Teenie. »Nun schau dir diesen Kerl an!«

»Hab gar nicht gewusst, dass hier ein Johnny-Depp-Cosplay stattfindet«, meinte Ruby trocken.

Nur Harri sagte nichts, sah ihm aber geradewegs in die Augen. Auf einmal wünschte er, er hätte sich nicht verkleidet. Im Moment war ihr Verhältnis sachlich, irgendwie geschäftsmäßig mit einem freundlichen Unterton. Doch da war noch ihre bewegte Vergangenheit, über die sie reden mussten. Und vor seinem geistigen Auge spulten sich in einer Endlosschleife die Szenen ihres Hummerfrühstücks ab, wie sie draußen vor dem Lokal übereinandergefallen waren, die Motorradfahrten, bei denen sie sich an ihn geschmiegt hatte …

»Gehen wir an Bord?«, sagte Harri schließlich und machte einen Schritt um ihn herum. »Es gibt noch viel zu tun, bevor die anderen alle kommen.«

»Was hast du vor?« Mack trat ihr in den Weg.

»Ich will die Sachen aufs Schiff bringen. Zum Dekorieren. Wie wir besprochen haben.«

»Nicht *dieses* Schiff«, sagte Mack.

»Was?«

Sie machte ein völlig verwirrtes Gesicht, und da erst fiel ihm ein, dass sie ja nie in der Kajüte gewesen war und deshalb auch nicht wissen konnte, dass sie viel zu klein für eine Schar Touristen war, die ihn für Ausflugsfahrten oder Angeltrips buchten.

»Ich *wohne* auf der *Warrior*«, erklärte er, »aber für das Geschäftliche habe ich die *Warrior Princess*.«

Er zeigte zur anderen Seite des Hafenbeckens hinüber auf eine modernere, schnittige Jacht. Sie wurde für alle möglichen Veranstaltungen gechartert, von der Junggesellenabschiedsparty, bis hin zur diamantenen Hochzeit. Die Jacht war seine letzte große Anschaffung gewesen, seitdem hatte er seine Army-Abfindung nicht mehr angetastet. Die Investition machte sich bezahlt.

»Sorry, Schätzchen«, schnaufte Madame Scarlet, die schwer beladen war, »ich dachte, du wüsstest das, sonst hätte ich doch was gesagt.«

»Kommen Sie, lassen Sie mich das tragen.« Mack nahm ihr die Taschen ab und wandte sich dann Harri zu. »Willst du mir deine nicht auch geben?«

»Nicht nötig, ich schaff das schon«, antwortete sie.

O ja, ihr Umgangston war sachlich, geschäftsmäßig und noch dazu befangen. Das musste sich ändern. Und vielleicht war es an ihm, den ersten Schritt zu tun.

KAPITEL
ZWEIUNDDREISSIG

Die Warrior Princess

Endlich hatte Harriet die Geschichte vom Weihnachtsmann und dem Piraten gehört. Die meisten Kinder kannten sie auswendig und hatten die einzelnen Verse stumm mitgesprochen. Harriet hatte sich versucht vorzustellen, wie ihre Nana und ihr Dad sie zusammen gelesen hatten, als er ein Kind gewesen war.

> *Bin ein Pirat, voller Kraft und Schneid,*
> *der Weihnachtsmann, der alte, tut mir nicht leid.*
> *Was er hat, werd ich mir nehmen,*
> *wird ein herrlich' Weihnachten für mich geben.*

> *Doch halt, auf meinem Schiff ist kein Platz für all die Sachen,*
> *Und keiner sieht mich hämisch lachen.*
> *Könnt' ich's am End' mit andern teilen?*
> *Auch ein Pirat kann Fürsorg' zeigen.*

Mack hatte den Piraten ganz hervorragend gespielt, während Joe, der seine Lesebrille vergessen hatte, etwas mehr Mühe hatte. Aber alle hatten an den richtigen Stellen gelacht und am Schluss laut Beifall geklatscht.

Harriet lächelte ihren Großvater an. »Wie geht's dir, Grandpa?«

An Bord befanden sich vierzig Kinder und ihre Eltern. Und während sie gemächlich über den Fort Pond tuckerten, ließen sie sich zu Weihnachtsmusik aus der Lautsprecheranlage das mitgebrachte Essen schmecken: mit Truthahn und Cranberrys belegte Brote, ein Kompott aus saisonalen Früchten, Weihnachtsmannkekse und Rudolph-Rentier-Möhrenstifte. Meryl Cheep war der absolute Star des Tages. Sie plapperte mit den Kindern und zupfte an dem Lametta, mit dem ihr Käfig umwickelt war. Harriet musste noch den Preis für das schönste Kostüm verleihen, was sie ganz nervös machte. Die Kinder hatten sich solche Mühe gegeben. Harriet entdeckte eine festliche Version von Severus Snape, ein anderes Kind trug eine ganze Krippenszene am Körper: einen Stall aus Pappe mit grob umrissenen Figuren – Maria, Josef und die drei Könige –, ein Stofflämmchen unter dem Arm und eine Babypuppe als Jesus mit Klebeband auf dem Bauch befestigt.

Bis jetzt lief alles prima. Es war ruhig auf dem See, nur einige wenige kleine Boote waren draußen und ein einsamer Angler. Die Vegetation ringsum trug immer noch Spuren von Grün, aber man konnte es nicht mit dem Sommer vergleichen, wenn alles blühte und grünte und die privaten Bootsstege voller Menschen waren. Zu Harriets grenzenloser Erleichterung war auch noch niemand in das eisige Wasser gefallen. Ihr einziges Problem war im Augenblick ihr Großvater, der nicht länger den Weihnachtsmann spielen wollte.

»Ich kann diesen Bart nicht ausstehen«, nörgelte er jetzt und zupfte an den weißen Locken, sodass seine untere Gesichtshälfte zu sehen war.

»Nicht, Grandpa«, sagte Harriet und schob den Bart schnell wieder dahin, wo er hingehörte. Sie warf einen Blick über die Schulter und sah, dass Angestellte der Bar Papierhüte verteilten. »Du bist der Weihnachtsmann für die Kinder, und das musst du die ganze Fahrt über auch bleiben. Wir haben darüber geredet, erinnerst du dich?«

»Wo ist Ambrose?«, fragte Joe mit lauter Stimme. »Er war doch immer der Weihnachtsmann. Er kann viel besser lesen. Und er ist von Natur aus besser gepolstert«, fügte er hinzu und tätschelte seinen Bauch.

»Ambrose ist heute in einer Diabetesklinik, weißt du nicht mehr?« Ruby schlüpfte zu ihnen auf die Bank. Nach dem Essen in der Kajüte wollten sie wieder hoch an Deck, sofern der Wind es zuließ, und Weihnachtslieder singen.

»Ich hab ihm immer gesagt, er soll nicht so viel Zucker essen«, schnaubte Joe.

»Grandpa, er ist nicht als Patient dort, sondern als Arzt.«

»Glaubst du, das weiß ich nicht?«, brummte Joe.

Harriet nagte an ihrer Unterlippe. Wusste er das wirklich noch? Sie wickelte die rot karierte Decke fester um seine Beine und fragte sich, ob sie ihm nicht zu viel zumutete. Na ja, im Notfall könnte *sie* ja den Weihnachtsmann spielen. Sie rückte ihren Elfenhut zurecht.

»Ich bleib bei ihm«, sagte Ruby leise. »Gönn dir mal eine Pause, hol dir was zu trinken und zu essen. Oben ist Gebäck für die Helfer. Nach Lornas Rezept. Es ist genug da.«

Harriet stand auf und streckte sich. Komisch, kaum redete jemand von einer Pause, wurde einem bewusst, wie sehr man eine kurze Auszeit und einen dreifachen Espresso brauchte.

»Ich bin gleich wieder da«, versprach sie. »Ich schnapp mir einen Kaffee und was zu knabbern und …«

»Mach dir nicht ins Hemd, Miss England«, neckte Ruby sie. »Wir haben hier alles im Griff.«

Alles im Griff. Sie leierte den Satz ein ums andere Mal im Stillen herunter, während sie an den Kindern und Erwachsenen vorbeiging, die vergnügt ihren Proviant verputzten, die Zettel-chen aus den Crackern lasen oder laut Weihnachtslieder mit-sangen. Sie stieg die Stufen zum Deck hinauf, wo Mack am Ruder stand und das Schiff über den See steuerte. Doch als sie die oberste Stufe erreichte, sah sie, dass er nicht allein war. Eine schlanke, rothaarige Frau stand so nah bei ihm, wie man es nur tat, wenn man sehr vertraut miteinander war. Okay, sie würde einfach wieder nach unten gehen und sich dort etwas zu essen suchen.

»Hey, Harri, komm doch an Deck!«

Sie drehte sich um und setzte ein Lächeln auf. Mack wich einen Schritt zurück.

»Hallo«, grüßte Harriet.

»Sind Sie neu hier? Ich bin Wendy. Ich kenne jeden hier, aber Sie kenne ich nicht. Gehören Sie zu den Angestellten? Dann könnten Sie uns ein paar Drinks heraufbringen.«

Harriet wartete, ob noch mehr kam. Doch da sagte Mack bereits: »Wendy, das ist Harri, Joes Enkelin aus England. Harri, das ist Wendy. Sie ist die Mutter von Matty, dem Sie-benjährigen unten. Willst du nicht mal nach ihm sehen, Wendy?«

Doch die machte eine wegwerfende Handbewegung. »Sa-rah-Anne passt auf ihn auf.«

»Sarah-Anne?« Harriet runzelte die Stirn.

»Ja. Sie arbeitet im Gartencenter. Hat sie Sie etwa schon kennengelernt? Noch vor mir? Oh, das ist aber jammer-schade!«

»Kennengelernt kann man das nicht nennen«, erwiderte Harriet. »Ich hab nur gehört, wie jemand gesagt hat, ihrem kleinen Jungen sei speiübel.«

Wendys Miene wechselte vom Flirtmodus zur Panikatta-cke. »Sarah-Anne hat ein Mädchen. Das muss Matty sein!«

So schnell ihre hochhackigen und für eine Bootsfahrt denkbar ungeeigneten Schuhe es zuließen, stürzte sie die Stufen hinunter in die Kajüte.

Dann war Harriet mit Mack allein. Der See schimmerte im blassen Wintersonnenschein, von unten drang Weihnachtsmusik herauf.

»Das war ganz schön fies«, sagte Mack und warf ihr einen flüchtigen Blick zu.

»Wieso?«

»Ihrem Sohn fehlt garantiert nicht das Geringste.«

»Nein?« Sie griff nach der Schale mit den Keksen und zeigte dann auf eine Thermosflasche über dem Armaturenbrett. »Ist das Kaffee? Oder was Stärkeres?«

»Hey, ich bin für dieses Schiff und seine Passagiere verantwortlich. Da geht nur Kaffee.«

Sie schraubte den Verschluss der Thermosflasche ab, nahm einen großen Schluck, verzog plötzlich das Gesicht und hustete. »Was ist das denn? Da ist ja gar kein Zucker drin!«

»Ich trinke ihn immer ohne.«

»Du nimmst zwei Stück. Wir hatten einmal eine endlose Diskussion über »Zucker oder Süßstoff«. Du hast einen miserablen Donut gezeichnet, und ich sagte ...« Harriet verstummte abrupt, als die Erinnerungen sie überrollten. Sie maß ihrer gemeinsamen Vergangenheit viel zu viel Bedeutung bei. Warum hatte sie das gesagt?

»Ich weiß nur, dass ich mir mein Lächeln ruiniert hätte, wenn ich nicht irgendwann mit dem Zucker aufgehört hätte«, sagte Mack.

»Sorry.« Harriet schraubte den Deckel wieder drauf und stellte die Flasche zurück. »Wahrscheinlich erinnerst du dich gar nicht mehr an den Brief. Und Menschen verändern sich ja.« Sie schnaubte. »Wendy trinkt ihren Kaffee bestimmt auch ohne Zucker. Möchte wetten, dass sie überhaupt keinen Zucker isst. Eine Diabetesklinik braucht die garantiert nicht.«

»Hoppla!«, rief Mack. »Was ist denn jetzt los?«

»Gar nichts«, versetzte sie. Ja, was war los? Sie war wegen der Kekse heraufgekommen und hatte sich plötzlich in ein Biest verwandelt. Und die Kekse schmeckten schal, weil Ruby sie nach Nanas Rezept gebacken hatte und Harriet das Rezept nicht einmal kannte. Und sie war so müde. So unendlich müde. Der Jetlag und der Kummer und Iains Landkaufpläne und ihre Vergangenheit, die sie eingeholt hatte. Ehe sie sichs versah, entschlüpfte ihr ein Schluchzer.

»Hey, hey, hey«, sagte Mack tröstend, legte einen Arm um ihre Schultern und zog sie an sich. »Ist doch alles gut.«

»Das geht nicht«, schniefte Harriet. »Das geht einfach nicht.«

»Was geht nicht? Menschliche Regungen zu zeigen?« Er zog sie noch ein bisschen näher an sich. »Ich habe den Eindruck, dass du dich seit deiner Ankunft hier nur von Zucker und Kaffee ernährt hast und jetzt kurz vor dem Zusammenbruch stehst.«

»Ich darf aber nicht zusammenbrechen«, flüsterte sie. »Ich muss für die anderen da sein. Deshalb bin ich doch hier.«

Sie schluckte kräftig. Sich mit Arbeit eindecken. Gefühle verdrängen. Das hatte sie fast zu einer Lebensaufgabe gemacht. War es Zeit, sich ihrer inneren Unsicherheit zu stellen? Sie fröstelte bei dem Gedanken.

»Wie wär's, wenn ich heute Abend für dich koche?«, schlug Mack vor.

Wieder überlief sie ein Schaudern. Sie spürte das beruhigende Gewicht seines Arms. Seine sanfte, ein ganz klein wenig raue Stimme war genau so, wie sie sie in ihren Träumen heraufbeschworen hatte. Und das war gefährlich …

»Ich kann nicht.« Sie machte einen Schritt zur Seite. »Ich habe Iain.«

»Du hast Iain? Und was genau meinst du damit?«

»Na ja, er ist mein … mein …« Fester Freund? Lebensgefährte? Wieso fiel es ihr so schwer, genau zu benennen, was Iain für sie war?

»Torwächter? Aufseher?«, sagte Mack eine Spur bissig. »Das war nur eine Einladung zum Abendessen, Harri, keine Aufforderung, mir mein Bein abzunehmen.«

Was sollte sie darauf erwidern? Es war besser, wieder hinunterzugehen, sich um die Gäste zu kümmern und dafür zu sorgen, dass ihr Großvater seine Rolle weiterspielte, bis sie wieder anlegten. Sie wandte sich um.

»Entschuldige«, sagte Mack schnell, ohne das Ruder loszulassen. »Das war unfair. Bleib bitte da.«

Sie drehte sich zu ihm um und sah ihn an.

»Wenn du runtergehst und Wendy inzwischen herausgefunden hat, dass Matty quietschvergnügt ist, kommt sie wieder rauf und zieht ihre heiße Nicki-Minaj-Nummer ab. *My anaconda don't …*«

Harriet prustete los. »Hör schon auf!«

Er grinste und blickte wieder aufs Wasser hinaus. »Ich werde gegen sieben essen. Ich koche mir so oder so was. Du weißt, wo du mich findest.«

Ja, sie wusste, wo sie ihn fand, diesen unheimlich attraktiven, liebenswerten, sexy Typ, in den sie sich damals allein wegen seiner Briefe verliebt hatte und der jetzt, wo er wieder in ihr Leben getreten war, dafür sorgte, dass der ganze Kummer und Schmerz ihr rückblickend gar nicht mehr so schlimm erschien. Vielleicht sollte sie sich ins Gedächtnis zurückrufen, wie sehr sie damals tatsächlich gelitten hatte. Die entscheidende Frage lautete, was sie eigentlich wollte.

KAPITEL

DREIUNDDREISSIG

Das Rum Coconut

»Jetzt kann ich es ja sagen!«, rief Ruby, als sie Meryl Cheeps Transportkäfig durch die Tür schwang und auf seinen üblichen Platz im Eingangsbereich der Bar stellte. »Es war ein voller Erfolg!«

»Ich bin nicht über Bord gegangen«, strahlte Lester und stellte die Schubkarre draußen ab. »Und es ist auch keinem schlecht geworden.«

»Ihr sagt das, als wäre das total ungewöhnlich«, stellte Harriet fest. Den Korb voller Schokolade, der als Preis für das beste Kostüm gedacht gewesen war, hatte sie wieder mitgebracht. Die Gewinnerin, das kleine Mädchen mit der Krippenszene, und ihre Eltern hatten ihn für die Weihnachtsauktion gestiftet. Harriet hatte nicht die geringste Ahnung, was es mit dieser Auktion auf sich hatte.

»Oh, normalerweise muss sich immer einer übergeben«, erwiderte Ruby. »Oder auch zwei. Oder sechs.«

»Letztes Jahr waren es siebeneinhalb«, ergänzte Lester.

Ruby hatte den Papagei mittlerweile in seinen Käfig umgesiedelt, und die drei gingen zur Bar hinüber.

»Siebeneinhalb? Wie geht das denn?«

»Die halbe Portion war Meryl Cheep«, erklärte Ruby. »Sie hat einen Brei aus Insekten und Hirse erbrochen. Kein schöner Anblick.«

»Da bist du ja!«

Iain eilte auf sie zu. Er zog seinen Reisetrolley hinter sich her und hatte seinen Rucksack in der anderen Hand. Harriet runzelte die Stirn. Was hatte er denn mit dem Gepäck vor?

»Ich hab dir mindestens dreißig Nachrichten geschickt. Und angerufen.«

»Oh, das tut mir leid«, sagte Harriet. »Wir hatten viel zu tun, und ich hab nicht auf mein Handy geschaut. Wo habe ich es denn?« Sie stellte den Geschenkkorb auf einen Tisch und klopfte sich ab. Nichts.

»Egal«, sagte Iain. »Keine Zeit mehr. Ich muss weg.«

»Weg?«, echote Harriet. »Wohin denn?«

»Nach Hause. Es gibt ein Problem. Im Garten des Hauses in der Sycamore Lane sind offenbar eine Wasser- und eine Stromleitung beschädigt und …«

»Was?« Harriet schnappte erschrocken nach Luft. Wasser und Strom waren eine gefährliche Mischung. »Was ist denn passiert? Was muss gemacht werden? Kümmert sich schon jemand darum? Sollen wir …« Den Notdienst anrufen, hatte sie sagen wollen, verkniff es sich aber. Iain hatte das sicher längst getan, wenn es erforderlich war.

»Komm wieder runter, Harriet. Ich hab Martin angerufen, er ist vor Ort und koordiniert die Arbeiten, aber einer von uns sollte hinfahren, um sicherzugehen, dass alles richtig gemacht wird und es keine Probleme mit dem Verlegen der Rasenplatten gibt.«

Das ergab Sinn, keine Frage. Aber musste er deshalb jetzt gleich abreisen? Plötzlich wurde ihr die ganze Tragweise dieses Entschlusses klar.

»Du willst heute noch zurückfliegen?«

Er nickte. »Das Taxi muss jeden Moment hier sein.«

Und wenn sie erst später zurückgekommen wäre? Wäre er gegangen, ohne sich zu verabschieden? Und hätte ihr nur eine Nachricht hinterlassen? Sollte sie mit ihm zurückfliegen? Diese Gedanken durchrieselten sie wie die unsichtbaren Wellen einer Erschütterung tief in ihrem Inneren.

»Ich hätte dir ja auch einen Platz gebucht«, fuhr Iain fort, »aber ich habe dich nicht erreicht, und ich wusste nicht, ob du schon bereit bist, wieder nach Hause zu fliegen.«

Harriet musste schlucken. Es war Zeit für eine Überprüfung der Wirklichkeit. Selbst wenn Iain sie erreicht hätte, würde sie jetzt nicht abreisen wollen. Natürlich konnte sie nicht ewig bleiben, nicht einmal bis Weihnachten, aber wenigstens so lange, bis sie sicher sein konnte, dass ihr Großvater ohne Lorna zurechtkam. Und dann all die vorweihnachtlichen Veranstaltungen! Sie hätte das Gefühl, die Menschen hier im Stich zu lassen, wenn sie die Organisation nicht übernahm und das Erbe ihrer Nana fortführte.

Iain schulterte seinen Rucksack. »Es gibt hier doch nichts mehr zu tun für dich, oder? Joe geht es ganz gut, wie es scheint.«

Harriets Blick wanderte zum Eingangsbereich hinüber. Joe kam gerade mit Madame Scarlet herein. Er hatte den weißen Rauschebart in der Hand, den er sich gleich, nachdem das letzte Kind sein Geschenk bekommen hatte, so heftig heruntergezogen hatte, dass der Gummi gerissen war. Seine rote Hose schlotterte um seine hagere Gestalt, und Madame Scarlet redete auf ihn ein, damit er nicht stehen blieb. Als »ganz gut« würde Harriet das nicht bezeichnen. Sie musste unbedingt mit Dr. Ambrose reden.

»Das Grundstück, das wir uns angesehen haben«, fuhr Iain fort. »An der Navy Road.«

»Hm«, machte Harriet. Das war alles, was ihr einfiel.

»Sieh es dir noch einmal an. Versuch, es mit meinen Augen zu sehen.« Er lächelte. »Ich weiß ja, dass du manchmal große Mühe hast, das ganze Potenzial zu erkennen, und dir den Kopf über Probleme zerbrichst, bevor sie überhaupt auftreten.«

Große Mühe, das ganze Potenzial zu erkennen? Wie bitte?

»Joanna, da draußen hupt einer wie verrückt«, sagte Lester.

Sie war dankbar für die Unterbrechung. Wer weiß, was sie Iain sonst alles an den Kopf geworfen hätte.

»Das wird mein Taxi sein.« Er lächelte, beugte sich zu ihr und hauchte ihr einen flüchtigen Kuss auf die Wange. »Geh unvoreingenommen an die Sache heran. Versuch es wenigstens. Stell dir Luxusapartments vor, die uns ein kleines Vermögen einbringen werden.«

Harriet öffnete den Mund, um irgendetwas zu sagen, und sei es nur »Auf Wiedersehen«, aber Iain ging mit großen Schritten zur Tür hinaus. Sie lief ihm nach, vorbei an Meryl Cheep, die vom Luftzug aufgescheucht wurde und ärgerlich »Joanna« krächzte, als sie von ihrer Stange flatterte.

»Iain, warte!«

Er stand bereits am Taxi. Der Fahrer war ausgestiegen und lud das Gepäck ein. Als Iain sie ansah, wurde ihr schwer ums Herz. Vergessen war, was sie ihm hatte sagen wollen, weil sie rein gar nichts empfand beim Anblick des groß gewachsenen, dunkelhaarigen, gut aussehenden Mannes, der ihr geholfen hatte, ihr Leben wieder auf die Reihe zu kriegen. Er würde ohne sie nach Hause fliegen. Eigentlich müsste sie über den Abschied traurig sein, ihm eine gute Reise wünschen und dann sehnsüchtig auf eine Nachricht warten, dass er gut angekommen war. Aber so war es nicht, und Harriet kam der leise Verdacht, dass das an ihr lag.

»Wiedersehen!«, rief er, als wäre sie nur irgendeine Kollegin.

Sie sollte etwas Bedeutungsvolles sagen, etwas, das sie auch so meinte.

»Mach's gut«, erwiderte sie und winkte. »Sag mir Bescheid, wie's gelaufen ist ... mit den Häusern.«

Sie zuckte innerlich zusammen, weil sie ahnte, dass dies der Satz war, an den sie bei ihrer nächsten Unterhaltung anknüpfen würden. Als das Taxi vom Parkplatz und Richtung Flughafen fuhr, wusste sie genau, wo sie nach Antworten suchen musste.

KAPITEL
VIERUNDDREISSIG

Das Rum Coconut

Wie alt war er? Fünfzehn? In den Händen einen Bohneneintopf mit Wurst stand Mack in der eisigen Kälte vor dem Rum Coconut. Nein, mit fünfzehn war er ein Draufgänger gewesen. Mit einem Alkoholiker als Vater und einer Mutter, die mit all dem nichts zu tun haben wollte, hatte er damals schon gewusst, dass einem das Leben übel mitspielen konnte. Natürlich war er noch zu jung für einen genauen Lebensentwurf gewesen, aber er hatte ein Ziel gehabt: raus aus Pittsburgh und zum Militär. Möglichst weit weg von zu Hause, von dem Herumgebrülle und den Schlägen und dem Chaos. Er schüttelte den Kopf. Was für eine Ironie! Er hatte das, wovor er geflüchtet war, gegen etwas ganz Ähnliches eingetauscht. Und doch konnte man es nicht miteinander vergleichen. Bei der Army hatte er Disziplin und Respekt gelernt und was wahre Freundschaft bedeutete. Man kümmerte sich umeinander. Er war Teil eines Teams, das in erster Linie zum Schutz der Bürger der Vereinigten Staaten da war. Doch im Alltag war es einfach darum gegangen, aufeinander zu achten. Als Einheit zu kämpfen. Tapfer zu sein. Von dieser Tapferkeit war jetzt, als er im Dunkeln da stand wie jemand, der Sekunden vor dem Abschlussball den Laufpass bekommen hatte, rein gar nichts zu spüren. Er überlegte, ob er nicht umdrehen und zu Scooter und einer Flasche Whiskey zurückkehren sollte.

Er schaute durch die Glasfüllung der Tür in die Bar. Meryl Cheep putzte sich ausgiebig das Gefieder. Harri und Joe saßen an einem Tisch am Feuer und spielten Domino. An der Theke waren ein paar Plätze besetzt. Lester räumte Erdnusstüten ein. Die Beleuchtung war gedimmt, das Südseeflair, für das die Bar so bekannt war, wurde von der Weihnachtsdekoration fast vollständig überdeckt. Plötzlich durchzuckte ihn eine Erinnerung. Ein kleiner, eingetopfter afghanischer Nadelbaum, den seine Einheit mit allem geschmückt hatte, was ihnen in die Hände kam: Kronkorken, Socken, Slips, die Jackson Tates Freundinnen ihm geschickt hatten. Es war bei Weitem kein traditioneller Christbaum gewesen, aber er hatte ein kleines Stück Normalität verkörpert.

Und jetzt stand er da und checkte Harri ab, wie er es damals getan hatte, als er ihr Foto in Händen gehalten hatte. Er wusste noch, wie er sich hatte zwingen müssen zu atmen, als er ihren Brief geöffnet und das Foto auf sein Feldbett geflattert war. Blonde schulterlange Haare. Große blaue Augen. Ein Lächeln mit geschlossenen Lippen, das Zufriedenheit, aber kein übermäßiges Selbstbewusstsein ausstrahlte. Genau so hatte er sich die Frau vorgestellt, für die er mittlerweile eine tiefe Zuneigung empfand. Er schüttelte den Kopf über sich selbst und sah, wie sein Spiegelbild es ihm nachmachte. Tiefe Zuneigung! Er hatte sie geliebt. Liebte sie immer noch …

Mit der freien Hand stieß er die Tür auf und trat ein.

Als er auf Harris und Joes Tisch zusteuerte, redete er sich gut zu: *Du hast zu viel gekocht, das ist alles. Du bist nicht sauer, weil sie nicht gekommen ist. Du hast gesagt, dass es nur um eine Einladung zum Essen geht und nicht darum, dass sie dir dein Bein abnehmen soll, vergiss das nicht. Ja, und das war eine wirklich dämliche Bemerkung.*

Und dann stand er am Tisch und sagte leichthin:

»Hey! Wow, Domino.«

Es klang, als hätte er eine Pizza bestellt. Keiner von beiden schaute auch nur auf.

»Schsch!«, machte Harri, als befänden sie sich in einer Bibliothek und er hätte sie mit einem dröhnenden Hit der Foo Fighters begrüßt.

»Setz dich wenigstens hin«, grummelte Joe und stieß mit dem Fuß gegen einen Stuhl. Er achtete sorgfältig darauf, die Augen auf seinem Spielstein mit seinen knotigen Fingern zu verdecken.

»Oha«, meinte Mack und zog den Stuhl mit dem Fuß zu sich heran. »Das klingt nicht nach einem Spiel. Eher nach Krieg.« Er setzte sich.

»Er ist immer schon ein schlechter Verlierer gewesen«, meinte Harri und platzierte ihren Stein. »Deshalb will er heute Abend unbedingt gewinnen.«

»Und du lernst einfach nichts dazu, Joanna.« Joes pergamentene Lippen verzogen sich zu einem Grinsen, als er seinen letzten Dominostein legte und die Partie gewann.

»Das gibt's doch gar nicht! Wie hast du das denn gemacht?«, rief Harri.

Mack beobachtete, wie sie die Geschockte spielte, ihren Spielstein auf den Tisch knallte und sich gegen die Lehne zurückfallen ließ. Joe lachte leise und schob die Münzen zusammen, um die sie anscheinend gespielt hatten.

»Was willst du denn mit dem Schmortopf?«, fragte Harri und riss plötzlich die Augen auf. »O Gott, entschuldige! An das Essen hab ich gar nicht mehr gedacht. Iain ist weggefahren, und dann hab ich den nächsten Brief meiner Großmutter gelesen und danach Ruby in der Küche mit den Fleischpasteten für heute Abend geholfen und …«

»Hey, alles gut«, sagte Mack beruhigend und stellte den Topf auf den Tisch. »Das kannst du gut bis morgen aufheben, wenn du schon gegessen hast. Es ist nichts Besonderes. Bohneneintopf mit Wurst. Chorizo, ein bisschen Knoblauch, Thymian, Paprika und anderes Gemüse.« Und das war eine viel zu lange Zutatenliste.

»*Ich* hab noch nicht gegessen«, rief Joe aufgeregt. »Oder?«, fügte er an Harri gewandt unsicher hinzu.

»Nein, Grandpa«, bestätigte sie und legte ihre Hand auf seine. Er ließ sie kurz gewähren und zog die Hand dann weg.

Harri schickte sich an aufzustehen. »Ich hab auch noch nicht gegessen. Ich werde uns Teller holen.«

»Nein, nein, lass mich das machen.« Joe stemmte sich hoch und hielt sich an der Stuhllehne fest. »Du weißt doch gar nicht, was für Geschirr deine Nana dafür benutzen würde.«

Und schon schlurfte er über den Holzboden Richtung Küche.

Mack legte beide Hände auf den Topfdeckel. »Hoffentlich denkt er an Besteck. Ich meine, es wäre nicht das erste Mal, dass ich die Finger dazu nehme, aber da war ich allein.«

Harri lächelte. »Das ist ein Lokal. Besteck liegt auf jedem Tisch.«

»Du hast vollkommen recht, und ich bin ein Volltrottel.« Den es brennend interessierte, wo Iain abgeblieben war.

Harri lächelte. »Hast du Wendy auch eine Schüssel voll gebracht?«

»Der war gut.« Er nickte. »Brauchen wir noch einen Teller für Iain?« Er hätte es nicht so unverblümt formulieren sollen. Doch bevor er dazu kam, sich zu korrigieren, antwortete sie.

»Nein. Er … ist nach England zurückgeflogen.«

Okay. Damit hatte er nicht gerechnet.

»Es gibt ein Problem mit einer unserer Immobilien, und ...«

»Einer eurer Immobilien? Wie viele habt ihr denn?«

»Sechs im Moment«, antwortete Harri. »Aber zwei werden wir demnächst zum Verkauf anbieten.« Sie legte eine winzige Pause ein. »Das ist unser Geschäft ... meins und Iains. Wir kaufen Häuser oder Wohnungen, modernisieren sie und verkaufen sie dann wieder.«

»Und was ist mit deinem eigenen Laden, von dem du mir immer erzählt hast?«, fragte er, ohne nachzudenken.

»Na ja, ich ...«

Sie wirkte nervös, und er wünschte, er könnte seine Frage zurücknehmen. Doch da kam Joe bereits wieder und knallte Teller und Löffel und eine Schöpfkelle auf den Tisch.

»Mir ist da eine Idee gekommen, als ich in der Küche war und Ruby einen Song von Dean Martin mitgeträllert hat«, sagte der alte Mann mit leuchtenden Augen.

»Einen Weihnachtskaraokewettbewerb? Ich bin dabei«, sagte Mack.

Joe schüttelte den Kopf. »Nein. Schlittschuhlaufen.«

»Schlittschuhlaufen?«, fragte Harri verdutzt. »Was hat das mit Ruby und alten Songs zu tun?«

»Na ja«, begann Joe, und ein verträumter Ausdruck trat in seine Augen. »In jungen Jahren sind wir sehr gern Schlittschuh gelaufen, deine Nana und ich. Sie konnte das wirklich gut.« Er lachte leise. »Ich bin eher auf dem Eis herumgeschlittert, aber dafür hab ich viel gelacht.« Sein Blick richtete sich in die Ferne, auf das wogende Wasser, die vom Wind geschüttelten Bäume, einige wenige Schneeflocken in der Luft.

Mack sah von Joe zu Harri. Sie blickte ihren Großvater unverwandt an und wartete, ob er noch etwas sagen würde.

»Wir könnten nach dem Essen doch gehen«, sagte Mack. »Schlittschuhlaufen, meine ich. Wenn du willst.«

Was redete er denn da? Er konnte ja nicht einmal Schlittschuh laufen. Früher schon, aber nicht seit er seinen Unterschenkel verloren hatte. Wie schlimm konnte es schon werden – mit einer schlecht sitzenden Prothese, von der er Druckstellen bekommen würde, wenn er sie nicht bald austauschte … Er war definitiv übergeschnappt.

Doch Joes Augen leuchteten, er nickte und kicherte und sagte schließlich: »Jawohl, Sir!«

Harri schien nicht ganz so begeistert, deshalb nahm Mack den Deckel vom Topf und fing an auszuteilen.

»Mit Wurst?«, fragte er grinsend und reichte ihr einen Teller.

KAPITEL
FÜNFUNDDREISSIG

Buckskill Tennis and Winter Club, East Hampton

Es schneite. Nicht so stark, dass Bäume umgestürzt oder Straßen unpassierbar wären, aber doch so sehr, dass die Scheibenwischer von Joes Pick-up eingeschaltet werden mussten. Harriet hatte natürlich nicht fahren dürfen. Ihr Großvater zog es vor, einem Beinamputierten den Platz am Lenkrad zu überlassen. Harriet saß zwischen den beiden Männern. Während Mack sich aufs Fahren konzentrierte, sang Joe Lieder aus seiner Jugend und zappelte mit den Beinen, als ginge es auf die Tanzfläche und nicht auf die Eisbahn. Das war der Großvater, den sie aus ihrer Kindheit kannte – voller Energie und Begeisterung. Anscheinend hatte Macks Vorschlag, Schlittschuhlaufen zu gehen, etwas in ihm angestoßen. Gute und schlechte Tage. Heute war ein guter Tag, und sie mussten das Beste daraus machen. Allmählich lernte sie, solche Momente gierig aufzusaugen und festzuhalten.

»Alles in Ordnung?«, fragte Mack, als sie vom Parkplatz zum Eingang der Kunsteisbahn gingen. Die Schneeflocken, die herunterschwebten, schmolzen sofort auf der Erde, überzuckerten aber die Bäume ringsum, was zusammen mit den Weihnachtsliedern aus der Lautsprecheranlage eine stimmungsvolle Atmosphäre erzeugte. Im Augenblick sang Bing Crosby von einem Winterwunderland.

Harriet nickte. »Ja.«

»Hör mal«, sagte er leise, »ich wollte dich nicht überrumpeln, als ich den Vorschlag gemacht habe. Ich hatte einfach das Gefühl, dass es Joe guttun würde.«

Harriet beobachtete, wie voller Energie ihr Großvater plötzlich war. Er konnte es kaum erwarten, aufs Eis zu kommen. Hätte sie ihm auch diesen Vorschlag gemacht, wenn Mack nicht da gewesen wäre? Oder ihm nur lächelnd zugehört? Der Ausflug hatte seine Laune definitiv gehoben. Hoffentlich war er auch in der Lage, ein bisschen Schlittschuh zu laufen, sonst würde das Ganze in einer Riesenenttäuschung enden. Sie musste unbedingt mit Dr. Ambrose reden, ihn fragen, was er von diesen Gedächtnislücken hielt. Lag es nur an der Trauer, oder steckte mehr dahinter? Die Frage würden nur Leute aus seiner unmittelbaren Umgebung beantworten können.

»Es tut ihm garantiert gut«, erwiderte sie. »Das ist genau das, was er gebraucht hat. Und mich musste anscheinend jemand mit der Nase darauf stoßen.«

»Dann ist ja alles klar.« Mack lächelte ihr zu. »Komm, beeilen wir uns, damit wir ihn noch einholen.« Er bot ihr seinen Arm an, und sie hakte sich, ohne groß darüber nachzudenken, bei ihm unter. Dieser Abend gehörte ganz allein ihrem Großvater.

Okay, Mack hatte den Schlittschuh über seine Prothese gestreift. Und jetzt wurde ihm auch klar, warum er so lange nicht mehr auf Schlittschuhen gestanden hatte. Das Problem war, das Gleichgewicht zu finden und der jeweiligen Aktivität anzupassen. Beim Joggen hatte er den Bogen raus, aber es erstaunte ihn immer wieder, dass jede neue Betätigung erst durchdacht werden musste, bevor es einigermaßen funktionierte. Schlittschuhlaufen eignete sich hervorragend, um die Gleichgewichtsfähigkeit zu trainieren, doch das erforderte

Übung. Wenn man also lange nicht auf Schlittschuhen gestanden und keinen richtigen Knöchel hatte, war es nicht so toll.

Er atmete geräuschvoll aus und ließ seinen Blick von seinem Platz hinter der Bande aus über die Eisbahn schweifen. Im Schein der Lichterketten tummelten sich etliche Läufer auf der Fläche, gute und weniger gute. Einige tasteten sich vorsichtig am Rand entlang, andere flitzten los, zur Mitte hin, wo echte, golden beleuchtete Tannen in Holzkübeln standen, und liefen Figuren oder vollführten irgendwelche Kunststücke. Harri und Joe hielten sich an den Händen, als sie gemeinsam zaghaft losliefen.

Mack betrachtete sein Bein. »Wir beide passen nicht besonders gut zusammen, Kumpel, aber heute Abend bin ich dringend auf dich angewiesen.« Er hasste es eigentlich, mit seiner Prothese zu reden. Als sein Therapeut ihm nach ein paar Sitzungen diesen Vorschlag gemacht hatte, hatte er schallend gelacht. Mit einem richtigen Körperteil redete man schließlich auch nicht, warum also mit einem Ersatz aus künstlichen Materialien? Nach Ansicht seines Therapeuten half das, die Situation zu akzeptieren, weil eine persönliche, wirklichkeitsnahe Beziehung hergestellt wurde. Mack wusste noch, wie lächerlich er das gefunden und sich vorgenommen hatte, diesen Tipp so schnell wie möglich im Spamordner seines Gehirns zu entsorgen. Und doch tat er jetzt genau das, was sein Therapeut ihm geraten hatte.

»Okay«, sagte er mehr zu sich selbst als zu seinem Bein. »Dann mal los.«

»Ups! Entschuldige, Joanna«, sagte Joe lachend, als sie sich mit behandschuhten Händen mühsam an die Holzbande klammerten.

»Alles gut, Grandpa«, kicherte sie. Es war eine Herausforderung, sich auf den Beinen zu halten. Das letzte Mal war sie als Kind Schlittschuh gelaufen. Einmal hatte sie es Iain vorgeschlagen, doch der hatte sie angesehen, als ob sie den Verstand verloren hätte. Dabei tat es so unglaublich gut! Als sportliches Training konnte man es zwar nicht unbedingt bezeichnen, da sie und Joe mehr Zeit damit verbrachten, sich aneinander und an der Bande festzuhalten, als ihre Runden zu drehen, aber sie hatte freudiges Herzklopfen und etwas, worauf sie ihre Gedanken konzentrieren musste, sonst würde sie auf dem Hinterteil landen.

»Ich weiß noch, wie ich mit deiner Nana hier war und überlegt habe, wie oft ich wohl so tun kann, als würde ich ausrutschen, um sie näher an mich zu ziehen«, sagte Joe und holte tief Luft.

»Aber Grandpa!«, tadelte Harriet in gespielter Empörung.

Er lachte; die Stoppeln an seinem Kinn bebten. »Sie wusste von Anfang an, dass ich ein Auge auf sie geworfen hatte. Und sie hat mir das Gefühl gegeben, dass ich nicht die geringste Chance bei ihr habe. Sie hatte viele Verehrer, weißt du.« Er machte einen Schritt weg von der Bande. Seine dürren Beine wackelten ein wenig, bis er das Gleichgewicht wiedergefunden hatte. Harriet folgte ihm, darauf bedacht, ihr Gewicht nach vorn zu verlagern.

»Und wie hast du sie dann erobert?«, fragte sie und stieß sich mit dem linken Fuß ab, während sie eine Hand an Joes Wintermantel legte.

»Ich habe für sie gekocht.« Joe eierte ein Stück weiter und wäre um ein Haar mit einem Jungen zusammengestoßen, dessen Eishockeyschläger am Griff mit Lametta umwickelt war.

»Was? Kochen war doch Nanas Spezialgebiet. Und deins das Grillen.«

»Anfangs nicht. Ich musste sie ja irgendwie beeindrucken, und meine Kochkünste waren das Einzige, von dem ich sicher wusste, dass sie ihren Zweck erfüllen würden.« Er zwinkerte ihr zu. »Im Grunde macht Mack jetzt genau das Gleiche mit dir.«

»Nein, nein, Grandpa. Das war nur eine nette Geste von ihm. Außerdem war das Essen auch für dich, nicht nur für mich.« Sie wollte gerade hinzufügen, dass sie doch Iain hatte, aber ihr Großvater kam ihr zuvor.

»Das glaubst du doch selbst nicht! Ich bitte dich, Joanna.« Er lief jetzt mit größerem Selbstvertrauen, und Harriet musste ihm wohl oder übel folgen, auch wenn sie noch ziemlich unsicher auf ihren Schlittschuhen stand.

Sie schluckte kräftig. Sie hatte keine Lust auf diese Unterhaltung. Iain, ihr *fester Freund*, saß gerade im Flugzeug, um zu Hause eine Krise zu meistern. Eine Krise, die sie beide betraf. Und sie und Iain hatten eine gemeinsame Zukunft, mit weiteren profitablen Immobilien, mit Geld, das sie investieren konnten, und künstlichen Kakteen …

»Mit welchem Gericht hast du denn Nanas Herz erobert?«, fragte sie jetzt.

Joe legte den Zeigefinger auf die geschlossenen Lippen, ohne dabei das Gleichgewicht zu verlieren. Harriet staunte. Sie musste nach wie vor mit den Armen rudern, um sich auf den Beinen zu halten. Aber warum machte er so ein Geheimnis um dieses Gericht?

»Hey!«

Harriet schwankte, als sie Macks Stimme so nah an ihrem Ohr vernahm. Er glitt an ihr vorbei, ziemlich unsicher, wie ihr schien.

»Ich kann nicht bremsen!«, rief er, als er auch an Joe vorbeirauschte. »Aber ich hoffe einfach das Beste!«

Sie beobachtete, wie er seine Arme kreisen ließ, sein Gleichgewicht fand, dann die Arme wieder seitlich ausstreckte, sodass sie aussahen wie künstliche Tannenzweige, die an den falschen Stellen hineingesteckt worden waren. Sie hatte nur an ihren Großvater gedacht, als sie losgefahren waren, aber keinen Gedanken daran verschwendet, wie Mack auf der Eisbahn zurechtkommen würde. Ihm fehlte schließlich ein Unterschenkel. Und sie dachte, *sie* hätte Mühe, das Gleichgewicht zu halten.

»Lauf ihm nach!«, befahl Joe. »Bevor er sich noch verletzt!«

Lauf ihm nach? Harriet musste darauf achten, dass ihre Schlittschuhe nicht zusammenstießen, gleichzeitig ihren Großvater im Auge behalten und all diesen Verrückten ausweichen, die an ihr vorbeirasten, als gehörten sie einem Eisschnelllaufteam an.

Und dann auf einmal sah sie, wie Mack ins Schleudern geriet, wild mit den Armen ruderte und seine Schlittschuhkufen ins Eis bohrte, um die Kontrolle wiederzuerlangen. Sie musste handeln, und zwar schnell. Nach einem kurzen Blick zu Joe, der glücklicherweise an die Bande gelaufen war und sich dort festhielt, stieß sie sich kräftig ab, um Mack zu Hilfe zu kommen, und hoffte inständig, dass sie nicht dabei war, einen noch größeren Fehler zu machen.

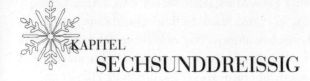

KAPITEL

SECHSUNDDREISSIG

Sie hatte die Polonaise aus Schlittschuhläufern erst bemerkt, als es zu spät war. Mack hörte Joes erschrockenen, gedämpften Aufschrei und drehte sich um. Nur durch schiere Willenskraft gelang es ihm, sich auf den Beinen zu halten, und, so schnell er konnte, steuerte er auf Harriet zu, die regungslos auf dem Eis lag.

Sie war bestimmt nur unglücklich gefallen, aber passiert war ihr nichts. Oder?

Er hatte keine Ahnung, wie er bremsen oder sich aufs Eis niederlassen sollte, ohne wie ein äußerst ungeschicktes Kamel auszusehen, aber was spielte es für eine Rolle, wie er aussah, wenn sie ihn brauchte? Mit allerlei Verrenkungen schaffte er es, dass er neben ihr auf seinen Hintern plumpste. Schmerz schoss ihm durchs Bein. Harriets Augen waren geöffnet, aber sie sah ein wenig benommen aus.

»Hey, Cookson, versuch jetzt nicht, Mitleid zu schinden!« Er streckte die Hand aus, berührte ihre Mütze und die blonden Haare darunter.

Sie stöhnte auf, bewegte sich dann aber und meinte: »Hab ich dir wenigstens das Leben gerettet?«

Er grinste. »Okay, ich versteh schon. Du willst die Heldin spielen. Ist dir eigentlich klar, dass du mir jetzt schon zum zweiten Mal vor die Füße gefallen bist?«

Sie richtete sich auf, schaute sich orientierungslos um. »Wo ist Grandpa?«

»Dem geht's gut.« Mack fasste sie am Arm. »Aber wenn ich dich nicht an einem Stück zu ihm zurückbringe, werde ich was zu hören bekommen. Wie viele Beine siehst du?« Er hob sein gutes Bein ein wenig an und bewegte es hin und her.

»Das ist überhaupt nicht komisch«, brummte Harriet mit finsterem Gesicht.

»Wunderbar, keine Mängel festzustellen. Komm, ich helfe dir.« Er hatte den Satz kaum ausgesprochen, als er noch einmal darüber nachdachte. Er saß auf dem Eis mit Schlittschuhen an den Füßen. An einen Abgang im Handstand war auf dieser rutschigen, kalten Fläche nicht zu denken. Gut möglich, dass *sie ihm* helfen musste. Nein, das kam nicht infrage.

Harri hatte sich inzwischen auf die Knie hochgerappelt. Er musste es allein schaffen. Und zwar ohne dass sie ihm dabei zusah.

Harriet klopfte sich den Mantel ab und fasste dann vorsichtig an ihren Hinterkopf. Er tat ein bisschen weh, aber die Wollmütze hatte den Aufprall gut abgefedert. Als sie sich umdrehte, war Mack bereits wieder auf den Beinen. Wie hatte er das so schnell fertiggebracht?

»Alles in Ordnung bei euch?«, rief Joe. Er hatte einen festen Stand, von Zittern keine Spur mehr. »Hast du dir was getan, Joanna? Das war ein ganz schön übler Sturz.«

»Nichts passiert, Grandpa.« Sie sah Mack an. »Dir doch auch nicht, oder?«

Er schüttelte den Kopf. »Nein, nein.«

»Oh, das ist einer der Lieblingssongs deiner Nana«, sagte Joe, als Doris Days Version von »I'll Be Home For Christmas« aus den Lautsprechern ertönte.

»Wollen wir nicht dazu laufen?«, fragte Harriet.

»Wenn du glaubst, dass du mit mir mithalten kannst«, sagte Joe leise lachend und mit leuchtenden Augen.

»Denk an Walzer, nicht an Quickstep«, erwiderte Harriet. »Kommst du, Mack?«

»Gleich. Gib mir eine Sekunde.«

Er lächelte, aber das Lächeln erreichte nicht seine Augen. An seinem Kinn zuckte ein Muskel.

»Lass uns ein paar Runden drehen, und dann gönnen wir uns eine heiße Schokolade«, sagte sie zu Joe.

Sie wusste, es war sinnlos, Mack zu fragen, ob er Hilfe brauchte. Er würde behaupten, alles sei in bester Ordnung. Es war besser, ihn allein zu lassen, aber im Auge zu behalten.

Macks Beinstumpf war ein Stück aus der Prothese gerutscht. Es kostete ihn seine ganze Willenskraft, nicht zusammenzuklappen und vor Schmerzen zu schreien. Es fühlte sich an, als würde sein Körper auf einem Nadelkopf balancieren. Eine falsche Bewegung, und der Stumpf würde vollständig herausrutschen, was nicht nur einen Sturz zur Folge hätte, sondern die Demütigung, vor allen Leuten vom Eis kriechen zu müssen. Vor *Harri*. Nein, er würde es bis zur Bande schaffen und die Prothese wieder richtig anbringen.

Er biss sich vor Wut und Frust auf die Unterlippe. Sicher, dieser Abend gehörte Joe, aber er würde lügen, wenn er behauptete, es hätte für ihn keine Rolle gespielt, dass er durch seinen Vorschlag ein paar Stunden mit Harri verbringen konnte. Er war bis auf die Eisbahn gelangt, hatte es geschafft, sich auf den Beinen zu halten, und jetzt spielte ihm das Universum einen so fiesen Streich!

Er bot seine ganze Kraft auf und verlagerte sein Gewicht, so gut es ging, auf sein gesundes Bein. Langsam glitt er über das Eis. Die Bande schien so weit weg zu sein wie Kabul.

KAPITEL

SIEBENUNDDREISSIG

Es war angenehm warm im Klubheim. Das Feuer im Kamin und die Weihnachtsmusik sorgten für eine behagliche Atmosphäre, während die Leute sich von den kalten Temperaturen auf dem Eis aufwärmten. Harriet trug ein Tablett mit drei Bechern heißer Schokolade an den Tisch hinüber, an dem Joe und Mack saßen und abwechselnd mit dem Schürhaken im Feuer stocherten, wobei ihr Großvater den Flammen viel zu nahe kam, wie sie fand.

»Weihnachtsschokolade«, verkündete Harriet, als sie das Tablett abstellte. »Schokolade mit Lebkuchen, Zimt, einer Extraportion Sahne und Marshmallows.«

»Hoppla!«, entfuhr es Mack. »Diabetes hat angerufen. Es muss dringend ein Warnhinweis angebracht werden.«

»Hm, das sieht köstlich aus«, sagte Joe. Er legte die eine Hand um den Becher und stabilisierte ihn mit der anderen am Boden.

Harriet fragte sich, ob sie ihm nicht ein weniger gezuckertes Getränk hätte bringen sollen. Sie wusste ja gar nicht, wie es um seine Gesundheit stand.

»Erde an Harri«, sagte Mack und schnippte mit den Fingern vor ihrem Gesicht, bevor er ihr einen Becher hinstellte. »Das mit dem Diabetes war nur ein Scherz, weißt du.«

»Sag bloß!« Sie steckte einen Finger in die Sahne und tupfte sie Mack auf die Nase.

»Rudolph Barker«, sagte Joe unvermittelt, den Blick auf

die andere Seite des Raums gerichtet. »Den hab ich seit der Highschool nicht mehr gesehen.«

Während Mack sich mit einer Serviette die Sahne von der Nase wischte, stand Joe auf. Seinen Becher in der Hand ging er auf einen weißhaarigen Mann an der Theke zu, der einen dicken Mantel trug und ein kleines Mädchen an der Hand hielt. Harriet beobachtete, wie sich die beiden Männer herzlich und unter Ausrufen des Erstaunens über das unverhoffte Wiedersehen umarmten. Als sie sich wieder ihrem Getränk zuwandte, steckte Mack gerade einen Strohhalm in ihren Becher. Eigentlich hätte sie lieber getrunken, statt am Strohhalm zu saugen, aber sie lächelte und sagte nichts.

»Mann, das Papier löst sich ja schon auf«, meinte Mack. Er nahm ihr den Strohhalm weg, kaum dass sie ihn aus dem Mund genommen hatte, und warf ihn ins Feuer. »Du hast gewonnen.«

Die samtige Schokolade, der würzige Zimt und die süßen Marshmallows verbanden sich zu einer köstlichen Mischung, die ihre Geschmacksknospen entzückte. »Das war eine tolle Idee. Danke«, sagte sie lächelnd.

»Nicht mein Verdienst. Joe war derjenige, der vom Schlittschuhlaufen angefangen hat. Der erzählt hat, wie er damals mit deiner Großmutter übers Eis getanzt ist.« Er tat so, als hielte er eine Tanzpartnerin in den Armen, und pfiff dazu »Deck the Halls«.

»Ja, schon, aber du hast es erst möglich gemacht. Und jetzt sieh ihn dir an, er amüsiert sich prächtig.« Sie blickte zu Joe hinüber, der, während er redete, ausufernde Bewegungen mit den Armen machte. So war es früher schon immer gewesen. *Der Fisch war so groß* – immer übertreiben. *Deine Nana glaubt ernsthaft, dass die Gäste auf die Länge der Vorhangstangen achten* – ein Wedeln mit beiden Armen wie ein ärgerlicher

Pinguin, dazu ein Augenrollen. *Tor!* – eine Drehung um die eigene Achse mit hochgerissenen Armen, wenn die New York Rangers ein Tor erzielten.

»Und du?«, fragte Mack leise. »Amüsierst du dich auch?« Sie nickte. »Wie steht's mit dir?«

»Alles bestens«, antwortete er und nippte an seiner Schokolade.

»Ich dachte schon, du hättest dich vielleicht verletzt, als du mir zu Hilfe gekommen bist«, sagte sie zögernd.

Sie hielt den Atem an, wünschte, er würde ihr sein Herz öffnen, wenigstens ein ganz klein wenig.

Mack begriff, dass Harri ihm eine Brücke baute. Er musste sich entscheiden, und zwar jetzt und hier, am Feuer, dessen Schein ihre Augenfarbe ein wenig veränderte und ihre geröteten Wangen schimmern ließ. Vor wem versteckte er sich? Vor ihr oder vor sich selbst? Er trug das alles schon so lange mit sich herum, dass er nicht wusste, ob er überhaupt noch imstande war, sich ihr zu öffnen. Seine Therapeuten hatten versucht, Zugang zu ihm zu finden, aber keiner war bis zum Kern des Problems vorgedrungen – weil er sie in dem Glauben gelassen hatte, er sei nur ein versehrter Soldat von vielen und müsse lernen, dass es völlig in Ordnung war, zornig deswegen zu sein, bis er schließlich zu der Einsicht kam, dass es besser war, eine Gliedmaße zu verlieren als sein Leben. Mehr konnte er Harri im Moment auch nicht anbieten.

»Mein Bein hat mir Probleme gemacht«, sagte er und zuckte lässig die Achseln: alles halb so wild.

»Was ist passiert?«, fragte sie so leise, dass er es über das Knistern des Feuers gerade noch hören konnte.

»Das ist nicht die Prothese, die ich sonst trage, und … na ja, das kann manchmal unangenehm sein.« Das erklärte streng genommen gar nichts. Aber würde sie je bereit dafür sein, von seinen Rücken- und Beckengürtelschmerzen zu hören, von den Druckstellen, den Nervenenden seines Beinstumpfs, die seinem Hirn vorgaukelten, sein Unterschenkel sei immer noch vorhanden? Wieder zuckte er mit den Schultern.

»Auf dem Eis hab ich dir angesehen, dass du Schmerzen hattest«, sagte Harri. »Beim Weihnachtsbaumwettbewerb war es genau das Gleiche. Du lächelst zwar, aber du wirst ganz still, und außerdem zuckt ein Muskel in deinem Gesicht.«

Sie war verdammt gut. »Dann muss ich wohl noch an meinem Pokerface arbeiten.« Er lächelte und trank einen Schluck Schokolade, aber als er seinen Becher absetzte, sah sie ihn immer noch an. *Komm schon, Mack, es darf ruhig ein bisschen mehr sein …*

»Mein Bein ist aus der Prothese gerutscht«, sagte er und nickte. »Nur ein klein wenig. Hat sich angefühlt, als ob mein Gewicht teilweise bloß vom Stoff getragen würde.« Er klopfte auf seine Jeans. »Kein leichter Job, von der Eisbahn zu kommen und alles wieder in Ordnung zu bringen.«

»Mack!« Harriet hatte die Augen aufgerissen. »Warum hast du denn nicht um Hilfe gebeten?«

»Das weißt du doch.«

»Weil du dickköpfig bist?«

»Ja, Ma'am!« Er schlug sich mit der rechten Faust auf die linke Brusthälfte.

»Weil du arrogant bist?«

»So weit würde ich nicht gehen.«

»Weil ich nicht hören wollte, was du mir zu sagen hast?«

»Nein«, antwortete er sofort. »Ich … ich will einfach nicht, dass du mich so hilflos siehst. Niemals.«

Er war selbst davon überrumpelt, wie ehrlich er zu ihr war. Die Weihnachtsmusik dröhnte auf einmal laut in seinen Ohren. Er trank einen Schluck, um Zeit zu gewinnen.

»Was für ein Machospruch ist das denn?«, platzte es aus Harri heraus.

Er brach in schallendes Gelächter aus, er konnte einfach nicht anders. Und es fühlte sich unglaublich gut an. Als hätten ihre Worte ein Dampfventil in seinem Inneren gelockert und Teile seines alten Ichs brachen hervor.

»Also ehrlich«, sagte sie kopfschüttelnd, »man kann den Jungen zwar aus der Army holen, aber die Army kriegt man nicht mehr aus dem Jungen raus.«

»Okay, Cookson, kein böses Wort mehr über mein Machogehabe, sonst bewerfe ich dich mit Marshmallows.«

Er fischte einen aus seinem Becher, tat, als würde er ihn ihr an den Kopf werfen, und ließ ihn dann in seinen Mund fallen.

Meine allerliebste Joanna,

du solltest nie unterschätzen, wie wichtig die Gemeinschaft ist. Du weißt, dass die Menschen hier nicht viel besitzen, aber das, was sie haben, geben sie von Herzen. Was ich damit sagen will, mein Schatz – Großzügigkeit kommt in vielerlei Gestalt daher. Das gilt auch für meine Weihnachtswohltätigkeitsauktion.

Ich habe immer alles genommen, was mir angeboten wurde, und versucht, eine Verwendung dafür zu finden. Um Ben Hides' Kürbisse zu versteigern, von denen er jedes Jahr die fünf größten gespendet hat, musste ich geradezu erfinderisch werden. Einmal hat der Dramaclub sie ersteigert und als Requisite für eine Pantomime genutzt. Aber meistens habe ich sie selbst gekauft und dann alle möglichen Suppen und Kuchen daraus gemacht und einmal sogar einen Cocktail erfunden. Der Besoffene Kürbis war eine Zeit lang ein richtiger Renner.

Dein Grandpa will jedes Jahr den Auktionator spielen, doch das versuche ich mit allen Mitteln zu verhindern, weil er immer die unpassendsten Witze erzählt und nach zu vielen Gläsern Rum nicht mehr weiß, wer das höchste Gebot abgegeben hat. Meine erste Wahl ist Madame Scarlet, aber sie neigt dazu, Schleichwerbung für ihre Séancen zu machen, und das hat den Pfarrer das letzte Mal auf die Palme gebracht. Ich musste einen ganzen Berg von meinen Schokoladenkeksen rausrücken, damit er wieder ins Rum Coconut kam.

Dein Vater würde einen ausgezeichneten Auktionator abgeben. Er drückt sich wunderbar klar aus in den Videos über Selbst-

optimierung auf seiner Webseite. Einige seiner Atemtechniken habe ich selbst ausprobiert, wenn dein Grandpa irgendwas angestellt hat, das ich wieder geradebiegen musste. Wer weiß, vielleicht übernimmst du ja eines Tages die Rolle der Auktionatorin, Joanna. Ich bin sicher, du würdest deine Sache hervorragend machen.

Vor der Weihnachtsauktion findet der Wettbewerb im Cocktailmixen statt. Das war Rubys Idee, ganz am Anfang, als sie zur Familie des Rum Coconut stieß. Und es war ein voller Erfolg. Genau wie dieses Mädchen! Sie wird dir das nie erzählen, aber ihre Eltern sind abgehauen, als sie sechzehn war. Seitdem kümmert sie sich ganz allein um ihre beiden Brüder. Sie arbeitet härter als irgendjemand sonst, den ich kenne, weil sie auf keinen Fall der Fürsorge zur Last fallen will. Sie gibt sich gern frech und vorlaut, aber unter der burschikosen Schale verbirgt sich eine empfindsame Seele, die hin und wieder eine Umarmung vertragen kann …

Diesen letzten Brief ihrer Nana hatte Harriet am Morgen im Bett gelesen. In jedem erzählte Lorna von ihrem Dad, so als hätte es diesen Bruch zwischen ihnen nie gegeben. Vielleicht hatte sie auch auf eine Gelegenheit zur Aussöhnung gehofft. Aber keiner hatte den ersten Schritt gewagt. Sie überlegte, ob sie ihrem Dad von den Videos erzählen sollte, die ihre Nana sich angeschaut hatte. Dann bestand möglicherweise die Chance, dass wenigstens zwischen Vater und Sohn wieder alles in Ordnung kam.

Nachdem sie den Brief gelesen hatte, schickte sie Iain eine Nachricht. Als sie keine Antwort bekam, checkte sie die Ankunftszeiten der Flüge. Seine Maschine war bereits gelandet. Wahrscheinlich würde er eine Runde schlafen, bevor er sich um die Probleme am Haus kümmerte. Aber er hätte ihr wenigstens kurz schreiben können, dass er gut angekommen war.

Die Weihnachtswohltätigkeitsauktion war einer der Höhepunkte im Veranstaltungskalender des Rum Coconut. Harriet würde Werbung dafür machen, die Leute um Sachspenden für die Versteigerung bitten und dafür sorgen müssen, dass so viel Geld wie möglich für wohltätige Zwecke zusammenkam.

Im Lokal drückte Harriet jetzt Rubys Brüdern noch einen Muffin in die Hand und legte dann verschwörerisch den Zeigefinger auf die Lippen. Ruby hatte schon mit den beiden geschimpft, weil sie sich zu viel vom Frühstücksbüfett genommen hatten, aber Harriet war der Ansicht, für das, was sie leistete, sowohl in der Küche als auch hinsichtlich Joes Betreuung, wurde ihr ohnehin viel zu wenig bezahlt. Rufus und Riley ein anständiges Frühstück zu spendieren war das Mindeste, was das Rum Coconut ihr zurückgeben konnte. Harriet schaute den beiden nach, wie sie, die Muffins unter ihren Pullovern versteckt, die Stufen vom Restaurantbereich zur Bar hinunter und weiter zu Meryl Cheep rannten.

»Heute ist der große Tag«, sagte Ruby, während sie Geschirr abräumte und Kaffee nachschenkte. »Der Wettbewerb im Cocktailmixen.«

»Meine Nana hat erzählt, dass die Idee von dir stammt.« Im letzten Absatz ihres Briefs hatte Lorna dazu geraten, einen Teil ihrer Rumvorräte zu verstecken, sonst wäre eventuell nicht mehr genug da für Silvester. Davon sagte Harriet jetzt nichts, aber sie würde später mit ihrem Großvater darüber reden. Vielleicht sollten sie ein paar Reserven in der Garage bunkern.

»Die Idee stammt von mir, das ist schon richtig, aber hätte Lorna sie nicht unterstützt, wäre nichts draus geworden.« Ruby lächelte. »Du kennst sie doch. Wenn ihr etwas gefiel, war sie Feuer und Flamme, aber wenn nicht, konntest du es gleich vergessen.«

Harriet grinste. »O ja, sie war schon sehr eigen. Einmal musste Grandpa beim Rum Coconut Summer Food Festival ein ganzes Zelt um dreißig Zentimeter nach links verschieben, weil es ihren Sinn für Ästhetik beleidigte.«

»Ja, das weiß ich noch!« Ruby blieb abrupt stehen. »O mein Gott, erinnerst du dich an ihre selbst gemachte Eiscreme? Die war der Hammer!«

»Allerdings. Blaubeere war meine Lieblingssorte.«

»Meine auch! Warum machen wir nicht welche? Wir könnten Cocktails mit Eiscreme mixen.«

»Geht das denn?«, fragte Harriet zweifelnd.

»Baby, du kannst alles nehmen zum Cocktailmixen.« Ruby lächelte. »Joe hat mir von gestern Abend erzählt. Wie toll es beim Schlittschuhlaufen war.« Sie stellte die leeren Teller ab und fing an, Tische abzuwischen.

»Ja, das war es.« Harriet nickte und lief rot an. Obwohl es keinen Grund dafür gab. Die Bewegung hatte ihrem Grandpa gutgetan, er hatte einen alten Freund getroffen, der versprochen hatte, sich zu melden, und Mack hatte ihr ein klein wenig sein Herz geöffnet. Er hatte Joe sogar überredet, Harriet von East Hampton nach Montauk zurückfahren zu lassen. Und als sie sich am Anlegesteg voneinander verabschiedet hatten, hatte Mack durch das Fenster Harriets Hand auf dem Lenkrad kurz gedrückt. Die Berührung hatte etwas tief in ihr anklingen lassen. Aber solche Gefühle gehörten sich nicht. Oder?

»Mack hat mir erzählt, dass ihr euch kennt«, fuhr Ruby fort. »Von früher.«

»Oh.« Die Röte in Harriets Gesicht vertiefte sich. Sie hatte nicht gewusst, dass Ruby und Mack so gut befreundet waren. Was mochte er ihr erzählt haben? Einerseits hätte sie es zu gern gewusst, doch sie schreckte auch davor zurück.

»Süß, dass ihr euch geschrieben habt. Und so lange.« Ruby sah sie unverwandt an.

»Hm.« Harriet nickte.

»Ihr zwei seid wirklich aus demselben Brot!«

Harriet hatte diesen Spruch noch nie gehört, aber sie konnte sich denken, was damit gemeint war. Sie und Mack waren die beiden Hälften desselben Sandwichs.

Ruby stemmte die Hände in die Seiten. »Hast du eine Ahnung, was mit seinem Bein passiert ist?«

»Nein«, antwortete Harriet ein wenig überrascht über den plötzlichen Themenwechsel. »Du?«

Ruby schüttelte den Kopf. »Nein. Er spricht nicht darüber.« Sie zupfte das Lametta unter einer hawaiianischen Maske zurecht. »Ich habe ihn einmal, als ich angeschickert war, danach gefragt.«

»Und was hat er geantwortet?«

»Er habe es beim Ringkampf mit einem Krokodil verloren.« Ruby verdrehte die Augen.

»Typisch Mack.« Harriet nickte.

»Und, wie geht es jetzt weiter?«, fragte Ruby und sah Harriet gespannt an.

»Ich weiß nicht, was du meinst.«

»Na, mit euch beiden. Werdet ihr versuchen, die alten Gefühle wieder aufleben zu lassen?«

»Wir sind nur Freunde«, erwiderte Harriet hastig. »Und ich bin mit Iain zusammen.«

»Okay«, sagte Ruby gedehnt und nickte zweifelnd. »Der Iain, der die ganze Zeit auf seinen Computer starrt, angeblich kein Fleisch isst und dann aber über meine Fisch-Truthahn-

Pastete herfällt? Der Iain, der allein nach England zurück-geflogen ist? Der Iain? Nur um ganz sicherzugehen.«

»Wir sind beide immer sehr beschäftigt.«

Mit diesen Worten verteidigte sie ihren Freund? Harriet konnte es nicht fassen. Sie hätte Iains gute Seiten hervorhe-ben sollen – dass er ihr zum Beispiel ihren Kaffee immer so machte, wie sie ihn gern trank, und dass Verlass auf ihn war. Zuverlässigkeit war ein großer Pluspunkt. War Iain tatsäch-lich über die Fisch-Truthahn-Pastete hergefallen?

»Hm«, machte Ruby, wedelte mit ihrem Geschirrtuch und schickte sich an, den Stapel Teller in die Küche zu tragen.

»Warte!«

Ruby blieb stehen. Harriet trat zu ihr, legte ihr einen Arm um die Schultern und drückte sie ein wenig unbeholfen, weil die Teller zwischen ihnen waren.

»Was soll das denn?« Ruby zuckte zurück, als hätte Har-riet versucht, sie zu schlagen.

»Ich wollte dich nur umarmen«, stotterte Harriet. Viel-leicht hätte sie einen besseren Moment abpassen sollen.

»Aber so was macht ihr Engländer normalerweise doch nicht!«

Harriets Handy klingelte, und Ruby nutzte die Gelegen-heit zur Flucht. Harriet zog ihr Telefon aus der Hosentasche. Das würde Iain sein, der ihr mitteilen wollte, dass er gut an-gekommen und mit dem Haus alles in Ordnung sei. Doch auf dem Display stand »Dad«.

KAPITEL

NEUNUNDDREISSIG

Die Warrior, Fort Pond

»Sieh mich nicht so an, Mack! Ich weiß es wirklich nicht!«

Lester machte ein Gesicht, als hätte Mack ihn gebeten, ihm zu erklären, wie ein Teilchenbeschleuniger funktionierte. Sie befanden sich an Deck der *Warrior*, wo Mack einmal mehr am Fahrrad seines Freundes herumbastelte. Scooter kläffte die Möwen auf einem vereisten Holzpfosten des Stegs an. Es war kalt, und den Wolken nach zu urteilen, würde bald noch mehr Schnee auf die dünne Decke am Boden fallen.

»Erzähl mir doch nichts, Mann. Du arbeitest den ganzen Tag dort. Du kriegst doch mit, was los ist und wer reinkommt und wer mit wem was zu bereden hat.« Er richtete seinen Zeigefinger auf Lester. »Läuft da immer noch was zwischen Hamlyn vom Milchladen und Betty aus der Buchhandlung?«

»Das hab ich dir im Vertrauen erzählt!«

»Und ich habe zu niemandem ein Sterbenswörtchen gesagt. Bis jetzt.«

»Wenn du das herumposaunst …«

»Wieso ist das überhaupt so ein Wahnsinnsgeheimnis? Madame Scarlet hat gesagt, Betty ist Single, immer schon gewesen, und Hamlyn ist geschieden, also …«

»Manche Leute legen eben Wert darauf, dass ihr Privatleben auch privat bleibt.« Lester verschränkte die Arme über der Brust.

»Okay, kapiert.« Mack nickte. »Was ist jetzt mit Iain? Raus damit. Kommt er zurück?«

»Ich sage dir doch, ich weiß es nicht! Erst war er da, und dann war er plötzlich weg.«

»Pah, ein schöner Schnüffler bist du!« Er drehte frustriert am Hinterrad, dass es surrend sauste.

»Ich bin kein Schnüffler, sondern ein Barkeeper mit einem kaputten Rad.«

»Und ich bin ein ehemaliger Scharfschütze mit einem kaputten Bein«, konterte Mack. »Wir alle haben unser Päckchen zu tragen, Lester. Und ich möchte dir nicht noch mehr aufladen, indem ich dein Rad konfisziere, bis du mir Informationen liefern kannst, aber wenn es nicht anders geht ...«

Er schob das Rad Richtung Kajüte.

»Joe ist heilfroh, dass Iain weg ist«, sprudelte Lester hervor und hielt das Vorderrad fest. »Mehr weiß ich nicht.«

»Hast du eine Ahnung, warum er froh darüber ist?«

Lester schüttelte den Kopf. »Ich sag dir doch, ich bin kein Schnüffler.« Er bückte sich und streichelte Scooter, der auf den Steg gesprungen war und Möwen gejagt hatte.

»Jetzt komm schon, Mann, irgendetwas hast du doch bestimmt für mich.«

Lester schnalzte mit der Zunge. »Was willst du denn hören? Und wieso ist das so wichtig für dich?«

Mack fühlte sein Selbstvertrauen schlagartig schwinden. Ja, warum war das so wichtig für ihn? Ob Iain hier war oder nicht, änderte nichts an der Tatsache, dass er und Harri eine Beziehung hatten. Und doch war da immer noch etwas zwischen ihnen beiden. Er konnte es fühlen. Als sie sich gestern Abend voneinander verabschiedet hatten, hatte er sich an die Tür des alten Ford gelehnt, über ihre üppige »Mahlzeit« in Form einer heißen Schokolade gewitzelt und Harri dann ganz bewusst in die Augen gesehen. Und sie hatte seinen Blick erwidert. Blasses Mondlicht beleuchtete die Szenerie, Joe döste vor sich hin, und Mack hätte sie so gern sanft an sich gezogen und ihr die Entscheidung über alles Weitere überlassen. Doch da gab Joe ein grunzendes Geräusch von sich, und der Zauber war verflogen. Mack hatte ihre Hand gedrückt und ihr eine gute Nacht gewünscht.

»Ich weiß auch nicht«, antwortete er auf Lesters Frage. »Wahrscheinlich will ich sicher sein, dass … dass Iain sie gut behandelt.« Himmel, er hörte sich wie ein richtiger Idiot an. Natürlich war es ihm ernst damit, vor allem nach dem Vorfall mit Scooter. Wer einen Hund würgte, bloß weil dieser ein bisschen stürmisch war, war vielleicht auch zu anderem fähig. Aber er wollte auch herausfinden, ob eine winzige Chance bestand, ihre auf Papier festgehaltenen Träume Wirklichkeit werden zu lassen, so wie sie es nach dem Ende seines Auslandseinsatzes geplant hatten. Ob sie nach allem, was er ihr angetan hatte, immer noch etwas für ihn empfand oder ob sie mit Iain glücklich war.

Lester seufzte tief und wackelte mit seinem Zeigefinger. »Ich sag dir nur so viel. Joe meint, dieser Iain führt irgendwas im Schilde.«

Mack runzelte die Stirn. »Was soll das heißen?«

Lester zuckte die Achseln. »Keine Ahnung. Joe sagt, er traut diesem Iain nicht. Das ist alles.«

Wahrscheinlich hatte das nichts zu bedeuten. Joe war manchmal abwesend, als lebte er in seiner eigenen Welt. Und dann wieder, wie gestern Abend beim Schlittschuhlaufen, war er geistig hellwach.

»Sei so gut und reparier das Rad«, bat Lester. »Ich muss mich um die Bar kümmern und Ruby bei den Vorbereitungen helfen. Heute Abend findet doch der Wettbewerb im Cocktailmixen statt.«

»Ich hab's nicht vergessen. Mein Smoking liegt schon bereit«, scherzte Mack und grinste.

Scooter bellte zustimmend.

KAPITEL
VIERZIG

Sag Harbor

Es wäre sicher nicht nötig gewesen, achtzehn Meilen zu fahren, um noch etwas für die Versteigerung aufzutreiben, aber nach dem Telefonat mit ihrem Vater hatte Harriet eine Anwandlung von Nostalgie verspürt. Und jetzt war sie hier, an einem ihrer Lieblingsorte in den Hamptons. Verglichen mit den anderen Städten ringsum war er fast eine Art Geheimtipp.

Sag Harbor war keine Partyhochburg. An den Wochenenden wurde der Ort nicht von New Yorkern gestürmt, die sich auf frischen Hummer und teuren Champagner stürzten. Sag Harbor hatte sich seine Authentizität bewahrt, genau wie jener Teil von Montauk, in der das Rum Coconut stand. Kunst und Geschichte prägten die Stadt, in der die Zeit stehen geblieben schien, als sich noch nicht alles um Stars und Prominente und ihre Villen drehte.

Harriet hatte am Wasser gestanden und tief durchgeatmet. Von der sommerlichen Leichtigkeit und Betriebsamkeit war jetzt im Dezember nichts zu spüren. Keine Jachten im Hafen, keine bunten, im Wind flatternden Wimpelschnüre, kein greller Sonnenschein, der vom Wasser reflektiert wurde. Die Leute trugen dicke, warme Sachen statt Shorts und T-Shirts und tranken dampfenden Kaffee statt kühle Limonade. Auf ihrem Spaziergang durch die Stadt kam sie an weihnachtlich dekorierten Schaufenstern vorbei, und die Bäume entlang der Straßen waren mit Lichterketten geschmückt.

Ihr Dad hatte das Gespräch in lockerem Ton begonnen, vom Wetter in Spanien geredet, der kühlen Luft, den Zitrusfrüchten. Harriet war nicht dazu gekommen, etwas zu sagen. Und dann hatte er sich wie beiläufig nach seinem Vater erkundigt. Doch Harriet konnte er nichts vormachen: Er sorgte sich um Joe. So wie auch in Lornas Briefen die Zuneigung zu ihrem Sohn zum Ausdruck gekommen war. Harriet war regelrecht sentimental geworden. Vielleicht gab es ja einen Weg, den Bruch zwischen ihrem Großvater und ihrem Vater zu kitten. Sie hatte sich immer gefragt, was hinter der Freiheitsliebe ihres Vaters steckte, warum ihm seine Ungebundenheit so viel wichtiger war als seine Familie. Gedankenverloren schlenderte sie weiter, bis ein Schaufenster ihre Aufmerksamkeit auf sich zog.

Vom ersten Moment an war sie verzaubert. Die Fensterscheibe war von Hand mit weißen, glitzernden Schneeflocken bemalt worden. Eine kleine, mit verschiedenen Figürchen in Weiß und Silber liebevoll geschmückte Tanne bildete den Mittelpunkt, und rundherum war alles zusammengetragen worden, was man für einen gemütlichen Winterabend brauchte: Kuscheldecken in gedämpften Rosa- und Grautönen, große, einladende Wollkissen, ein mit Kalkfarben bemaltes Tablett, auf dem ein filigranes Teegeschirr samt Kanne stand, in Leinen gebundene Bücher und Vinylschallplatten, ein weißer Zottelteppich.

Harriet musste kräftig schlucken. Sie wollte ihren Blick nicht abwenden, hatte aber das Gefühl, dass sie es sollte. Das hier war ihr Traumladen. Der, von dem sie Mack erzählt hatte. Auf den er neulich angespielt hatte. Sie hatte davon geträumt, die Bewahrerin schöner Dinge zu sein, die Frau, die von nah und fern zusammensuchte, was spontan ihr Herz entzückte in der Hoffnung, dass es bei anderen die gleiche

Empfindung hervorrufen würde. Dinge, die eigentlich nutzlos waren, die man als Geschenk für andere oder für sich selbst kaufen würde. Nicht unbedingt teure Sachen, sondern solche, die eine Seele hatten. Bilder, die eine Geschichte erzählten, Bücher, die eine Flucht aus der Realität boten, Kissen, an die man sich in traurigen und in glücklichen Momenten klammern konnte. Sie stieß einen tiefen Seufzer aus. Doch statt ihren Traum zu leben, hatte sie sich dafür entschieden, Häusern ihre Individualität zu rauben. Wo war das Mädchen von damals geblieben? Jenes, das freiheraus geredet, boxen gelernt und am Strand um ein Lagerfeuer getanzt hatte? Macks Zurückweisung hatte sie tief verletzt, aber zerstört hatte sie sich möglicherweise selbst.

Sie berührte die Glasscheibe mit den Fingerspitzen, als könnte sie dadurch das Wesen der behaglichen Dinge dort drinnen in sich aufsaugen. Iain hatte ihr geholfen, ein neues Ziel zu finden und innerlich zu heilen. Doch allmählich fragte sie sich, ob bei diesem Heilungsprozess nicht irgendetwas schiefgegangen war.

EINUNDVIERZIG

Das Rum Coconut

»Guten Abend … meine … Damen und Herr…«, begann Joe.

Harriet stöhnte auf. Joe stand auf der Bühne, auf der im Sommer die Steelband auftrat. Heute Abend war die Decke darüber mit Lametta und Mistelzweigen dekoriert. Harriet hatte beschlossen, ihren Großvater, der die Versteigerung unbedingt moderieren wollte, ein klein wenig mithelfen zu lassen. Aber das Mikrofon, in das er jetzt sprach, knisterte ganz fürchterlich, zeitweise war der Ton sogar ganz weg. Anscheinend hatte niemand daran gedacht, die Anlage zu überprüfen.

Noch bevor Harriet von ihrem Barhocker rutschen konnte, ertönte ein lauter Pfiff, und es wurde still in der Bar. Ruby eilte auf die Bühne und überreichte Joe ein Megafon. Er betrachtete es, als könnte er sein Glück kaum fassen. Harriet hielt die Luft an.

»Guten Abend, meine Damen und Herren«, sprach Joe in die Flüstertüte, und es klang gar nicht mal schlecht.

»Willkommen zum jährlichen Wettbewerb im Cocktailmixen! Die Regeln sind einfach und euch allen bekannt. Nachdem ihr den Eintritt bezahlt habt, habt ihr eine Stunde Zeit, um den perfekten Weihnachtsdrink zusammenzustellen. Ruby, Lester und meine Enkelin Joanna werden die Liste mit den Zutaten herumgehen lassen, und dann werden wir ja sehen, was ihr Köstliches daraus zaubert.« Jubel brandete auf. Joe wartete, bis er verklungen war, und fuhr dann fort: »Proben der Zutaten findet ihr auf dem Tisch dort drüben, aber ich sage euch gleich: Meryl Cheep wird aufpassen, dass alles mit rechten Dingen zugeht!« Er erntete Gelächter für seine Warnung. »Ich werde zu euch an den Tisch kommen und eure Bestellungen aufnehmen. Dieses Tüfteln und Experimentieren und Hoffen, dass euer Drink über die Feiertage auf der Karte stehen wird, macht euch garantiert hungrig und durstig.« Er hob seine freie Hand. »Und vergesst nicht, dass es nicht nur darum geht, Geld für einen guten Zweck zu sammeln und euren Cocktail auf der Karte zu sehen – der Gewinner darf sich auch darauf freuen, den dreistöckigen Käsekuchen mit nach Hause zu nehmen, den meine … meine Lorna berühmt gemacht hat.« Joe, von Rührung überwältigt, ließ das Megafon sinken.

Harriet begann schnell zu klatschen, und die Gäste fielen mit ein. Da stieg Joe von der Bühne und ging zu ihr. In seinem blauen Anzug und der mit kleinen Zuckerstangen bestickten Krawatte sah er richtig schick aus. Allem Anschein nach hatte er auch ein bisschen Gel in seine Haare getan. Es waren nur Kleinigkeiten, aber Schritte in die richtige Richtung.

»Gut gemacht, Grandpa«, lobte sie lächelnd.

Joe zog die Stirn in Falten. »Du tust ja gerade so, als ob ich es nicht gewöhnt wäre, vor Leuten zu reden.« Dann lächelte er. »Deiner Nana hat es immer gefallen, wenn ich die Versteigerung moderiert habe.«

Harriet ließ ihn in dem Glauben. »Kann ich mir vorstellen«, erwiderte sie nur.

Joe griff nach einem Bestellblock. »Und, wirst du dich mit Mack zusammentun?«

»Was?«

»Es werden nur Teams zum Wettbewerb zugelassen. Behalt das für dich«, fügte er leise hinzu, »aber Mack kennt sich bestens aus mit Cocktailzutaten.« Sein Blick wanderte zu einem Tisch an der Schiebetür hinüber, an dem sechs Personen saßen. Es war dunkel draußen, Schneeflocken sprenkelten die Scheiben.

Da erzählte er Harriet nichts Neues. Mack hatte ihr einmal ausführlich die wilden Kombinationen beschrieben, die er mit seinen Kumpels zusammengemixt hatte. Eine war darunter, die sich möglicherweise für diesen verrückten Wettbewerb eignete. Dugh war ein traditionelles afghanisches Getränk aus Wasser, Joghurt und Minze, das sie mit Whiskey und Limonade vermischt hatten. Es schmecke großartig, hatte Mack geschwärmt, aber auch hinzugefügt, dass er noch eine Woche danach gerochen habe.

Er saß ganz hinten bei Meryl Cheep und den Zutatenkostproben. Madame Scarlet war bei ihm, die Haare à la Tina Turner, einen Teller mit überbackenen Nachos in der Hand. Sie war heute für die Küche zuständig, während Ruby sich auf die Cocktails und die Spendenbüchse konzentrierte, die herumgehen würde.

»Überleg nicht zu lange«, sagte Joe. »Sonst schnappt ihn dir jemand anders weg.«

Harriet wollte protestieren. Sie müsse neutral bleiben, und ihr Job sei es, den Teilnehmern mit Rezeptkarten auf die Sprünge zu helfen und darauf zu achten, dass sich niemand übermäßig mit den Proben bediene. Doch bevor sie etwas erwidern konnte, war Joe bereits mit dem Bestellblock auf dem Weg zu einem der Tische. Wenigstens wusste sie jetzt, dass es um diese Jahreszeit in der Bar genauso exzentrisch zuging wie im Hochsommer. Nicht dass sie daran gezweifelt hätte. Alles, was ihre wunderbare Großmutter organisiert hatte, war immer zu etwas ganz Besonderem geworden.

Das Handy in ihrer Jeanstasche summte. Sie zog es heraus. Bestimmt meldete sich Iain.

Jude: Mir ist ein kleines Malheur mit Sukkulente Nummer 2 passiert (ich nenne sie SN2). Mach dir bitte keine Sorgen.

Jude: Ich hab's gegoogelt, und es ist definitiv nicht tödlich, auch nicht in höheren Dosen.

Jude: Ich habe Wodka in einen Krug gekippt, um ein paar Werther's aufzulösen und Toffee-Wodka zu machen. Und Gethin vom Streichholzmodellbau-Club hat das eventuell mit Wasser verwechselt.

Jude: Okay, er hat es mit Wasser verwechselt. Er hat SN2 gegossen, bevor ich es gemerkt habe. Aber es geht ihr gut. Wirklich. Siehst du?

Es folgte ein Foto von Judes Daumen mit einer unkenntlichen Pflanze im Hintergrund.

»Viel los heute Abend«, sagte Mack und schnappte sich ein paar von den mit Krabben, Krevetten, saurer Sahne und verschiedenen Käsesorten überbackenen Nachos, zu denen Madame Scarlet eine gewürzte Guacamole angerührt hatte. »Das freut mich.«

»Ich bin schon im Rückstand mit den Essensbestellungen. Ich hab keine Zeit für einen Plausch … oder einen Schluck kaltes Bier.« Madame Scarlet nahm einen kräftigen Schluck aus Macks Flasche.

»Hey!«, protestierte er. »Das war ganz schön hinterhältig. Und ich habe ernsthaft überlegt, Sie in mein Team aufzunehmen.«

Madame Scarlet lachte. »Schätzchen, ich bin vollauf mit Kochen beschäftigt, ich hab gar keine Zeit für was anderes.« Sie blickte auf, und ihre gestrichelten Brauen trafen ihren Haaransatz. »Aber da kommt jemand, der vielleicht bereit ist, mit dir den Shaker zu schütteln.«

Mack folgte ihrem Blick und sah Harri auf sich zukommen. Wie schaffte sie es nur, auf so natürliche Weise so fantastisch auszusehen? Sein Magen wirbelte herum wie ein Surfer auf einer Welle vor Big Sur. *Sie ist vergeben, vergiss das nicht. Bleib cool.*

»Viel Spaß, Schätzchen«, flüsterte Madame Scarlet und eilte in die Küche zurück.

Harris Augen gaben ihm grünes Licht. Wäre da nur nicht das Stoppschild, das er selbst angebracht hatte und das erst abgebaut werden musste, bevor er an etwas anderes denken konnte.

»Hallo.«

»Hey«, erwiderte er. »Ich habe gerade zu Madame Scarlet gesagt, dass ganz schön was los ist heute Abend.«

»Stimmt. Das haben wir hauptsächlich Ruby zu verdanken. Dieser Wettbewerb ist ihr Baby, und sie will so viel wie möglich einnehmen für den guten Zweck, und auch für die Bar.« Sie lächelte. »Ich hab gar nicht gewusst, dass du auch kommst.«

»Ich gehöre praktisch zum Inventar, weißt du. Das Einzige, was ich nicht mache, ist, hinter der Bar zu stehen, und selbst das würde ich nicht ausschließen.«

»Ich dachte, dich hat die Aussicht auf den Hauptgewinn hergetrieben. Und immerhin bist du ein wahrer Cocktailexperte.«

»Du willst damit hoffentlich nicht andeuten, dass ich vom Wettbewerb ausgeschlossen bin.«

»Ich weiß ja, dass du eine Begabung dafür hast, Drinks aus den merkwürdigsten Zutaten zu mixen.« Harri verstummte und wirkte verlegen, als hätte sie etwas Unpassendes gesagt. Er hätte sie gern beruhigt: Nichts, was sie sagte, würde er jemals als unpassend empfinden.

»Entschuldige. Mir ist nur was eingefallen, was du mir einmal geschrieben hast. Ich weiß nicht, ob du …«

»Stopp«, fiel Mack ihr ins Wort. »Du redest von der Bagram Bucket Challenge, und ich bin mir nicht sicher, wie viel die guten Menschen von Montauk davon hören sollten, zumal sie gerade beim Essen sind.« Er schob sich ein Nacho in den Mund.

»Joanna!«

Das war Lester. Mack fluchte innerlich. Er musste ihr den Vorschlag machen, solange er die Gelegenheit dazu hatte. Er holte tief Luft.

»Hör mal, ich weiß, dass du viel zu tun hast heute Abend, aber willst du dich vielleicht dem Team Wyatt anschließen und mir helfen, einen Cocktail zu mixen, der alle anderen umhaut?« Er grinste. »Es gibt nämlich nicht viel, was ich so liebe wie Lornas dreistöckigen Käsekuchen.«

Sag Ja! Sag Ja! Er hielt den Atem an. Vergessen waren die Nachos.

»Hoffentlich ist er was geworden.« Harriet verzog in komischer Verzweiflung das Gesicht. »Ruby und ich hatten mehr Käsekuchen an unseren Klamotten als in den Formen. Und frag nicht, wie wir das mit den drei Schichten hingekriegt haben! Wir haben mit allen Tricks gearbeitet, damit sie aufeinander geblieben sind.«

Sie hatte seine Frage nicht beantwortet. Er lächelte. Ein zweites Mal würde er nicht fragen.

»Ich komme gern in dein Team«, sagte sie. »Ich muss nur

noch ein paar Rezeptkarten austeilen und mich vergewissern, dass alle versorgt sind, dann bin ich wieder da, okay?«

Er konnte ein breites Grinsen nicht unterdrücken. »Na klar. Cool.«

Hatte er den richtigen Ton getroffen? Freudig, aber nicht übermäßig begeistert? Wieso wollte er sich verstellen? Zeit mit ihr verbringen zu dürfen war ein großes Geschenk.

»Prima.« Harriet schob die Hände in die Taschen ihrer Jeans. »Ich bin gleich wieder da. Heb mir ein paar Krabben auf!«

Mack sah ihr nach, wie sie im Getümmel verschwand. Er legte eine Hand um seine Bierflasche und atmete tief durch. *Okay, Wyatt, vermassle das bloß nicht.*

»Was hast du da in der Hosentasche?«, zischte Harriet.

»Willst du das wirklich wissen, Harri?« Mack zwinkerte ihr zu.

»Ich meine es ernst!«

»Nicht so laut!« Er zog etwas aus der Tasche seiner Jeans. »Das könnte uns den Käsekuchen sichern. Es steht als Einziges nicht auf dem Zutatentisch.« Er öffnete seine Finger einen Wimpernschlag lang und schloss sie wieder um den Gegenstand in seiner Hand.

»He, das ist unfair! Wie hätte ich das denn sehen sollen!« Sie boxte ihn auf den Arm und bereute es sofort. Es herrschte eine wunderbar entspannte Stimmung, sie hatte so viel gelacht, dass ihr schon der Kiefer wehtat, aber jetzt war sie einen Schritt zu weit gegangen. Jede Berührung jagte ihr einen Stromschlag durch den ganzen Körper, und es dauerte eine Weile, bis sie sich wieder unter Kontrolle hatte. Hinzu kam, dass sie es wunderbar fand, mit ihm an einem Tisch zu sitzen, mit ihm zu reden, ihn anzusehen. *Reiß dich zusammen!* Sie war eine Erwachsene, kein verknallter Teenie. Iain hatte immer noch nichts von sich hören lassen. Sie warf einen flüchtigen Blick auf ihr Smartphone, das neben den beiden Bierflaschen lag. Nichts. Nicht einmal eine weitere zerknirschte Nachricht von Jude.

»Erwartest du einen Anruf?«

Seine Frage nahm ihr die Verlegenheit, von der er hoffentlich nichts mitbekommen hatte.

»Nein. Das heißt, ja. Ich … ich habe immer noch nichts von Iain gehört, seit er nach England zurückgeflogen ist. Die Maschine ist gelandet, das habe ich überprüft. Ich hab ihm ein paar Nachrichten hinterlassen, aber er hat sich nicht gemeldet.« Sie zuckte mit den Schultern. »Wahrscheinlich hat er viel zu tun.«

»Oder er hat einen anderen Flieger genommen und sitzt jetzt irgendwo am Strand und schlürft einen exotischen Drink.«

»Iain ist nicht der Typ, der exotische Drinks schlürft.«

»Nein? Was für ein Typ ist er dann?«

»Du kannst ihn nicht leiden.«

»Ich kenne ihn ja gar nicht.«

»Er ist immer gut zu mir gewesen«, sagte Harriet und meinte es auch so. Iain *war* gut zu ihr gewesen. Er war die Schulter, an die sie sich anlehnen konnte. Was er für sie getan hatte, war nicht mit Gold aufzuwiegen.

»Mehr will ich gar nicht wissen«, erwiderte Mack leise.

Harriet beobachtete, wie er seine Bierflasche an die Lippen setzte.

»Und jetzt raus mit der Sprache: Was ist das für eine Geheimzutat, mit der wir den Käsekuchen gewinnen werden?«, fragte sie, um das Thema zu wechseln.

Mack stellte seine Flasche hin, beugte sich ein wenig vor, öffnete die Hand und zeigte ihr etwas, das wie ein kleiner Kieselstein aussah.

»Muskatnuss.« Harriet runzelte die Stirn. »Wer gibt denn Muskatnuss in einen Cocktail?«

»Höre ich Zweifel in deiner Stimme? Tststs«, machte er missbilligend. »Vertraust du mir etwa nicht?«

Seine Frage bewegte sie tief. Es hatte eine Zeit gegeben, da hatte sie niemandem mehr vertraut als ihm. Doch er hatte dieses Vertrauen zerstört und ihr das Herz gebrochen. Sie schluckte kräftig. Wegen des Traumas, das er durchlitten hatte? Hatte der harte Bursche keine Schwäche zeigen wollen und ihr deshalb gar nicht erst die Chance gegeben, ihre eigene Entscheidung zu treffen? Wann hatte sie denn das letzte Mal eine eigene Entscheidung getroffen?

»Vergiss es«, sagte er mit einem angedeuteten Lächeln. »War eine idiotische Frage. Egal. Die Muskatnuss wird für uns von unschätzbarem Wert sein, weil wir nämlich einen warmen Cocktail mixen werden.«

»Wie bitte?«

»Ich hatte letztes Jahr schon damit teilgenommen, aber das war ein Reinfall«, gestand er. »Ich hab's nicht geschafft, die Banane anzuzünden.«

Harriet lachte laut heraus. »Schade, dass ich das nicht gesehen habe!«

»Lorna fand es auch komisch. Sie hat mir Punkte für die Idee gegeben, aber Sieger wurde ein leuchtend lila Daiquiri-Abklatsch mit dem Namen Mother of Mary.«

»Lass mich raten: Es war das Team des Pfarrers, richtig?«

»Woher weißt du das?«

Wieder lachte sie. Das war so schön! Dieses warme, glückliche, behagliche Gefühl lenkte sie vom Verlust ihrer Großmutter und allem anderen ab, was ihr Kopfzerbrechen bereitete. Joe, Iain, ihre Zimmerpflanzen, das Stück Land am Meer, das in ein Ferienresort verwandelt werden sollte. Eigentlich hätte es emotional und heikel sein sollen, doch der Ton war unbeschwert und entspannt und fast so wie während ihres Briefwechsels.

»Glaubst du, wir könnten Meryl einen Trick beibringen?«, fragte Mack.

»Machst du Witze? Man kann ihr ja nicht einmal beibringen, den Schnabel zu halten!«

Während alle an ihren Cocktailrezepten tüftelten und Mack mit dem Papagei redete, nutzte Harriet die Gelegenheit für ein Gespräch mit Dr. Ambrose, der zusammen mit zwei ihr unbekannten Frauen ein Team bildete. »Hallo, Doktor Ambrose, kann ich Ihnen etwas zu trinken bringen?«

»Nein, danke, Joanna, ich bin versorgt«, sagte er. »Ich habe gehört, dass du mit Joseph auf der Eisbahn warst.«

Sie nickte. »Das war doch in Ordnung, oder? Wir haben gut auf ihn aufgepasst und dafür gesorgt, dass er keinen Dreifach-Axel oder irgendwas in der Art macht«, fügte sie scherzend hinzu.

»Ich finde es großartig, dass du ihn aus dem Haus gelockt hast. Meine Befürchtung war, dass er sich nach Lornas Tod ganz zurückzieht. Sosehr er die Bar auch liebt, es würde nicht schaden, wenn er sich noch für ein paar andere Dinge begeistern lässt.«

Eine der Frauen, sie hatte lockiges weißes Haar und gütige Augen, ergriff Harriets Hand und drückte sie. »Ich bin Mavis Koontz. Ich habe deiner Großmutter die Haare gemacht. Jeden zweiten Freitag.«

»O mein Gott! Mavis!«, rief Harriet. »Nana hat Sie immer Mavis Waves genannt, und ich dachte, das sei Ihr richtiger Name!« Und auf einmal war sie wieder zehn Jahre alt, und ihre Großmutter steckte ihr Klammern in die Haare und flocht ihr Zöpfe, die sie mit gelben Schleifen zusammenband. Lorna hatte so viele Freunde gehabt, Menschen, denen sie etwas bedeutete und die sich um sie kümmerten. Vielleicht hatten sie die Lücke gefüllt, die ihr Vater hinterlassen hatte. »Ich freue mich, Sie wiederzusehen.«

»Die Freude ist ganz meinerseits, Joanna«, sagte Mavis und drückte ihr erneut die Hand. »Es ist so schön, dass du den Jungen dort drüben wieder zum Lächeln bringst. Der Meinung sind wir alle!«

Den Jungen? Harriet drehte sich um. Wen meinte sie? Rufus und Riley waren oben in Harriets Zimmer. Ruby hatte sie dort vor dem Fernseher geparkt, zusammen mit einem riesigen Berg von Snacks. Harriet hatte vorgeschlagen, dass die beiden doch unten bleiben und helfen könnten, aber davon wollte Ruby nichts wissen: Das würde nur zu chaotischen Szenen führen.

»Mackenzie«, fügte Mavis erklärend hinzu. »Er ist unglaublich süß, aber er hat auch so was Trauriges an sich.«

»Ich würde ihn sofort heiraten«, sagte die andere Frau, die sich noch nicht vorgestellt hatte. »Ich hatte immer schon eine Schwäche für Männer mit Locken.«

Harriet sah zu Mack hinüber, der bereits einige Gefäße mit Zutaten vor sich stehen hatte. Er wirkte hoch konzentriert, machte sich Notizen, legte seinen Stift an seine vollen Lippen. Plötzlich überwältigten sie dieselben Emotionen wie damals, als sie seine Briefe gelesen und dieses eine Foto von ihm gesehen hatte. Ihr wurde so heiß, als würde sie direkt neben dem lodernden Kaminfeuer stehen. Es fehlte nicht mehr viel, und sie würde dahinschmelzen.

»Doktor Ambrose, kann ich Sie einen Augenblick unter vier Augen sprechen?«, stieß sie atemlos hervor.

Der Arzt erhob sich so schnell, als fürchtete er, sie könnte zusammenbrechen oder hätte eine lebensbedrohliche Krankheit, die umgehend behandelt werden musste. Sie führte ihn zu einem ruhigen Fleckchen zwischen einem Korb Kiefernzapfen und Tannenreisig und einem Tisch voller Flyer mit Informationen zu der Versteigerung.

»Alles in Ordnung, Joanna?«, fragte Dr. Ambrose und schob seine Nickelbrille die Nase hinauf.

»Ja, ich glaub schon.« Sie lächelte. »Ich hoffe es jedenfalls.«

»Stimmt was nicht? Du siehst aus, als müsstest du die Sorgen der ganzen Welt auf deinen Schultern tragen.«

Wirklich? Das lag vermutlich am Schlafmangel. Der Zeitunterschied machte ihr immer noch zu schaffen, und dann die große Leere, die ihre Nana hinterlassen hatte, und Iains Landkaufabsichten und … na ja … Mack.

»Es ist nur …«, begann sie. Ihr Blick fiel auf ihren Grandpa, der gerade eine vierköpfige Familie in den Restaurantbereich führte und unterwegs Malsachen und die Rum-Coconut-Papierpiratenhüte für die Kinder mitnahm. Er schien fast wieder der Alte zu sein. Aber sie wollte die Meinung des Arztes hören. »Ich mache mir Sorgen um Grandpa.«

Dr. Ambrose legte ihr lächelnd eine Hand auf die Schulter. »Joseph ist mein Patient, nicht deiner. *Ich* bin für seine medizinische Versorgung zuständig. Das ist mein Job.«

Harriet wollte etwas sagen, aber da legte ihr der hünenhafte Mann seine zweite Pranke auf die andere Schulter.

»Mach dir keine Sorgen um deinen Großvater. Er ist gesund. Ich würde sogar sagen, kerngesund für sein Alter. Es würde vermutlich nicht schaden, wenn er sich in meiner Diabetesklinik durchchecken ließe, aber dazu kriege ich ihn nicht, nicht einmal, wenn ich ihn mit Keksen bestechen würde.«

Harriet erschrak, als sie an die übermäßig süße heiße Schokolade nach dem Schlittschuhlaufen dachte. »Muss er seinen Zuckerkonsum einschränken?«

»Nein, nein.« Dr. Ambrose schüttelte den Kopf. »Er sollte es nur nicht übertreiben mit den Süßigkeiten, so wie wir alle.

Also nicht gerade Kuchen zum Frühstück. Es sei denn, man hat Geburtstag«, fügte er schmunzelnd hinzu.

Ihre Erleichterung währte nicht lange, weil ihr einfiel, was sie am meisten belastete. »Was ist mit seinem Gedächtnis? Manchmal wirkt er so abwesend und redet von der Vergangenheit, als wäre es gestern gewesen. Ich weiß nicht, ob das bloß am Älterwerden liegt oder weil ich ihn eine ganze Weile nicht gesehen habe oder ob etwas anderes dahintersteckt.« Sie dachte an Demenz, wollte es aber nicht aussprechen. Sie hatte irgendwo gelesen, dass ein Arzt sich möglicherweise von einer selbstbewusst geäußerten Meinung beeinflussen ließ, was zu einer schweren Fehldiagnose führen konnte.

»Joanna«, sagte Dr. Ambrose in seinem tiefsten Bariton und mit großer Bestimmtheit, »dein Grandpa hat seine Seelenverwandte verloren. Den Menschen, dem er über fünfzig Jahre in jedem Bereich seines Lebens innig verbunden war. Lornas Tod kam völlig unerwartet. Das war ein riesiger Schock, den er erst verarbeiten muss. So wie wir alle.« Er seufzte. »Nur hat es ihn natürlich viel schwerer getroffen, deshalb braucht er auch länger, um mit der Situation zurechtzukommen, sich an eine neue Routine zu gewöhnen. Und selbst dann wird der Verlust immer gegenwärtig sein. Joseph muss lernen, das zu akzeptieren, und darf seinen Alltag trotzdem nicht davon bestimmen lassen.« Er seufzte erneut und rückte seine Brille gerade. »Ich erkläre das nicht besonders gut, oder?«

»Doch, doch«, erwiderte Harriet. »Ich wollte nur sicher sein, dass nichts anderes dahintersteckt.«

Dr. Ambrose nickte ernst. »Und das war auch richtig so von dir. Aber glaub mir, ich habe ein wachsames Auge auf deinen Grandpa. Wenn wir uns zum Beispiel über Apfeltaschen unterhalten, lasse ich Fragen einfließen. Würde er mir bestimmte Antworten geben, schrillen bei mir sofort die Alarmglocken.«

»Okay«, sagte Harriet und atmete erleichtert aus.

»Dein Grandpa weiß nicht nur, wie unser derzeitiger Präsident heißt, er hat auch kein gutes Haar an seinem Vorgänger gelassen.«

Harriet lächelte. Jetzt ging es ihr schon viel besser.

»Es ist gut, dass du nach Montauk gekommen bist, Joanna. Das wird Joseph aufbauen und seinem Leben einen Sinn geben. So wie ich ihn kenne, hat er auf der Eisbahn ein bisschen angegeben, um dich zu beeindrucken«, fügte er grinsend hinzu.

Sie nickte. »Ja, schon ein bisschen.« Ihr Blick wanderte wieder zu Mack hinüber, der mit Meryl Cheep redete.

»Hast du sonst noch etwas auf dem Herzen?«, fragte Dr. Ambrose.

Sie zögerte. Sollte sie die Gelegenheit nutzen?

»Ich möchte nicht, dass Sie gegen Ihre Schweigepflicht verstoßen«, begann sie langsam und beobachtete, wie Mack den Papagei auf seine Hand klettern ließ. »Aber … wie ist es eigentlich, ein Bein zu verlieren? Ich denke da an die Einschränkungen im Alltag und solche Dinge.«

»Oh.« Der Arzt schien ein wenig überrascht. »Nun, darüber solltest du am besten mit dem Menschen reden, der gerade einen Papagei dazu bringen will, etwas im Schnabel zu halten.« Sie schauten beide zu Mack und Meryl hinüber.

»Schon klar. Aber ich hab Angst, dass ich etwas Falsches sage, und da …«

»Da dachtest du, du fragst einen Arzt.«

Sie zuckte mit den Schultern. »Mack macht alles mit sich alleine aus«, sagte sie leise. »So war er früher nicht.«

»Nun, ein Einzelner kann viel bewirken.« Er tätschelte ihr die Schulter. »Mack ist ein geradliniger Typ. Frag ihn einfach, was du wissen willst.«

Als der Arzt an seinen Tisch zurückkehrte, summte Harriets Handy. Sie zog es aus der Jeanstasche und las die Nachricht auf dem Display.

Iain: Wasser- und Stromkrise abgewendet. Habe einen Besichtigungstermin für dich für das Grundstück an der Navy Road vereinbart. Schau in deinen Terminkalender. 👍

Harriet wartete auf die Blasen, die ihr anzeigen würden, dass noch Text folgte oder ein einfacher Kuss. Aber es kam nichts.

»Nervös?«, fragte Mack.

Sein cremefarbenes, langärmeliges Hemd mit dem dezenten Palmenmuster trug Spuren von Cocktailzutaten und war mit einem klebrigen Saft bespritzt, der da hingekommen war, als er einem anderen Team beim Aushöhlen einer Ananas geholfen hatte.

Harriet lächelte. »Na ja, es ist nicht gerade die Oscarverleihung.«

»Wow! Also, ich bin aufgeregter als bei den Oscars.«

»Ruby hat gar nicht gesagt, nach welchen Kriterien der Gewinner ausgewählt wird.«

Mack beobachtete Ruby genau, während sie die von einem Scheinwerfer angestrahlten Cocktailkreationen in der Mitte des Raums abschritt. »Als Erstes bewertet sie Farbe und Präsentation.«

Es waren alle nur denkbaren Schattierungen vertreten: von einem dunklen Beerenrot über abwechselnd geschichtetes Pink und Türkis bis hin zu einem Glas mit Sprühsahne und einer roten Apfelhaube als Bart und Hut des Weihnachtsmanns. Alle Augen waren auf die Preisrichterin mit dem Wuschelkopf, dem ernsten Gesichtsausdruck und dem Klemmbrett in der Hand gerichtet.

»Unser Cocktail hebt sich gar nicht von den anderen ab«, stellte Harriet fest.

»Was? Hast du eine Ahnung, wie lange es gedauert hat,

diesen perfekten Pflaumenton hinzukriegen?« Er schlug sich in gespielter Entrüstung an die Brust.

»Ich wette, du hast mehr Alkohol in dich hineingeschüttet als ins Glas«, konterte sie.

»Hey, Harri, sei nicht so eine Spaßbremse.«

»Besser als eine Rumrosine, so wie du«, gab sie bissig zurück.

Sie starrten sich eine Sekunde lang finster an und brachen dann in schallendes Gelächter aus, was ihnen von einigen Gästen ein tadelndes »Schsch!« eintrug.

»Sei still jetzt«, raunte Mack ihr zu, »sonst werden wir noch disqualifiziert. Und ich will den Käsekuchen unbedingt haben.«

Harriet riss sich zusammen und sah wieder zu Ruby hin. Mack trat einen Schritt näher. Er konnte ihre Haare riechen. Gott, er konnte ihre Haare riechen! Er schloss die Augen. Der Duft beschwor Bilder und Sinneseindrücke in ihm herauf. Meer und Sonnenschein, Herbstlaub und Kürbisse. Erinnerungen, die er nie gehabt hatte ...

»Jetzt ist unserer dran«, sagte Harriet und wandte ihm leicht den Kopf zu.

»Okay, Zeit für den großen Auftritt.« Mack rieb sich kurz die Hände und marschierte dann entschlossen auf den Tisch mit den Cocktails zu. »Hey, Ruby!«

»Was soll das?« Ruby musterte ihn so streng, als ob sie einem Bewährungsausschuss angehörte und eine Verlängerung seiner Strafe in Erwägung zog.

»Sorry, Ruby«, sagte Harriet, die ihm gefolgt war. »Wir wären dir wirklich dankbar, wenn du unseren Cocktail zuerst probieren könntest, bevor er kalt wird. Es ist ein warmes Getränk, weißt du.«

»Habt ihr das gehört, Leute?« Mack drehte sich zu den Gästen um. »Wir haben einen *warmen* Cocktail erfunden!«

Erstaunte Rufe von allen Seiten. Mack genoss die allgemeine Verwunderung.

»Eurer ist Nummer sechs«, stellte Ruby fest.

»Ja, schon, aber könntest du nicht mal eine Ausnahme machen?«, bat Harriet.

»Es steht nirgends, dass du sie der Reihe nach probieren musst«, fügte Mack hinzu. »Du kannst anfangen, wo immer du willst. Du bist der Boss.«

Ruby sah ihn an. Dieser letzte Satz verfehlte seine Wirkung nicht. Sie schüttelte ihre Lockenmähne und gab sich einen Ruck. »Also gut, meinetwegen. Ich werde mit eurem Cocktail anfangen.« Sie drehte sich Richtung Tisch und wollte nach dem großen Cognacschwenker greifen.

»Noch nicht! Warte!«, rief Mack und stürzte auf sie zu.

Ruby machte ein böses Gesicht. »Was denn jetzt? Soll ich ihn probieren oder nicht? Oder mir lieber das Gesicht damit einreiben?«

Ein paar Leute lachten, aber Mack war sicher, dass ihnen das Lachen noch vergehen würde. Er schickte ein Stoßgebet zum Himmel, steckte sich zwei Finger in den Mund und stieß einen Pfiff aus.

Harriet klappte vor Verblüffung der Unterkiefer herunter, als Meryl Cheep sich wie Phönix von ihrem Käfigdach in die Luft erhob, quer durch den Raum flatterte und auf Macks ausgestrecktem Arm landete. Das hatte sie nun wirklich nicht erwartet.

»Ruby! Ruby!«, krächzte der Papagei und ruckte mit dem Kopf.

Mack trat näher an den Tisch und schob ihr Cocktailglas aus der Reihe der anderen Drinks. Dann legte er die Muskatnuss auf den Tisch.

»Was soll das?«, fragte Ruby. »Das ist ein Wettbewerb im Cocktailmixen, kein Zirkus.«

Harriet beobachtete lächelnd, wie Meryl von Macks Arm herunterkletterte, zu der Muskatnuss trippelte, sie mit dem Schnabel anstieß und langsam über die Tischplatte zum Cocktailglas rollte.

»Das glaub ich einfach nicht!«, sagte Ruby völlig baff. »Ich hab's noch nie geschafft, ihr irgendetwas beizubringen!«

Mack zauberte eine Reibe hervor, die er ihr mit den Worten überreichte: »Eine kleine Prise obendrauf, und du kannst ihn trinken.«

Die Spannung im Raum war fast greifbar. Alle schauten zu, wie Ruby ein klein wenig Muskatnuss über den Cocktail rieb, während Meryl Cheep wieder auf Macks Arm kletterte.

»Bist du jetzt nervös?«, fragte Mack.

»Schon ein bisschen«, gestand Harriet. Plötzlich durchzuckte sie ein Gedanke. »Wie heißt er eigentlich?«

»Wer?«

»Unser Cocktail! Wie hast du ihn genannt?«

Mack grinste. »Warte es ab.«

Ruby nahm einen großen Schluck und schwenkte ihn im Mund herum. Ihr Gesichtsausdruck verriet rein gar nichts. Harriet hatte der Cocktail hervorragend geschmeckt. Die Kombination aus Brandy, weißem Rum, Zimt, Muskatnuss, Nelken und Sahne war erwärmt und mit der zusätzlichen Prise Muskatnuss sowie einem Hauch Zartbitterschokolade abgerundet worden. Ob das für den Sieg reichte, hing davon ab, was die anderen ausgetüftelt hatten.

»Vertrau mir.« Mack stieß sie mit dem Ellenbogen an. »Wir haben den Sieg so gut wie in der Tasche.«

»Jo-anna! Jo-anna!«, krächzte Meryl.

VIERUNDVIERZIG

Den ersten Preis räumten sie nicht ab. Sie wurden Dritte hinter der ausgehöhlten Ananas und einem Drink namens Ring in the Reindeer.

Harriet war es egal. Der Abend war ein voller Erfolg gewesen, die Leute hatten jede Menge zu essen und zu trinken bestellt, Madame Scarlet hatte ihren Drang, jedem aus der Hand lesen zu wollen, gezügelt, und der dreistöckige Käsekuchen hatte lange genug zusammengehalten, bis sie ihn in eine Schachtel gepackt und dem Siegerteam übergeben hatte. Das Rum Coconut war so voller Leben, wie sie es von früher kannte. Der ganze Abend kam ihr wie ein liebevoller Gruß ihrer Nana vor, eine zärtliche Umarmung. Ein wahrer Tribut an die Frau, die alle vermissten.

Mit zwei kleinen Schalen in den Händen blieb Harriet an der Hintertür stehen und schaute einen Moment lang zu, wie Mack das Feuer schürte. Der Vorschlag, sich in das von ihrer Nana eingerichtete lauschige Plätzchen links vom überdachten Außenbereich der Bar zu setzen, war von ihr gekommen. Hier standen die Hollywoodschaukel mit den weichen Polstern und auch das Fass, das als Feuerstelle diente. *Hatte das alles so kommen sollen? Sie beide hier zusammen in den Hamptons?* Ihre Kehle schnürte sich zu. Solche Gedanken durfte sie nicht zulassen. In der Bar waren fast alle Lichter gelöscht; außer Lester, der noch mit Aufräumen beschäftigt war, hatten sich alle bereits verabschiedet. Joe war schlafen gegangen.

Ein paar Schneeflocken rieselten vom Himmel, als Harriet zum Feuer hinüberging.

»Mack.«

Er drehte sich um und grinste, als er das Dessertschälchen sah, das sie ihm hinstreckte. »Was ist das? Ein Trostpflästerchen?«

Sie lächelte. »Eiscreme. Blaubeereiscreme. Nach dem Rezept meiner Großmutter. Ruby und ich haben heute Mittag welche gemacht.«

»Eiscreme im Dezember! Na ja, du warst schon immer ein Mensch voller Widersprüche.«

»Wie bitte?«, rief Harriet in gespielter Empörung.

Lachend warf er den Stock in seiner Hand ins Feuer und nahm ihr dann das Schälchen ab. »Jetzt tu doch nicht so!« Er setzte sich auf die Hollywoodschaukel. »Zucker im Kaffee. Aber möglichst keinen Kuchen. Du kannst Bruce Springsteen nicht ausstehen, aber du liebst Journey. Du magst Rihannas Musik nicht, aber du würdest lieber sie küssen als Robert Downey Jr. – okay, das kann ich ja noch nachvollziehen, aber das Schrägste ist wirklich, dass du den Duft von Kokosnuss magst, aber nicht den Geschmack. Wie ist so was überhaupt möglich?«

Harriet war erstarrt. Alle diese Dinge hatte sie ihm vor Jahren geschrieben. »Das weißt du noch?«, flüsterte sie und ließ sich neben ihm in die Polster fallen.

Er nickte und machte ein Gesicht, als hätte er ein lange gehütetes Geheimnis preisgegeben. »Ja«, erwiderte er mit brüchiger Stimme, »das weiß ich noch.«

Harriet beobachtete ein Atemwölkchen, das sich in die Dunkelheit davonkringelte und mit der vom Feuer aufsteigenden Wärme vermischte. Da war so viel zwischen ihnen, und sie hatte keine Ahnung, wo sie anfangen sollte. »Ich war heute in Sag Harbor«, sagte sie.

»Ja?«

»Ich musste einfach ein bisschen raus.« Sie lächelte. »Ich bin gern hier, aber manchmal wird einem sogar das, was man liebt, zu viel. Jeder drückt sein Beileid aus. Alle vermissen Nana so sehr. Natürlich finde ich das schön, aber … ich weiß auch nicht … vielleicht liegt es daran, dass sie alle mehr Zeit mit ihr verbringen durften als ich.«

»Okay, Rihanna, ich höre.«

»Ich hätte sie öfter besuchen sollen. Ich weiß auch nicht, warum ich drei Jahre nicht mehr hier war.«

War es nicht eher so, dass sie es ganz genau wusste? Vielleicht, weil Montauk sie an den Jungen erinnerte, den sie einmal gekannt hatte, dem sie, auf genau dieser Hollywoodschaukel sitzend, geschrieben und ihm von den im Sand watenden Seevögeln erzählt hatte, nach deren Beinen manchmal eine zornige Krabbe schnappte. Statt über den Atlantik zu fliegen, war sie bei Iain geblieben, hatte sich mit Arbeit abgelenkt und alles ignoriert, was ihren Herzschlag ein wenig beschleunigt hätte. Sie hatte in der Deckung gelebt, anstatt die Flucht nach vorn zu ergreifen. Mack sah sie an und wartete.

Sie schüttelte den Kopf. »Wie auch immer, ich bin nach Sag Harbor gefahren, dort durch die Stadt spaziert und habe die Adventsstimmung genossen, und da war es plötzlich.« Sie stellte das Schälchen Eiscreme zwischen sie beide, zog ihr Handy aus der Tasche und rief die Fotos auf.

»Dieses Geschäft da.« Sie zeigte Mack das Display und wischte dann zum nächsten Foto. »Von so einem habe ich immer geträumt. Ich hab dir doch davon geschrieben, weißt du noch? Da gibt es Picknickkörbe und Kuscheldecken und Bettwäsche mit handgestickten Eulen, Bilderrahmen und ein Gemälde vom Leuchtturm, Einweckgläser und hufeisenförmige Solarlampen und Kerzen, die nach frisch gemähtem Gras und Karamellpopcorn duften.« Sie musste Luft holen.

»Was ist passiert, Harri?«, flüsterte Mack.

»Ich weiß es nicht. Irgendwie war es plötzlich weg.« Sie schüttelte den Kopf. »Nein, das stimmt nicht. Ich habe mich davon verabschiedet.« Sie konnte niemandem die Schuld dafür geben. Es war ihre Entscheidung gewesen, und sie hatte sich für das Realisierbare und gegen ihre Träume entschieden. Sie hätte Iains Geschäftsidee jederzeit ablehnen und erklären können, dass es nicht das war, was sie sich vorgestellt hatte. So war es doch, oder?

»Es ist nie zu spät«, sagte Mack.

Sie blickte von ihrem Handy auf und sah ihn aufmerksam an. Wie gut sie dieses Gesicht einmal gekannt hatte. Es war dasselbe Gesicht, und doch ein anderes. Kleine Runzeln zogen sich über seine Stirn, und in den äußeren Augenwinkeln hatte er Krähenfüße. Diese Augen! Augen von unvergleichlicher Farbe, Augen, die ein Tor zu seiner Seele zu sein schienen. Seine blassen Sommersprossen hatte sie auf dem Foto nicht erkennen können. Sie zogen sich über den Nasenrücken bis zur Mitte der Wangenknochen, unter denen sich ein Bartschatten abzeichnete. Unwillkürlich hielt sie den Atem an, als sich ihr Blick auf seinen Mund heftete, einen maskulinen, wunderschönen Mund wie aus dem Bilderbuch. Ohne auch nur eine Sekunde nachzudenken, stellte sie beide Dessertschälchen auf den Boden, hob dann die Hand und fuhr mit dem Zeigefinger die Konturen seiner Lippen nach.

Mack bewegte sich nicht. Er war zu keiner Regung fähig. Harris Berührung schien jede Faser seines Körpers zu erreichen und alles in ihm dazu zu drängen hervorzubrechen. Er schloss die Augen. So viele Erinnerungen, an ihre Worte, an

Pläne, über die sie gesprochen hatten, an jenes eine Videotelefonat, in das sie ein ganzes Leben gepackt hatten, so schnell waren die Worte aus ihnen herausgesprudelt. Da hatten sie noch nichts von den unmittelbar bevorstehenden dramatischen Veränderungen geahnt. Und doch hatte sie ihn erst aufgegeben, als er sie dazu zwang, sie wegstieß, sie behandelte, als ob sie der Feind wäre. *Es ist nie zu spät.* Und warum saß er dann regungslos und mit geschlossenen Augen da? Weil er den Zauber des Augenblicks nicht brechen wollte. Weil er fürchtete, zu weit zu gehen? Sie war die Liebe seines Lebens. Mit jedem Brief hatte er sich ein wenig mehr in sie verliebt, obwohl er nicht einmal wusste, wie sie aussah, und nachdem er sie gesehen hatte, war es restlos um ihn geschehen.

Er öffnete die Augen. Der orangerote Feuerschein wirkte gedämpft verglichen mit dem Leuchten ihrer Augen und dem Schimmer ihrer Wangen. Er hätte es nie für möglich gehalten, neben ihr sitzen zu dürfen, hätte nie davon zu träumen gewagt, dass sie seine Nähe zuließ. Er verzog die Lippen ein ganz klein wenig und registrierte dankbar, dass sie ihren Finger nicht wegnahm. Sein Herz schlug wie verrückt. Es gab zwei Möglichkeiten: Entweder er küsste ihren Finger, oder er ließ es sein. Sein männlicher Urinstinkt riet ihm zu Ersterem, aber ein anderer Teil von ihm, jener, der Recht von Unrecht zu unterscheiden vermochte, der wusste, was Respekt bedeutete, erkannte, dass seine Entscheidung ihre weitere Beziehung maßgeblich beeinflussen würde.

Er hob die Hand und umschloss ihre, legte sie auf sein Knie und seine beiden Hände fest darüber.

»Als ich in der Reha wieder laufen lernte«, begann er, »habe ich mir immer vorgestellt, dass du am anderen Ende des Raums stehst.« Er machte eine kleine Pause. »Wenn ich keine Kraft mehr hatte, wenn einfach nichts mehr ging, habe ich mir vorgestellt, wie du mich runtermachst, mich anschnauzt: ›Sei nicht so ein verdammtes Weichei!‹« Er hatte sich an einem britischen Akzent versucht, den er allerdings nicht besonders gut hinbekam. Harri lächelte trotzdem. Und sie hatte ihm ihre Hand nicht entzogen. Er liebkoste mit dem Daumen ihre Finger.

»Ich hätte wirklich da sein können«, sagte sie leise.

»Meinst du, ich würde nicht jede Sekunde an jedem einzelnen Tag daran denken?« Er schüttelte den Kopf. »Ich hätte deine Briefe nicht zurückschicken sollen. Ich hätte niemanden anstiften sollen, dich zu belügen. Ich hätte wenigstens offen und ehrlich zu meinem Entschluss stehen sollen. Es war nicht so, dass ich dich nicht sehen wollte. Ich wollte dich *immer* sehen.« Er drückte ihre Hand. »Aber ich hatte Angst davor, dass du *mich* siehst.«

»Mack ... da ist noch etwas anderes, nicht wahr? Es geht nicht nur um den Verlust deines Beins.« Sie griff nach seiner Hand, berührte mit den Lippen flüchtig seine Knöchel.

Er presste den Mund zu einer schmalen Linie zusammen, so wie immer, wenn einer seiner Therapeuten zu tief schürfte und an die Oberfläche dessen stieß, was wirklich dahintersteckte. Genau das hatte sie jetzt auch getan. »Harri.« Er atmete hörbar aus.

»Ich bin immer noch da«, wisperte sie. »Wenn du das möchtest.«

Er musste kräftig schlucken. Was wollte sie damit sagen? Sein Urinstinkt meldete sich vehement zurück. Am liebsten hätte er ihr den übergroßen Pulli vom Leib gerissen. Sie törnte ihn so sehr an, dass es wehtat. Doch darum ging es nicht. Psychisch war er aufs Schwerste angeschlagen, die seelische Belastung so enorm, dass er die Realität manchmal verzerrt wahrnahm. Doch darüber wollte er nicht reden. Mit niemandem.

»Genau das ist das Problem«, sagte er und zog seine Hand zurück. »Ich weiß nicht, wie viel von dem Ich, das du gekannt hast, noch da ist.«

Mehr konnte er ihr heute Abend nicht geben. Er stand auf, fuhr sich mit beiden Händen durchs Haar und atmete geräuschvoll ein. »Ich geh jetzt besser.«

Harri nickte. Ihre Augen verloren ihren Glanz. Das hatte er zu verantworten. Er ganz allein. Und wieder hatte er sie verletzt. Was er auch tat, es war immer verkehrt.

»Hey«, sagte er, »du hast mich doch gefragt, wie unser Cocktail eigentlich heißt.«

Sie schaute auf, sah ihn stumm an, mit einem Blick, als würde er sie einmal mehr in Stücke reißen.

»Harri Holidays. In Anlehnung an Happy Holidays, du weißt schon.« Er seufzte. »Ein alberner Name für einen Cocktail. Jetzt wo ich es laut ausgesprochen habe, merke ich es selbst. Ich werde jetzt einfach gehen.« Er wandte sich ab, doch sie stand auf und trat ihm in den Weg.

»Sei morgen um halb zehn hier«, sagte sie.

Das war keine Bitte. Er sah sie verwirrt an. Hatte er irgendetwas verpasst?

»Halb zehn«, wiederholte sie und legte ihre flache Hand auf seine Brust.

Konnte sie seinen rasenden Herzschlag spüren? Es war lange her, dass so viel Adrenalin durch seine Adern gejagt war.

Er räusperte sich. »Was soll ich anziehen?«

Jetzt war sie es, die ihn verdutzt ansah. Ihre Finger bewegten sich über sein Hemd.

Lass sie nicht gehen. Noch nicht.

»Ich meine, wenn wir uns körperlich betätigen wollen, dann … muss ich vielleicht eine andere Prothese tragen.«

Himmel, wie sich das anhörte! »Ich meine laufen oder so was.«

Sie lächelte. »Zieh was Warmes an und bring Scooter mit, wenn du möchtest.«

Er nickte. Zeit zu gehen. Wenn er noch länger blieb und sich an die Wärme ihrer Hand gewöhnte, würde es noch schwerer werden, sich loszureißen.

»Gute Nacht«, wisperte sie und ließ ihre Hand sinken.

»Gute Nacht.«

KAPITEL

FÜNFUNDVIERZIG

In Montauk

Es fühlte sich richtig gut an. Das Lenkrad des alten Ford unter ihren Händen, weihnachtliche Countrymusik aus dem Radio und ein Mann und sein Hund als wachsame Beifahrer. Wie eine Szene aus einem Countrysong. Die Stadt, die im Sommer mit Touristen überfüllt war, wirkte jetzt im Dezember so viel beschaulicher. Harriet streifte Mack mit einem flüchtigen Blick und konzentrierte sich dann wieder auf die Straße. In Jeans, einem dunkelblauen Strickpulli mit Zopfmuster und einer braunen Lederbomberjacke hatte er um halb zehn in der Bar gestanden. Das Lokal war mit Gästen, die zum Frühstück gekommen waren, gut besucht. Meryl Cheep hatte am Schal einer vorbeigehenden Frau gezupft, als wollte sie ihn verspeisen, und Ruby hatte Riley und Rufus in die Schule fahren müssen, weil die Frau, die eigentlich Fahrdienst hatte, nicht erschienen war. Madame Scarlet war daraufhin in der Küche für Ruby eingesprungen. Als Mack kam, hatte Joe ihn an der Tür begrüßt, als wollte er ihn an einen Tisch führen. Harriet, in Leggins, einem grauen Strickkleid und Mantel, hatte ihren Großvater nur mit Mühe davon überzeugen können, dass sie wirklich nicht zum Frühstück bleiben wollten. Joe war enttäuscht und alles andere als begeistert, als er die Schlüssel zu seinem Pick-up rausrücken sollte. Zu guter Letzt hatte Harriet ihm versprochen, dass Mack fahren würde, damit er sie endlich gehen ließ.

Mack hatte die Tüte mit gefüllten Donuts und Kaffeebechern zwischen seine Schenkel gestellt, während Harriet auf der Suche nach Kindheitserinnerungen durch die Stadt fuhr. Der Kaffee und die Donuts stammten aus einem winzigen Pop-up-Imbiss, der aussah, als wäre er direkt aus Lappland hierher verpflanzt worden. Die kleine Bude war mit Zuckerstangen und Lichtern und allerlei Weihnachtskrimskrams dekoriert. Nicht nur Essen und Getränke, auch die aufgehängten Adventskränze und Kübel voller Winterblumen konnte man kaufen. Harriet liebte diese Pop-up-Läden, wo im Sommer Slush-Eis und Smoothies und Muffins mit Eisfüllung verkauft wurden. Jetzt gab es dort heiße Gewürztees und alles Mögliche mit Cranberrys. In der Weihnachtszeit schienen es hier alle etwas ruhiger anzugehen, und die Einheimischen, die während der Saison fast pausenlos arbeiteten, nahmen sich eine wohlverdiente Auszeit. In Howards Autowerkstatt und Maggies Blumenladen hatten sie allerdings Kunden gesehen. Harriet nahm sich vor, einen richtigen Stadtbummel zu machen. Auch wenn es ohne ihre Großmutter nicht das Gleiche sein würde, einen Blumenstrauß oder irgendwelche Backzutaten auszusuchen, würde sie einen Weg finden müssen, damit umzugehen.

»Ich muss dich was fragen«, sagte Mack über die Musik hinweg. »Warum will dein Grandpa eigentlich nicht, dass du sein Auto fährst?«

Harriet grinste. »Dann hast du also noch keine Angst.«

»Du fährst zu schnell«, stellte er fest. »Aber irgendwie gefällt mir das.«

Sie hatte das Fenster heruntergedreht und streckte ab und zu die Hand hinaus, damit die kalte Luft zwischen ihren Fingern hindurchfließen konnte. Das hatte sie früher auch immer gemacht, wenn sie mit ihrem Grandpa unterwegs war, und er hatte immer gesagt, irgendwann werde sie ihre Finger verlieren, wenn ihnen ein großer Truck entgegenkäme.

»Ich habe seinen Rasenmäher kaputtgefahren«, gestand Harriet.

»Wie bitte?«, stotterte Mack und richtete sich so abrupt auf, dass die Kaffeebecher fast umgekippt wären.

»Hätte schlimmer sein können. Er hat den Rasenmäher nämlich geschoben. Aber sag selbst – wer mäht denn den Rasen hinter einem rückwärtsfahrenden Pick-up?«

»Du hättest Joe also fast über den Haufen gefahren«, sagte Mack kopfschüttelnd. »Halt an. *Ich* fahre.«

»Gib mir lieber meinen Kaffee, bevor du ihn noch verschüttest.«

»Solange du am Steuer sitzt, wirst du keinen Schluck trinken. Nicht wenn ich neben dir sitze!«

»Na, was meinst du?« Harriet blies ihren Atem in die frostige Luft. Sie hatten am Straßenrand geparkt und waren dann ans Meer hinuntergelaufen, das heute extrem aufgewühlt war. Die Brandung schäumte wie von einem Mixer gequirlt, hohe Wellen donnerten gegen den Strand. Vor dem Schild der Immobilienfirma, das ihr jetzt noch größer vorkam als beim ersten Mal, blieb Harriet stehen.

Seit sie ausgestiegen waren, hatte Mack kein Wort gesagt. Sie waren über den Sand geschlendert, und sie hatte ihm von den geplanten Ferienapartments erzählt und wie viel Geld sie damit verdienen könnten, zumindest Iains vorläufigen Berechnungen zufolge, die er ihr samt Tabellen und Tortendiagrammen per Mail geschickt hatte. Sie war noch nicht sicher, was sie selbst davon hielt, aber die grafische Umsetzung ließ seine Idee konkreter und durchführbarer erscheinen. Kein Hirngespinst, sondern ein realisierbares Projekt. Geschäftsmäßig, durchgeplant, strukturiert. Die Sprache ihrer Beziehung. Der Dialekt der vergangenen Jahre.

Scooter, ein Stück Treibholz im Maul, sprang an ihr hoch. Harriet nahm ihm den Stock ab und warf ihn, und der Hund flitzte freudig hinterher. Sie wandte sich seinem Herrchen zu, das immer noch nichts gesagt hatte.

»Mack? Was denkst du?«

»Was ich denke?« Er seufzte. »Tja, gute Frage.«

»Deine Meinung interessiert mich wirklich«, sagte sie. »Das ist ein großes Vorhaben. Ein Projekt in der Größenordnung haben wir noch nie angepackt, es ist nicht ganz ohne Risiko, aber …«

»Was ist passiert, Harri?« Mack sah sie an. »Zwischen gestern Abend, als du deine Hand auf mein Herz gelegt und von mit Eulen bestickter Bettwäsche geschwärmt hast, und jetzt, wo du von einem Trump-Hotel am Strand sprichst?«

Sie nagte an ihrer Unterlippe. Er hatte ja recht. Gestern Abend war sie der Mensch von damals gewesen – eine junge Frau, die die Scheidung ihrer Eltern relativ unbeschadet überstanden, die kleine, aber auf sie zugeschnittene Träume und Erwartungen hatte, der Zufriedenheit und Bescheidenheit wichtiger waren als Risiko und Komplikationen. Doch dieser Mensch war gezwungen gewesen, sich zu verändern, sich anzupassen: Anpassung und Herausforderung sicherten das Überleben. Denken statt träumen. Aber jetzt begannen diese Wertvorstellungen zu bröckeln wie ein schlecht gebautes Haus bei einem Erdbeben.

»Aber es hat doch positive Seiten, findest du nicht?«, fragte sie mit belegter Stimme.

»Für wen? Für was? Klar, damit würden Arbeitsplätze geschaffen, über die mancher hier froh wäre. Aber du hast mir gestern Abend von deinem Traum erzählt. Deinem Laden.

Und heute Morgen willst du das alles wegwerfen für einen Betonklotz mit Gemeinschaftspool?«

Mack kannte eine Seite von ihr, von der Iain nichts wusste. Das war das Problem. Iain hatte das selbstbewusste, glückliche Mädchen, das eine Schwäche für Pflegeprodukte mit Kokosnussduft hatte, aber Kokosnuss als Lebensmittel hasste, nie gekannt. Iain hatte die Führung in ihrer Beziehung übernommen, weil Harriet darauf angewiesen war, und diese Basis hatte all die Jahre funktioniert. Hatte sie Mack gebeten mit hierherzukommen, weil sie wusste, wie er reagieren würde, und genau das hören musste? Oder wollte sie herausfinden, ob ihr das Projekt so wichtig war, dass sie dafür eintreten und mit ihm darüber diskutieren würde?

»Ah, jetzt versteh ich«, sagte er unvermittelt. Er bückte sich, nahm Scooter den Stock ab und schleuderte ihn so weit er konnte.

Sie sah ihn stirnrunzelnd an. »Was?«

»Du willst, dass ich dir die Entscheidung abnehme.« Er nickte und musterte sie mit einem Blick, als hätte sie die Maske fallen lassen und gezeigt, dass sie für alle Probleme auf dieser Welt verantwortlich war.

»Das stimmt nicht«, erwiderte sie kopfschüttelnd.

»Nein? Du stehst also voll und ganz dahinter? Du willst diesen wunderschönen Strandabschnitt mit einem hässlichen Klotz zupflastern? Sieh dich doch um, Harri!« Er breitete die Arme aus. Der Wind bauschte seine Jacke, und in diesem Moment erinnerte er sie ein klein wenig an einen Adler. Die Leidenschaft, mit der er gegen das eintrat, was für sie vielleicht das Richtige sein könnte, irritierte sie. *Sein könnte*. Es war das Richtige für Iain.

»Wenn wir es nicht kaufen, kauft es jemand anders«, wandte sie ein.

»Wow!« Mack ließ die Arme sinken. »Ganz ehrlich ... wow.«

»Ich weiß nicht, was ich machen soll!«, brach es aus ihr hervor. »Du hast ja recht! Ich weiß nicht, wer ich bin!«

Plötzlich strömten ihr die Tränen übers Gesicht. Der ganze Kummer, die Erschöpfung, ihre Unsicherheit brachen aus ihr heraus.

Von Schluchzern geschüttelt, krümmte sie sich. Scooter sprang an ihr hoch, wollte ihr das Gesicht lecken. Sie wollte ihn nicht streicheln. Sie wollte sich in den Sand werfen und weinen, bis sie keine Tränen mehr hatte. Mack war näher getreten, sie spürte es mehr, als dass sie es sah.

»Du weißt genau, wer du bist«, sagte er mit Bestimmtheit. »Du musst nur den Mut haben, nicht auf andere zu hören und dich nicht von ihnen beeinflussen zu lassen.«

»Als ob das so einfach wäre«, schniefte sie.

»Das ist verdammt einfach, glaub mir. Wenn du im Staub und Dreck gelegen und auf den Tod gewartet hast, rückt das den ganzen Mist, den andere reden, in die richtige Perspektive.«

Plötzlich kam sie sich wie die größte Egoistin vor. Was sollte dieses Selbstmitleid? Sie schüttelte den Kopf und wischte sich mit dem Mantelärmel über die Augen. »Entschuldige.«

»Nein!«, schrie Mack erbost. »Du sollst dich nicht entschuldigen, verdammter Mist! Du sollst fühlen, was immer du fühlen willst. Und dich nicht dafür entschuldigen. Niemals.«

Sie hielt den Atem an, während sie beobachtete, wie er versuchte, sich zusammenzureißen. Sie wäre so gerne zu ihm getreten, hätte so gern gespürt, wie er seine Arme um sie legte.

»Ich werde dir nicht sagen, was du fühlen sollst, Harri. Egal, um was es geht. So ein Typ bin ich nicht.«

»Aber?«

»Kein Aber. Das ist alles.« Er zuckte mit den Schultern, beruhigte sich ein wenig. »Falls du mich hierhergebracht hast, damit ich dir sage, du sollst die Finger von diesem Block lassen, den Iain in seinem Kopf schon gebaut hat, muss ich dich enttäuschen.« Er seufzte. »Aber ich werde dir etwas anderes sagen: Für mich warst du immer schon der Star deiner eigenen Show.« Er hob Scooters Stock auf. »Lass nicht zu, dass irgendjemand dich zur Statistin degradiert.«

Er wandte sich zum Gehen.

Harriet nagte an ihrer Unterlippe und dachte über seine Worte nach.

»Mack!«

Er drehte sich um. Scooter sprang aufgeregt auf und ab.

»Sehen wir zu, dass wir von hier wegkommen, bevor die Maklerin aufkreuzt!«

Fort Pond

Mack beobachtete, wie Harri die Bierflasche an den Mund setzte und einen Schluck nahm. Er stellte sie sich in der Sommerhitze in abgeschnittener Jeans und einer leichten, dünnen Bluse vor. Doch es war Winter, es schneite, und sie waren beide in dicke Mäntel eingepackt und trugen Mützen. Während der Saison wimmelte es auf dem See von Booten, von der Luxusjacht bis hin zu winzigen Ruderbooten, und als Bootsführer musste man höllisch aufpassen, um Zusammenstöße zu vermeiden. Jetzt schien der Fort Pond Macks privater Spielplatz zu sein: Abgesehen vom gelegentlichen Angeltrip fanden keine Bootstouren statt, und die Einheimischen waren froh, den See für sich zu haben und nicht ständig auf Schwimmer achten oder befürchten zu müssen, mit einer teuren Jacht zusammenzustoßen.

»Du hast mir gar nicht gesagt, dass du noch ein Boot hast.« Harri stellte die Flasche ab und hielt ihre Angelrute mit beiden Händen.

»Das hier ist ein Erbstück.«

»Und deshalb zählt es nicht, oder was?«

Er lächelte. Dieses Boot, ein eher schlichtes, war sein kleinstes, der Platz reichte kaum für zwei Personen, aber es war perfekt zum Angeln. Und Harri hatte sich gewünscht, zum Angeln rauszufahren.

»Okay, ich geb's zu, ich besitze eine ganze Flotte.«

Da musste sie lachen, und er liebte es, sie lachen zu hören. Vielleicht lag es am Alkohol – obwohl das erst ihr zweites Bier war –, vielleicht auch an ihrem Sprint über den Sand, als sie vor einer gewissen Denise geflüchtet waren, die ihnen von ihrem Auto aus etwas zugebrüllt hatte. Seinem Bein war das Rennen nicht so gut bekommen, aber er hatte lachen müssen, bis ihm der Bauch wehtat, und Scooter hatte vor Aufregung gefiept, als er nebenher geflitzt war und unbedingt vor ihnen am Pick-up sein wollte. Vielleicht lag es auch daran, dass sie darauf bestanden hatte, ihr Handy auf der *Warrior* zu lassen.

»Wie lange dauert es eigentlich, bis einer anbeißt?«

»Wir sind gerade mal eine Stunde hier draußen. Langweilst du dich schon?«

»Überhaupt nicht!«

»Du warst früher doch auch angeln. Du hast einen zwei Pfund schweren Barsch gefangen, den dein Grandpa für dich gekocht hat.« Er schüttelte den Kopf. »Und ich hatte keine Ahnung, dass Joe dieser Grandpa ist.«

»Siehst du, jetzt kannst du dir die Szene noch viel besser vorstellen. Das damals war übrigens das letzte Mal.«

»Und warum?«

Sie zuckte die Achseln. »In England ist Angeln nicht so populär wie hier in den Staaten.«

»Ich bin immer gern angeln gegangen. Aber heute geht es weniger darum, etwas zu fangen, als mein inneres Gleichgewicht zu finden.« Mack verstummte. Hörte sich das albern an? Aber immerhin stimmte es. »Das war ungefähr das einzig Gute, was mein Dad mir beigebracht hat. Wir sind immer runter zum Carnegie Lake, bepackt mit einem Sixpack für ihn und ein paar Flaschen Coke für mich, mit Brot und einem Riesenstück Käse, und dann saßen wir den ganzen Tag da und hängten unsere Ruten ins Wasser.« Er lächelte bei der Erinnerung. »Es gab Tage, da fingen wir überhaupt nichts.«

»Das hast du mir nie erzählt«, bemerkte Harri. Als sie sich ein wenig anders hinsetzte, begann das Boot zu schaukeln.

»Nein, von meinen Eltern hab ich dir so gut wie nichts erzählt. Nicht einmal die paar positiven Dinge.«

»Warum nicht?«

»Weil sie mir gleichgültig waren«, erwiderte Mack achselzuckend. »Sind sie immer noch.«

»Wissen sie …«

Der Satz hing in der Luft, aber er wusste, was sie sagen wollte, und es wurmte ihn ein bisschen, dass sie die Dinge nicht beim Namen nannte.

»Entschuldige«, fuhr sie fort. »Ich dachte, es hätte einer angebissen. Ich wollte sagen: Wissen deine Eltern, dass dir ein Unterschenkel abgenommen wurde?«

Er lächelte in sich hinein. Sie nannte die Dinge also doch beim Namen. »Ja, sie wissen es. Aber wir haben keinen Kontakt mehr.«

»Und warum nicht?«

»Weil sie von der Amputation wissen.«

»Was? Das ist der Grund?«

Nicht der einzige. Es steckte mehr dahinter, sehr viel mehr. Aber wo anfangen? Manchmal war es besser, die Vergangenheit ruhen zu lassen. Sein Therapeut würde widersprechen, aber der widersprach ihm grundsätzlich. Wie sollte er das Gefühl beschreiben, immer ein Fremder in der eigenen Familie gewesen zu sein? Ein Fremdkörper? Wieso hatte er es für eine gute Idee gehalten zurückzukehren? Von dem Tag an, als er alt genug gewesen war, sich nicht mehr an ihre Regeln halten zu müssen, hatte es keinen Sinn mehr gemacht.

»Was soll ich sagen, wir sind einfach zu verschieden«, antwortete er und zuckte erneut mit den Schultern.

»Mit mir und meinen Eltern ist es genau das Gleiche«, seufzte Harri. »Manchmal frage ich mich, wie wir verwandt sein können. Meine Mum ist so selbstbezogen, dass ich nicht weiß, ob sie mich überhaupt von sich aus anrufen würde. Und mein Dad …« Wieder seufzte sie. »Eigentlich war er mir immer schon ein Rätsel.«

»Hey.« Mack stieß sie sanft mit seiner Bierflasche an. »Irgendwas müssen sie alle gehabt haben. Sonst hätten sie nicht so jemanden wie uns hervorgebracht, stimmt's?«

»Gutes Argument.« Harri nickte. »Und ich … hoppla!« Sie kam schwankend auf die Füße, und das Boot kippelte.

»Was ist los?«

»Ich glaub, da hat einer angebissen! Scheint ein ziemlich großer zu sein.«

»Okay.« Mack stand ebenfalls auf und bewegte sich vorsichtig auf sie zu. »Bleib ganz ruhig.«

»Ich *bin* ganz ruhig«, erwiderte Harri. »Wieso sollte ich nicht ruhig sein? Was ist das? Doch hoffentlich kein Alligator, oder?«

»Unsinn. Madame Scarlet verbreitet dieses Märchen im Sommer nur, wenn die Teenager auf dem Wasser zu wild sind.«

»Was? Das hat sie mir nie erzählt!«

»Vielleicht warst du ja ein braves Mädchen«, bemerkte Mack trocken.

»Erst *Der Weihnachtsmann und der Pirat* und jetzt das! Ich hab das Gefühl, mein ganzes Leben ist eine einzige Lüge! Ich bin hysterisch, nicht wahr? Seit jenem Barsch damals habe ich keinen Fisch mehr aus dem Wasser gezogen! Was soll ich denn jetzt machen?«

»Hör mit dem Geschrei auf!«, befahl Mack. »Sonst verscheuchst du ihn und alle anderen Fische auch.«

»Die Schnur spannt sich!«

Mack legte von hinten die Arme um sie und hielt den Rutengriff mit beiden Händen fest. »Jetzt bleib mal locker. Der Weiße Hai ist das bestimmt nicht. Der war erstens nicht echt, und zweitens gibt es in einem See keine Haie.«

»Okay.« Harriet atmete zitternd aus.

Mack runzelte die Stirn, als er ein klein wenig an der Schnur zog. »Keine Reaktion. Merkwürdig.«

»Die Schnur hat sich aber gestrafft!« Sie riss erschrocken die Augen auf. »Der Haken wird sich doch nicht am Kiel verfangen haben, oder?«

»Keine Ahnung. Aber ein lebender Fisch würde sich wehren.«

»Wenn es kein Fisch ist, was dann? O mein Gott, es wird doch keine Leiche sein!«, rief sie entsetzt.

»Immer mit der Ruhe, Columbo. Wahrscheinlich ist es ein Einkaufswagen, mit dem Rufus oder Riley herumgefahren sind, bevor sie ihn im See versenkt haben.« Er nahm ihr die Rute aus der Hand. »Ich versuche, den Haken zu lösen, und du schnappst dir den Kescher.«

Harriet bückte sich nach dem Kescher mit dem roten Griff, der für eine große Forelle ausgelegt war, aber sicherlich nicht für einen Einkaufswagen oder – Gott bewahre! – für eine Leiche.

»Ich hab's«, sagte Mack, der die Schnur behutsam einholte. »Komm her mit dem Kescher.«

Es war zwar nur ein Schritt, aber Harriet bewegte sich mit äußerster Vorsicht, um nicht das Gleichgewicht zu verlieren und das Boot zum Kentern zu bringen. Als sie neben

Mack stand, sah sie eine rechteckige Wellenspur im Wasser. Schließlich hatte er den Gegenstand so weit herangezogen, dass sie erkennen konnte, was es war.

»Eine Kiste!«, brummte sie enttäuscht.

»Hol sie rein mit dem Kescher, bevor sich der Haken löst. Sie sieht alt aus.«

»Eine Schatzkiste wird's nicht sein.« Ächzend beugte sie sich vor und tauchte den Kescher ins Wasser. Als sie das Kästchen herausheben wollte, verlor sie das Gleichgewicht. »Mack! Das Boot! Ich kann mich nicht halten!«

Sie hätte beinahe gewimmert wie eine verzweifelte Zeichentrickfigur. Bevor sie irgendwie reagieren konnte, plumpste sie auch schon mit dem Hinterteil auf den Holzboden. Mack wurde mitgerissen, und sie kippte nach hinten und schlug sich den Kopf an seinem Bein an. Dem künstlichen Teil.

»Alles in Ordnung?«, fragte er und versuchte, ihr ein wenig Platz zu machen.

»Ja, nichts passiert.« Sie atmete tief durch und war froh, dass keiner von ihnen im eisigen Wasser gelandet war. Der Kescher lag auf ihrer Brust und tropfte sie voll. Die teilweise mit Algen bewachsene Holzschatulle trug geschnitzte Ornamente. Blumen? Sterne?

»Was ist das?« Mack beugte sich über sie und betrachtete ihren Fang.

»Ich habe keinen blassen Schimmer.«

»Sieht irgendwie seltsam aus. Lass uns mit dem Ding zu Madame Scarlet gehen«, schlug er vor.

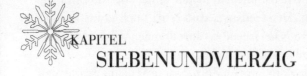

KAPITEL

SIEBENUNDVIERZIG

Das Haus von Madame Scarlet

Harriet saß zwischen einem lebensgroßen Nussknackersoldaten und einem Stapel Zierkissen, so dick und weich, dass sie sich für die berühmte Prinzessin auf der Erbse eignen würden, auf dem Sofa. Madame Scarlets Hände lagen auf dem mittlerweile abgetrockneten Kästchen aus dem See. Die Augen geschlossen summte sie leise vor sich hin. Sie hatten es geöffnet, aber außer aufgeweichtem Papier von schlammigem Braun nichts darin gefunden.

»Sind die Nüsse zum Essen da?«, fragte Mack, der auf einem Barhocker an der Frühstückstheke zur Küche hinüber saß. »Oder nur zur Dekoration?«

»Psst!«, zischte Madame Scarlet. »Wie soll ich Kontakt zu dem Geist aufnehmen, der an diesen Gegenstand gebunden ist, wenn du mich andauernd störst!«

»Sorry«, flüsterte Mack, griff dann zu dem Nussknacker neben der Schale und fing an, Walnüsse zu knacken.

»Das ist ein altes Stück«, murmelte Madame Scarlet und wiegte den Kopf hin und her. »Möglicherweise noch aus der Zeit des Unabhängigkeitskriegs.«

»Um was könnte es sich handeln?«, fragte Mack.

»Psst!«, machte Harriet.

Manche Leute in Montauk glaubten nicht an Madame Scarlets angebliche Fähigkeiten, aus der Hand zu lesen oder Auren zu erspüren. Harriet wusste selbst nicht so genau, was sie von Übersinnlichem halten sollte, aber sie *wollte* daran glauben. Der Gedanke, dass es da noch etwas anderes gab, dass ihre Nana irgendwo dort draußen war und über sie wachte, hatte etwas Tröstliches.

»Ich fühle Zorn, großen Zorn«, sagte Madame Scarlet und fing an, Geräusche von sich zu geben wie eine Dampflok: »Tschu-tschu. Tschu-tschu.«

Harriet sah Mack an. Der hielt im Kauen inne und fragte: »Hat man früher so geredet?«

»Und Traurigkeit«, fuhr Madame Scarlet fort. Sie presste die Fingerspitzen fest auf das Holz und schaukelte mit dem Oberkörper vor und zurück.

Harriet musste gar nicht hinsehen, um zu wissen, dass Mack die Augen verdrehte. Scooter, der neben dem viel zu großen Christbaum schlief, grunzte. Zyniker, alle beide!

Madame Scarlet riss unvermittelt die Augen auf. »Ich habe keine Ahnung, wem die Schatulle gehören könnte.«

»Na ja, hätte ja sein können«, sagte Harriet. »Ich meine, sie ist wirklich schön, irgendjemand muss sie doch vermissen.« Und wie war sie in den See gekommen?

»Häng doch Plakate in der Stadt auf«, spottete Mack. »Vielleicht meldet sich der Eigentümer.«

»Mach du dich nur lustig darüber, Mackenzie, aber du weißt selbst, dass Mrs Willis das Medaillon ihres verstorbenen Mannes nur dank der Anzeige im Wochenblatt wiedergefunden hat.« Madame Scarlet hob ihren Zeigefinger, als hätte sie gerade einen Gedanken aus höheren Sphären empfangen. »Wir können beim Muschelessen heute Abend doch ein Foto herumzeigen.«

Mack hätte sich fast an einem Stück Walnuss verschluckt. Er hustete und krächzte: »Das Muschelessen ist *heute Abend*?«

Madame Scarlet gab einen missbilligenden Laut von sich. »Besitzt du eigentlich einen Kalender, Mackenzie? Dass Weihnachten am fünfundzwanzigsten ist, weißt du aber schon, oder?«

»Ja, weiß ich.« Und das bedeutete, dass das Muschelessen am Strand definitiv heute Abend stattfand und er in der Klemme steckte. Was sollte er jetzt tun?

Ein Klingeln übertönte die dezente Weihnachtsmusik im Hintergrund. Harri stand auf und fischte ihr Handy aus der Tasche ihrer Jeans.

»Hallo? … Warte kurz.« Sie nahm das Telefon vom Ohr, stieg über Scooter und sagte an Mack und die Wahrsagerin gewandt: »Meine Freundin Jude. Bin gleich wieder da.« Sie verließ das Wohnzimmer und gleich darauf das Haus.

Madame Scarlet drehte sich zu Mack herum. »In was hast du dich jetzt wieder reingeritten?«

»Wer, ich?« Er starrte sie entgeistert an.

»Mackenzie, Schätzchen, als ich das Muschelessen erwähnt habe, konnte ich es dir von der Nasenspitze ablesen, dass etwas nicht in Ordnung ist.«

Er sackte in sich zusammen und atmete geräuschvoll aus. »Woher wissen Sie so was bloß immer?«, knurrte er. »Na ja, kann sein, dass ich in der Hitze des Augenblicks jemanden dazu eingeladen habe, im September, glaube ich. Und dieser Jemand hat mich auf der Weihnachtskreuzfahrt darauf angesprochen und gesagt, wie sehr er sich darauf freut, und ich habe überhaupt nicht mehr daran gedacht. Bis jetzt.«

Madame Scarlet schüttelte den Kopf. »Wendy Timmons.« Es war eine Feststellung, keine Frage.

»Ja.« Er wusste selbst nicht mehr genau, wie es dazu gekommen war. Wendy und Matty waren Anfang Herbst auf den Anlegesteg spaziert, Matty hatte mit Scooter gespielt, und ehe Mack sichs versah, hatte er eine Verabredung für das jährliche Muschelessen.

»Und das ist ein Problem, weil …«

Weil er jede Sekunde mit Harri verbringen wollte. Ob es nun richtig war oder falsch war. Ob er nun ernstere Absichten hatte oder nicht. Das war alles, was er wollte. Zugeben konnte er das allerdings nicht.

»Das ist überhaupt kein Problem«, beharrte er.

»Aber?«

Madame Scarlet musterte ihn, als könnte sie direkt in sein Innerstes sehen. Er hoffte inständig, dass das nicht der Fall war. Sonst steckte er in echten Schwierigkeiten. »Nichts aber.«

»Ach, Mackenzie!« Madame Scarlet schüttelte den Kopf. »Ich bin nicht blind. Ich bekomme doch mit, wie du Joanna ansiehst.«

Die Röte schoss ihm ins Gesicht. Eigenartig, aber wenn es um Harri ging, konnte man offenbar in ihm lesen wie in einem offenen Buch. Er schwieg. Was hätte er darauf auch sagen sollen?

»Du denkst, sie ist vergeben«, fuhr Madame Scarlet fort. »Du denkst, sie ist mit diesem Iain zusammen.«

Er stupste die Nüsse in der Schale an.

»Ist sie nicht. So viel kann ich dir sagen.«

Er blickte auf. »Sieht mir aber ganz danach aus.« Harri hatte ihm doch gerade erst dieses Strandgrundstück gezeigt, das Iain mit ihr gemeinsam kaufen wollte.

»Eine Frau ist ein kompliziertes Wesen, Mackenzie, und ich weiß nicht, wie viel Erfahrung du auf diesem Gebiet hast, aber …«

»Hoppla!«, rief er. Eine Paranuss stieß klappernd gegen den Schalenrand. »Ich werde hier nicht mein Liebesleben mit Ihnen diskutieren.«

»Es geht nicht um dein Liebesleben, sondern um das von Joanna.«

Mack starrte den Nussknacker an, als fürchtete er, er könnte sich in etwas anderes verwandeln. Es genüge ihm zu wissen, dass Iain gut zu ihr war, hatte er zu Harri gesagt, aber das war nicht die ganze Wahrheit. Harri hatte mehr als das verdient. Hätte er noch einmal die Chance, würde er ihr den Mond und die Sterne vom Himmel holen und jeden verdammten Fisch im See für sie fangen.

»Iain berührt ihre Seele nicht«, fuhr Madame Scarlet fort.

Bevor Mack dazu kam, auch nur zu atmen, redete sie weiter.

»Widersprich mir nicht! Ich habe in diesen Dingen mehr Erfahrung als du, glaub mir. Joanna liebt diesen Mann nicht. Und ich habe auch nicht den Eindruck, dass er sie liebt.«

Mack schüttelte den Kopf. »Woher wollen Sie das wissen?« Wieso sollte Iain sie nicht lieben? Harri musste man einfach lieben. Sie hatte ein sanftes, schüchternes Wesen, aber er wusste, dass in ihrem Inneren ein Feuer brannte und sich in ihrer wunderschönen, reinen Seele eine unbändige Liebe zum Leben verbarg.

»Aber das muss sie selbst herausfinden.« Madame Scarlet legte ihre Hände wieder auf die Holzschatulle.

»Und warum führen wir dann diese peinliche Unterhaltung?«

»Weil du bereit sein musst«, sagte sie sachlich.

»Bereit wofür?« Mack sah sie an.

»Sie aufzufangen, wenn sie fällt. Denn dieses Mal wird das *deine* Aufgabe sein.«

Madame Scarlet blickte ihm in die Augen. Eine Empfindung, von der Mack nicht sagen konnte, ob es Hitze oder Kälte war, raste durch ihn hindurch. Die Wahrsagerin wusste

Dinge, die sie nicht wissen sollte. Sie schien den Deckel von seiner Seele gerissen zu haben und sie gründlich zu inspizieren.

Die Haustür ging auf. Mack konnte gerade noch eine unverfängliche Miene aufsetzen, da trat Harri bereits ins Zimmer. Ihre Wangen waren ein wenig gerötet.

»Alles in Ordnung?«, fragte er.

»Ja, ja, alles bestens. Aber ich muss zurück. Ich sollte nach Grandpa sehen.«

Mack musste keine übersinnlichen Fähigkeiten haben, um an ihrer Körpersprache zu erkennen, dass etwas nicht stimmte. Wer hatte wirklich angerufen?

»Denk an heute Abend, Liebes«, sagte Madame Scarlet. »Bei Sonnenuntergang geht's los. Ditch Plains Beach. Getränke musst du selbst mitbringen. Und eine Sitzgelegenheit und Decken. Essen und Musik werden dieses Jahr von Randy's Trailers zur Verfügung gestellt.«

»Ich weiß noch nicht«, sagte Harri zögernd. »Es gibt so viel Arbeit nachzuholen. Erst die Beerdigung und dann die beiden Wettbewerbe im Weihnachtsbaumschmücken und Cocktailmixen, die Wohltätigkeitsauktion steht auch noch an, und … Da hab ich alles andere ein bisschen vernachlässigt.«

Mack biss sich auf die Unterlippe. Etwas musste vorgefallen sein, wer auch immer der Anrufer gewesen sein mochte. Das war nicht mehr die Harri, mit der er zum Angeln hinausgefahren war.

»Du *musst* kommen, Schätzchen!« Madame Scarlet erhob sich. »Das Ditch-Plains-Muschelessen gehört zur Adventszeit wie der Christbaum zu Weihnachten! Deine Nana liebt es und …« Sie verstummte abrupt. »Ich wollte sagen …«

»Schon gut.« Harri lächelte. »Mal sehen.«

Er sollte ihr anbieten, sie zu begleiten. Er könnte bei Wendy vorbeischauen, ihr irgendeine Ausrede auftischen und … Nein, so war er nicht. Wenn er etwas versprach, hielt er sich auch daran, und er wollte Matty nicht enttäuschen.

»Okay.« Harri holte tief Luft. »Dann mache ich mich mal auf den Weg.«

»Ich komme mit.« Mack rutschte von seinem Hocker.

»Nein, lass nur«, erwiderte sie. »Aber danke für die Angellektion.«

»Gern geschehen.« Er spürte, wie sie ihm entglitt.

»Bis dann«, rief sie Madame Scarlet zu, als sie schon auf dem Weg zur Haustür war, die Sekunden später hinter ihr ins Schloss fiel.

Das Rum Coconut

Harriet kaute auf einem Stift herum und schaute durch die zweiflügelige Glastür auf den Strand und das Meer. Die Wellen donnerten heute Abend nicht mehr ganz so zornig gegen das Ufer, und die Schneewolken hatten sich verzogen. Aber es würde kalt werden, wenn der Himmel so aufklarte. Wie viel anders es im Dezember doch war als im Sommer! Dann war der Strand besetzt mit Sonnenanbetern auf Handtüchern unter bunten Schirmen oder in Liegestühlen, Volleyballspielern und Leuten, die sich an der Bude, die das Rum Coconut jeden Juni aufstellte, ein Eis kauften. Um diese Jahreszeit gehörte der Strand den Einheimischen, die ihre Hunde ausführten, Strandgut sammelten, Drachen steigen ließen und den Zeiten nachtrauerten, als dieses Fleckchen noch kein Touristenhotspot war.

»Jo-anna! Jo-anna!«

Sie hatte den Papagei mit an den Tisch gebracht, damit sie nicht behelligt wurde und ungestört arbeiten konnte. Als sie zurückgekommen war, hatte sie erst einmal geduscht, um den Geruch von Seewasser und nassem Holz loszuwerden. Danach hatte sie sich mit ihrem Laptop aufs Bett gesetzt und war einige Kostenvoranschläge für neue Fußböden in einem ihrer Häuser durchgegangen. Sie arbeitete konzentriert, um sich von dem Telefonat abzulenken, das sie draußen vor Madame Scarlets Haus geführt hatte. Es war nicht Jude gewesen, die angerufen hatte, sondern Iain. Und er war wütend gewesen.

Seufzend lehnte sie sich zurück. Denise hatte ihn telefonisch über den geplatzten Termin zur Besichtigung des Strandgrundstücks informiert. Sie hatte versucht, ihm zu erklären, dass sie ja dort gewesen war, aber er hörte gar nicht zu. Er hatte gemeint, wie »kurzsichtig« sie doch sei, und von einem »Fünfjahresplan« und irgendwas von »Dynamik« erzählt. Was für ein blödes Wort! Was sollte man sich denn darunter vorstellen? Wie sah das Weltbild eines dynamischen Menschen aus?

Dass Iain selten wütend wurde, machte alles nur noch schlimmer. Er war leicht genervt, wenn er im Stau stand. Er war ein bisschen sauer, wenn sie bei einer Versteigerung nicht den Zuschlag bekamen, aber richtig wütend war er nie. Diese Ausgeglichenheit hatte ihr geholfen, ins Leben zurückzufinden. Normalerweise vertraute Harriet seinem Urteil und unterstützte ihn, wenn er Feuer und Flamme für ein bestimmtes Objekt war. Doch seine Pläne für die Ferienanlage behagten ihr ganz und gar nicht. Als sie ihn auf die finanzielle Belastung hinwies, hatte er entgegnet, man könne ja Darlehen aufnehmen, und ein gewisses Risiko trage man als Unternehmer immer. Sie hatte ihn reden lassen und sich irgendwann gefragt, ob er diese Entscheidung möglicherweise allein treffen würde. Das war das erste Mal, dass sie um Welten auseinanderlagen. Was würde geschehen, wenn sie keinen Kompromiss fanden?

»So, bitte sehr!«

Ruby knallte ein Glas mit einer schillernden, farbigen Flüssigkeit, einem Strohhalm darin und einem Papierschirmchen mit Rentieren darauf vor sie hin.

»Was ist das?«, fragte Harriet verwundert.

»Karotten- und Apfelsaft. Du sitzt seit Stunden an deinem PC. Wenn du nichts für deine Augen tust, wirst du noch blind.«

»Und warum die Tarnung als Cocktail? Ich bin doch nicht Rufus oder Riley«, erwidert sie lächelnd.

»Ja, gesundes Zeug riechen die beiden meilenweit und machen sich dann aus dem Staub, so schnell sie können.«

Harriet trank einen Schluck. »Hm, lecker!«

»Weiß ich. Ich mache nichts, was nicht lecker ist.« Ruby ließ sich auf den Stuhl gegenüber fallen und griff nach dem Maklerexposé, das Harriet studiert hatte. »Was ist das? Willst du dir hier ein Haus kaufen?«

Sie schüttelte schnell den Kopf. »Nein.«

Ruby runzelte die Stirn, als sie eine handschriftliche Notiz entzifferte. »Was ist ein Hektar?«

Harriet seufzte. Vielleicht würde es ihr Gedankenkarussell stoppen, wenn sie darüber redete. »Ein Flächenmaß. Es geht um ein Grundstück.«

Ruby stieß einen leisen Pfiff aus. »So viel Kohle hast du?« Sie fächelte sich mit den Unterlagen Luft zu. »Das ist ein ganz schöner Batzen.«

»Ich weiß.« Sogar in Dollar flößten ihr die Zahlen Angst ein. »Und nein, ich hab nicht so viel Kohle.«

»Und was willst du dann mit dem Zeug?« Ruby tippte mit der Fingerspitze auf das Exposé.

Harriet seufzte erneut und schaute zu, wie Meryl Cheep auf ihrem Käfig mithilfe ihres Schnabels ein bisschen näher kletterte. »Iain will das Grundstück kaufen und eine Art Ferienanlage darauf bauen.«

»Soll das ein Witz sein? Hat er in der Lotterie gewonnen? Oder ist er versehentlich mit dem Kopf gegen die Wand gerannt?«

»Weder noch.«

»Genau da, auf diesem Stück Strand?« Ruby zeigte auf das Foto.

»Genau da.« Harriet machte eine resignierte Handbewegung. »Ja, ich weiß.«

»Was weißt du?« Joe, in dickem Wintermantel und Mütze mit Schaffellohrenklappen, trat an ihren Tisch. Er hatte eine karierte Decke über dem Arm.

Harriet warf Ruby einen warnenden Blick zu, doch da posaunte die bereits:

»Iain will Bates Motel am Strand bauen!«

»Das ist bloß so eine Idee«, sagte Harriet hastig und beobachtete Joes Gesichtsausdruck. »Manchmal kommt ihm was in den Sinn, und dann arbeitet er mit Hochdruck daran, doch genauso schnell verliert er wieder das Interesse daran.«

So war Iain ganz und gar nicht. Iain hatte eine Idee, informierte sich mit einer ans Zwanghafte grenzenden Gründlichkeit und zog die Sache dann durch.

»Wo ist das?« Joes knorrige Finger griffen nach dem Exposé. »Ah ja, jetzt weiß ich.«

In Harriets Kopf schrillte die erste Alarmglocke. Sie beugte sich ein wenig vor. »Ehrlich?«

»Na klar.« Joe schnaubte verächtlich und ließ die Unterlagen auf den Tisch fallen. »Nur ein Idiot würde dort bauen.«

»Finde ich auch.« Ruby verschränkte die Arme auf der Brust. »Das ist ein Naturstrand, solange ich zurückdenken kann. Rufus und Riley können dort herumtoben, ohne dass es irgendjemanden stört.«

»Und es gibt einen guten Grund dafür«, sagte Joe. »1938 ist dort ein komplettes Dorf vom Neuengland-Hurrikan zerstört worden.«

Vom was? Harriet wusste, dass es hier ordentlich stürmen konnte, aber ein Hurrikan? »Davon hab ich noch nie …«

»Mein Vater hat mir davon erzählt«, fuhr Joe fort. »Der Sturm erreichte Windstärken von hundertzehn Meilen pro Stunde. Das Meer hat nicht nur das Fischerdorf weggespült, auch Schiffe kenterten, Fischer kamen nie wieder zurück, die Bahngleise wurden überflutet.«

»Dort kann also nichts gebaut werden?«, fragte Harriet, um ganz sicherzugehen.

»Das hab ich nicht gesagt. Dem Restaurant dort ist seit dreißig Jahren oder mehr nichts passiert. Aber solche Naturkatastrophen ereignen sich nun mal in gewissen Abständen, und mir wäre das Risiko zu groß.«

Ob Iain das überzeugen könnte, seine Pläne fallen zu lassen? Welche Versicherung würde für ein Objekt an so einem Ort haften wollen? Selbst wenn, wie hoch wäre dann die Prämie? Und was, wenn tatsächlich noch einmal so ein Monstersturm aufzog?

»Okay. Kommst du?« Ruby stand auf.

Harriet sah sie verdutzt an. »Wohin?«

»Zum Muschelessen am Strand, Joanna«, antwortete Joe und zupfte an seinen Ohrenklappen. »Wir gehen alle.«

»Alle? Und was ist mit der Bar?«

»Die wird heute Abend geschlossen«, sagte Joe. »Deine Nana hat immer darauf bestanden. Es würde sowieso keiner kommen. Die ganze Gemeinde trifft sich dort am Lagerfeuer.« Er grinste. »Ruby fährt den Pick-up, wir sammeln auf dem Weg zum Strand Rufus und Riley ein. Die beiden wollen immer auf der Ladefläche sitzen, wir haben also die ganze Fahrerkabine für uns.«

»Lester hat mein Auto und wird Madame Scarlet abholen«, sagte Ruby. »Alles schon arrangiert!«

Ruby durfte den Ford also fahren. Das wurmte Harriet ein bisschen. Sie sollte hierbleiben, weiterarbeiten und mit Iain sprechen. Wenn er erfuhr, was Joe über das Grundstück erzählt hatte, würde er es sich vielleicht noch mal überlegen.

Andererseits war so ein Muschelessen am Strand eine tolle Sache, und in der Vorweihnachtszeit hatte sie noch nie daran teilgenommen.

»Kann ich mich noch umziehen?«, fragte sie und überlegte, ob sie etwas Warmes eingepackt hatte, das noch dazu schick war.

»Keine Zeit«, erwiderte Ruby knapp. »Nimm noch einen zusätzlichen Pulli mit und schnapp dir Mantel und Mütze.«

Ditch Plains Beach

»Ich hasse diese Limo! Die schmeckt kein bisschen süß!«

Matty warf die Dose weg, und ihr Inhalt versickerte größtenteils im Sand. Mack hätte dem Jungen gern Manieren beigebracht, aber er biss sich auf die Zunge und schwieg. Matty war normalerweise ein liebes Kind, aber heute hatte er sich vom ersten Moment an unmöglich benommen. Wendy hatte für ihre Strandstühle und die Decke einen Platz ausgesucht, wo sie von allen, die in Montauk etwas darstellten, gesehen werden konnten. Anscheinend wollte sie eine öffentliche Show aus dieser Verabredung machen, und er war ihr ahnungslos auf den Leim gegangen.

»O Schatz, sieh nur, was du angerichtet hast! Möchtest du etwas anderes? Wie wär's mit Orangensaft?« Wendy wühlte mit beiden Händen in einer Basttasche, die so groß war, dass sie Essen und Getränke für das gesamte Team der Mets hätte fassen können.

»Ich will was zu essen«, quengelte Matty. »Wann essen wir endlich?«

»Hey, Kumpel, sei nicht so ungeduldig.«

»Scooter hat doch auch was gekriegt. Er futtert, seit er hier ist.«

Seit wann hatte der Junge auf alles eine Antwort? Scooter nagte an einem Knochen, damit er von den ganzen Essensdüften abgelenkt wurde. Es gab nicht nur Muscheln, sondern auch Fleisch, Eintopf und sogar Desserts. Zubereitet wurde alles unter einer großen Zeltplane mit Feuerstellen, Heizgeräten und im Sand steckenden Fackeln. Als Mack nach Long Island gekommen war, hatte er viel Zeit an diesem ursprünglichen Strand mit seinen Felsen und dem breiten Sandstreifen verbracht. Es war der perfekte Ort zum Surfen und Bodyboarding. Am Anfang hatte er nur quer auf dem Board gelegen und versucht, sich trotz der aufgewühlten See auf den Händen aufzurichten. Das hatte enorm viel Kraft gekostet, und er war mehr als einmal im Meer gelandet, aber irgendwann hatte er es geschafft, so lange oben zu bleiben wie zu der Zeit, als er noch beide Füße gehabt hatte. Mittlerweile gab es Prothesen fürs Surfen, so wie für fast jede andere Sportart, doch einen Schrank voller Ersatzbeine zu haben bedeutete für ihn vermutlich nur, dass er noch mehr davon kaputt machen konnte.

»Geh doch ein bisschen mit deinen Freunden spielen«, schlug Wendy ihrem Sohn jetzt vor. »Mack und ich würden uns gern ein wenig unterhalten.«

O verdammt! Matty nervte zwar, aber Mack wollte lieber nicht mit Wendy allein sein. Er stand auf. »Ich hole uns was zu trinken.«

»Nicht nötig.« Wendy schwenkte eine Bierflasche.

Wie hätte es auch anders sein können. Doch da er schon einmal aufgestanden war …

»Ich geh ein paar Schritte mit Scooter.« Er schnippte mit den Fingern. Scooter hob sofort den Kopf und lief zu seinem Herrchen. Er war immer für jede Form von Aktivität zu haben, das war ihm sogar noch wichtiger als fressen.

»Er hat so schön da gelegen«, sagte Wendy und schmollte ein wenig. »Läufst du etwa vor mir weg?«

Wie lautete die richtige Antwort darauf? »Ja« wäre die

Wahrheit, eine, die Wendy nicht gefallen würde. In ein »Nein« würde sie womöglich aber viel zu viel hineindeuten.

»Bin gleich zurück«, sagte er.

»Machst du mir bitte mal die Coke auf, Lester?«, bat Ruby und streckte ihre jeansbekleideten Beine Richtung Feuer. Eigentlich hatten sie die Feuerstelle wegen Joe in Beschlag genommen, doch der schlenderte lieber zwischen den Grüppchen umher, die sich im Sand niedergelassen hatten. Ein paar Kinder machten Sandengel, die sie mit Treibholz und Muschelschalen schmückten.

»Muss ich dich hier jetzt auch noch bedienen?«, gab Lester mit einem gewaltigen Augenrollen zurück.

»Du meine Güte, ich habe lediglich einen Freund um einen Gefallen gebeten. Sei doch nicht so empfindlich!«

Harriet lächelte und nahm dann einen Schluck von dem dunklen Ale, das ihr Grandpa ihr gegeben hatte. Es war ein Selbstgebrautes. Er hatte es im Keller vom obersten Regal genommen und die Flasche erst einmal abgestaubt. Ein aromatisches, würziges Bier, das ein wenig nach Toffee und Muskatnuss schmeckte. Obwohl sie höchstens eine halbe Flasche getrunken hatte, fühlte sie sich ein klein wenig beschwipst. Sie blickte auf das Handy auf ihrem Schoß. Nachdem sie Iain eine Mail geschickt hatte, hoffte sie nun, dass er sich meldete. Sie hatte sich eingehend und unter geschäftlichen Gesichtspunkten mit dem geplanten Projekt befasst. Abgesehen davon, dass sie sich damit auf Neuland wagen würden, lag das Grundstück ganz offensichtlich in einem Sturmkorridor. Iain musste doch einsehen, dass es nicht richtig war, dafür ihr gesamtes Kapital aufs Spiel zu setzen. Harriet hatte das Gefühl, dass Iains Antwort nicht nur für das Geschäftliche, sondern auch für ihre Beziehung von großer Bedeutung sein würde. Wie hatte es so weit kommen können? Wann war das Private in den Strudel des Geschäftlichen geraten? Oder war beides schon immer untrennbar miteinander verbunden gewesen? Das Geschäft hatte sie schließlich zusammengebracht. Vielleicht war es immer nur ums Geschäftliche gegangen ...

»Achtung, Joanna!«

Der Warnruf ihres Großvaters ertönte eine Hundertstelsekunde, bevor ihr der Fußball in den Schoß flog und ihr Handy in den Sand beförderte.

»Verdammt!«, fluchte sie, stand auf, bückte sich nach dem Smartphone und wischte den Sand ab, so gut es ging.

»Alles in Ordnung, Joanna?«, fragte Lester.

»Ja, ja. Ich hoffe bloß, dass mein Handy noch funktioniert.« Sie schüttelte es ein bisschen und tupfte Sandkörner vom Display.

»Wo bleibt meine Coke?«, wollte Ruby wissen.

»Hallo! Entschuldigung, meine Fähigkeiten am Ball sind auch nicht mehr das, was sie mal waren.«

Harriet blickte beim Klang der unbekannten Stimme auf. Sie gehörte einem eins achtzig großen Mann mit kurzen dunklen Haaren und einem Lächeln, mit dem er alles verkaufen könnte. Er hob den Fußball auf.

»Haben Sie sich wehgetan?«

»Nein, nein, nichts passiert«, antwortete Harriet lächelnd.

»Darf ich Sie auf einen Drink einladen? Dort drüben gibt's Rumpunsch.«

»Nein, danke, alles in Ordnung.«

»Sind Sie sicher?«

Sie lachte. »Ganz sicher.«

»Okay. Ich bin übrigens Mike. Ich sitze dort drüben, falls Sie es sich anders überlegen sollten.« Er zeigte auf eine

Gruppe junger Männer, die auf Decken saßen, Bierflaschen in den Händen hielten und belustigt herübersahen.

»Ich werde es mir merken«, erwiderte sie.

»Cool.« Er wirkte ein bisschen schüchtern, als er sich rückwärts entfernte.

Harriet schaute wieder auf ihr Handy und hoffte auf ein Signal, das ihr anzeigte, dass es funktionierte. Jude hatte ihr heute schon eine Nachricht geschickt – sie wollte einen Backworkshop in der Wohnung abhalten – und weitere Fotos von ihren Sukkulenten zum Beweis, dass ihnen der Wodka nicht geschadet hatte.

Macks Finger schlossen sich fester um Scooters Leine, als er die Szene beobachtete. Wer war der Typ, der mit Harri redete? Plötzlich fühlte er sich wieder wie der Achtzehnjährige, den man auf den Kampfeinsatz vorbereitete. Bitterkeit stieg in ihm auf. Er hatte kein Recht, so zu fühlen. Er hatte keinerlei Ansprüche auf sie, solange er nicht ehrlich zu ihr war. Was hatte sich geändert, seit er sie von sich gestoßen hatte? Die Geister waren immer noch da. Genauso wie die Schuldgefühle. Wie sollte er sich auf einen anderen Menschen einlassen, solange er mit sich selbst nicht ins Reine kam?

Scooter setzte sich auf sein Hinterteil, stieß sich mit den Vorderpfoten ab und begann, sich im Kreis zu drehen. Mack seufzte. Er hatte das Gefühl, dass er selbst sich ebenfalls im Kreis drehte.

KAPITEL
FÜNFZIG

Eine Blaskapelle zu einem Muschelessen am Strand – so etwas konnte es nur in Montauk geben. Die Musiker hatten ihre Instrumente mit Lametta und Stechpalmenzweigen geschmückt, marschierten am Strand auf und ab und spielten einen Mix aus Weihnachtssongs von Nat King Cole, Elvis und Jim Reeves. Madame Scarlet, heute mit kurz geschnittenen Haaren, war ganz in ihrem Element. Sie schnappte sich jeden Mann im Umkreis von ein paar Metern, um eine Runde mit ihm zu tanzen, wofür sie böse Blicke von einigen Ehefrauen erntete. Harriet hatte ihre unbändige Lebenslust immer schon bewundert. Ihre Großmutter war ganz genauso gewesen. Die beiden Frauen schäumten von frühmorgens bis spätabends geradezu über vor Energie. Harriet nahm einen Schluck von ihrem dritten Bier und beobachtete, wie Madame Scarlet beschwingt und mit wehendem Schal ihre Tanzpartner wechselte. Ihre Hingabe an den Augenblick war beneidenswert.

Im Fotoalbum würde sie sicher auch eine Notiz über das Muschelessen finden. Wenn ihre Großeltern so viel Spaß daran hatten, wie alle behaupteten – und ihr Grandpa amüsierte sich sichtlich –, hatte ihre Nana bestimmt etwas darüber geschrieben.

Harriet betrachtete die fast leere Bierflasche. Sie musste unbedingt etwas essen, sonst würde sie den Alkohol bald spüren. Sie musste morgen fit sein, damit sie die Wohltätigkeitsversteigerung vorbereiten konnte. Außerdem gab es jede Menge Papierkram zu erledigen. Der Nachlass ihrer Großmutter musste geregelt werden. Dafür brauchte sie einen klaren Kopf. Und dann war da noch Iain. Für eine Konfrontation mit ihm durfte sie nicht verkatert sein. Iain betrank sich nicht. Niemals. Sie hatte ihn nicht ein einziges Mal auch nur leicht angeheitert erlebt. Und er verurteilte es natürlich, wenn sie ein wenig beschwipst war. Sie würde es an seiner Stimme hören oder daran erkennen, wie er missbilligend eine Braue hochzog. Falls er sich überhaupt bei ihr meldete ...

Sie steckte das Handy in ihre Hosentasche und schlenderte zum Essenszelt hinüber.

»Sag mal«, begann Wendy und rückte nah an Mack heran.

Sie standen in der Essensschlange, und es duftete unglaublich gut. Die Hummer, Klaffmuscheln, Venusmuscheln, Miesmuscheln und Krabben wurden auf traditionelle Weise zubereitet, nämlich in liegenden Fässern, die als Kochstelle dienten, auf mit Seegras bedeckten Steinen und abgedeckt mit nassem Segeltuch. So wurden die Meeresfrüchte stundenlang gedämpft. Mack harrte nur deshalb neben Wendy aus, weil ihm der Magen knurrte. Auch Beilagen gab es reichlich – Kohl, Mais, Kartoffeln, Salate –, und Desserts: Kürbiskuchen, Donuts und Maispudding. Zum Glück war Scooter mit Matty draußen, sonst hätte er versucht, etwas von den Köstlichkeiten zu stibitzen.

»Sag mal«, wiederholte Wendy und rückte, was fast unmöglich war, noch näher an ihn heran.

»Was möchte Matty essen? Meeresfrüchte oder lieber Rippchen und Burger?«, fragte Mack, einen Teller in jeder Hand.

»Wann machen wir es offiziell?«

»Was?« Er starrte sie entgeistert an. Das ging jetzt aber wirklich zu weit.

»Ach, komm schon, Mack, wir haben jetzt drei Dates gehabt, und ...«

»Moment, Moment, warte!« Hatte er irgendwas verpasst? »Drei Dates?«

»Das Picknick im Sommer, die Weihnachtskreuzfahrt und jetzt hier«, zählte Wendy an den Fingern ab.

Okay, anscheinend musste er Klartext reden.

»Ich mag dich, Wendy«, begann er. »Aber ...«

»Ich mag dich auch«, flüsterte sie. »Ich dachte, ich hätte das unmissverständlich klargemacht.«

Sie hatte es irgendwie geschafft, ihr Bein um seins zu wickeln, das künstliche, deshalb merkte er es auch erst, als sie mit dem Knie gegen seine Prothese stieß. Er trat einen Schritt zurück. »Wendy, beim Sommerpicknick war ich fürs Grillen zuständig, und bei der Weihnachtskreuzfahrt war ich der Bootsführer. Das waren keine Dates.« Er holte tief Luft. »Wir haben uns rein zufällig getroffen. Zusammen mit dem Rest der Stadt.«

»Und heute Abend? Wir sind zusammen hergekommen! Wir sitzen am selben Tisch! Ich hab Matty gesagt, du würdest ihm ein Klettergerüst bauen!«

Wendys Stimme wurde lauter und schriller, und Mack trat noch einen Schritt zurück. Der Duft von Essen und der Rauch in der Luft versetzten ihn in eine andere Zeit. Das Klirren von Metall, als Teller gefüllt wurden. Die Blaskapelle, die manchmal die Töne nicht ganz sauber traf. Der Lärm attackierte ihn, beschwor Erinnerungen herauf, die er nicht noch einmal durchleben wollte. Er musste ihn zum Schweigen bringen, bevor es zu spät war. Doch dann setzte ein Trommelwirbel ein, der für ihn klang wie Kanonendonner ...

»Hallo, schon wieder. Diesmal ohne Ball.«

Es war Mike. Und Harriet hatte immer noch nichts gegessen. Als sie Mack zusammen mit Wendy gesehen hatte, war ihr der Appetit vergangen. Sie stand da und beobachtete Kinder, die Marshmallows rösteten, und Madame Scarlet, die das Foto von der Holzschatulle aus dem See herumzeigte. Mack hatte ein Date. Warum sollte er keins haben? Er war Single. Sie nicht. Iain mochte im Moment sauer auf sie sein, aber sie verband etwas miteinander. Sie hatten ein Geschäft zusammen gegründet. Der ultimative Beweis dafür, dass sie zusammengehörten. Ihr leicht benebelter Verstand versuchte allerdings, sie davon zu überzeugen, dass solche praktischen Erwägungen nichts mit einer Beziehung zu tun hatten. Liebte sie Iain? Hatte sie ihn je geliebt? Hatte sie für ihn je empfunden, was sie für Mack empfand?

»Alles in Ordnung?«, fragte Mike und berührte sie an der Schulter.

Sie zuckte erschrocken zusammen. »Ja, alles in Ordnung.«

»Lass sie gefälligst in Ruhe!«

Plötzlich stand Mack da. Harriet hatte Schwierigkeiten, die Situation zu erfassen. Sie musterte ihn. Etwas stimmte nicht. Diesen Ausdruck in seinen Augen hatte sie noch nie gesehen. Intensiv und grimmig und doch irgendwie leer.

»Mack, geht es dir gut?«, fragte sie.

»Vielleicht sollten wir uns was zu essen holen«, warf Mike ein. »Der Typ ist doch zugedröhnt.«

»Was hast du gesagt, Kleiner?« Mack machte drohend, die Fäuste geballt, einen Schritt auf ihn zu.

Sein Ton war ausgesprochen aggressiv. Harriet beschloss einzugreifen. Sie musste Mack von hier wegbringen, irgendwohin, wo es ruhig war, damit sie herausfinden konnte, was mit ihm los war.

»Komm, lass uns gehen.« Sie legte ihm eine Hand auf den Arm und drückte ihn aufmunternd. Es fühlte sich an, als bebte er innerlich, als würde alles in ihm an die Oberfläche drängen oder vielleicht auch darum kämpfen, drinnen bleiben zu dürfen.

»Mack! Wo willst du denn hin? Du bist mit mir hier!«

Wendy stapfte auf sie zu in hochhackigen, für das sandige Gelände denkbar ungeeigneten Stiefeln und mit einem Gesicht, als hätte man es mit Zitronensaft eingerieben und ihr dann die Zitrone in den Mund gestopft. Die Blaskapelle spielte immer noch, die Kinder hüpften herum, und Madame Scarlet tanzte, der Duft von Zucker und Zimt lag in der Luft …

»Ich bekomme … keine Luft«, stieß Mack abgehackt hervor. Alle Farbe wich aus seinem Gesicht. Jetzt lag ein Ausdruck von Angst in seinen wunderschönen Augen.

»Lass uns abhauen, der Typ hat sie doch nicht alle«, meinte Mike und streckte die Hand nach Harriet aus.

Sie wirbelte herum. Ihre Sinne vibrierten. Ihr Beschützerinstinkt war erwacht.

»Ich schwöre bei allem, was mir heilig ist, wenn du mich noch einmal anfasst, breche ich dir die Nase!« Sie zeigte auf Wendy. »Und wenn du jemanden zum Krabbenessen suchst, dann nimm doch sie mit!«

Ohne ein weiteres Wort legte sie den Arm um Mack und führte ihn weg.

Mack war ruhiger geworden, physisch und psychisch. Seit Monaten hatte er keinen derartigen Kontrollverlust mehr erlebt. Er nahm einen Schluck aus der Wasserflasche und genoss es, im vertrauten Rhythmus atmen zu können. Harri legte Treibholz auf die Feuerstelle nach, die versteckt am Fuß der Felsen lag. Die ausgelassene Stimmung des Muschelessens tönte als fernes Hintergrundgeräusch zu ihnen herüber. Nur der Lichtschein des Feuers erhellte die Szenerie.

Als Harri sich zu ihm umdrehte und ihn prüfend musterte, fand er die Kraft, ihrem Blick standzuhalten. Er hielt die Wasserflasche, als prostete er dem Himmel zu, obwohl es keinen Grund zum Anstoßen gab. Harri hatte gerade erlebt, wie schlecht es um ihn stand. Das war einer der Gründe, warum er ihre Beziehung beendet hatte.

Sie ging zu ihm zurück und blieb vor ihm stehen. Er wartete auf den mitleidigen Gesichtsausdruck. Er wusste, dass er kommen würde. Warum auch nicht? Er war der durchgeknallte Exsoldat mit einem amputierten Unterschenkel und einem psychischen Knacks. Gleich würde sie ihn fragen, ob alles in Ordnung war.

Doch Harri setzte sich in den Sand, nahm ihm die Flasche ab, trank daraus und gab sie ihm zurück. Worauf wartete sie denn? Jeder, der diese Seite an ihm kennengelernt hatte, überschüttete ihn geradezu mit hilflosem Mitgefühl, so wie einer seiner Therapeuten, so wie seine Eltern bei seinem letzten Besuch. Als ihn dann die Wut gepackt hatte, waren sie so erschrocken, dass sie fast die Polizei gerufen hätten.

Das Feuer knisterte, sein orangeroter Schein verlieh Harris Augenfarbe einen besonderen Schimmer. Mack hielt es nicht länger aus.

»Sag's schon.«

»Wo ist eigentlich Scooter?«

Er lachte laut heraus. Ein nervöses Lachen, ein Reflex, den er nicht unter Kontrolle hatte. Sein Verstand brauchte eine Sekunde, um die Frage zu verarbeiten. Ja, wo war Scooter eigentlich? *Matty. Wendy.* Was für ein beschissenes Durcheinander! »Er ist bei Matty.«

»Okay.« Harri nickte.

»Was? Mehr hast du nicht zu sagen? Willst du nicht über das reden, was passiert ist?«

Sie sah ihn direkt an. »Du hast gesagt, du bist noch nicht so weit. Du kannst noch nicht darüber sprechen.«

Richtig, das hatte er tatsächlich gesagt. Mehrmals. Und er hatte es vollkommen ernst gemeint. Und er wusste, es lag nur an ihm, eine Veränderung herbeizuführen. Akzeptanz und Veränderung setzten Ehrlichkeit voraus, hatte einer seiner Therapeuten betont. Fast konnte er ihn hören: *Sie werden nie eine Beziehung auf Augenhöhe führen, wenn Sie sich nicht absolut ehrlich einbringen. Versuchen Sie es, Mackenzie, oder Sie werden irgendwann daran zerbrechen.*

»Das Problem ist, dass ich nicht weiß, was ich sagen soll«, begann er zögernd. »Es gibt vieles, über das ich noch nie gesprochen habe.«

Wieder nickte sie. »Okay, das ist immerhin ein Anfang.«

»Meinst du wirklich?« Ihre Blicke trafen sich.

»Na klar.«

»Gut, dann … werde ich das jetzt einfach sagen, bevor mich der Mut verlässt.« Er atmete hörbar aus und sprudelte hervor: »Ich mag es nicht, dass du mit Iain zusammen bist. Ich mag es absolut nicht.«

»Ich mag es nicht, dass du mit Wendy zusammen bist«, konterte sie.

»Ich bin nicht mit Wendy zusammen.«

»Und ich nicht mit Iain.«

Er glaubte, sich verhört zu haben. »Was? Was hast du gerade gesagt?«

Sie presste die Fingerspitzen an die Schläfen, stützte dann den Kopf in die Hände und seufzte. »Ich bin nicht so mit Iain zusammen, wie es sein sollte. Denn wenn es so wäre, würde ich nicht jede Minute an dich denken.«

Jede Minute. Er wagte nicht zu atmen. Die Luft schien sich zu verdichten.

»Du bist immer da, Mack«, fuhr sie fort. »Ganz egal, was ich mache oder wie ich mich abzulenken versuche. Du warst nie wirklich weg. Ich habe mir zwar eingeredet, dass es vorbei ist und ich mit dir fertig bin, aber man träumt nicht von jemandem, wenn man ihn vollständig aus seinem System gelöscht hat, oder?« Sie sah ihn an. »Man liest nicht immer wieder seine Briefe und lächelt über die Zuneigung, die man dabei spürt, wenn man nichts mehr für ihn empfindet.«

»Harri …«

»Was ist passiert, Mack? Du spielst es herunter und machst Witze darüber und tust so, als wäre es keine große Sache, aber …«

»Aber nach dem heutigen Abend kann ich nicht mehr leugnen, dass ich ein Problem habe, nicht wahr? Du hast vorhin selbst erlebt, dass ich noch eine andere Seite habe.«

»Das ist keine andere Seite, Mack. Das sind die Folgen eines Traumas, Schmerzen, die du überwinden willst, und der Wunsch, dass die Welt kurz zum Stillstand kommt, damit der Druck von dir abfällt.«

Er nickte. »Stimmt.«

Harri stand auf. »Es ist völlig in Ordnung, wenn du noch nicht so weit bist. Aber ich könnte dir vielleicht helfen, wenn du mir einen kleinen Hinweis gibst.« Sie griff nach seiner Hand. »Nur einen ganz kleinen.«

Er schloss die Augen und überließ sich seinen Dämonen. Er wünschte so sehr, er könnte sich alles von der Seele reden. Diese unglaubliche Erleichterung! Aber das durfte nicht sein. Er war es nicht wert, dieses erlösende Gefühl zu empfinden. Er musste leiden. Er *wollte* leiden. Er hatte kein Recht, sich von der Dunkelheit zu befreien, nur weil er einer derjenigen war, die verdammt viel Glück gehabt hatten.

Harri verschränkte ihre Hand so fest mit seiner, dass ihre Finger untrennbar miteinander verflochten schienen. Und plötzlich rieselten ihm fast unmerklich ein paar Worte über die Lippen.

»Ich habe Sanders getötet.«

ZWEIUNDFÜNFZIG

Mack musste schlucken. Pharrell Sanders war sein Kamerad gewesen, sein Spotter, derjenige, dem er in seiner Einheit am meisten vertraute. Der ihn in brenzligen Situationen zum Lachen brachte. Der während jenes Videotelefonats mit Harri lauthals mitgesungen und seinen khakibekleideten Arsch vor der Laptopkamera geschwenkt und schmatzende Kussgeräusche gemacht hatte, um Mack zu ärgern. Ein Bär von einem Mann mit dem breitesten Lächeln, das man sich vorstellen konnte. Ein Mann, der immer noch da sein sollte.

»Ich habe einen Fehler gemacht«, sagte Mack leise. »Und das hat ihn das Leben gekostet.«

Er war unkonzentriert gewesen. Nachlässig. Sein Atem ging wieder unregelmäßiger. Aber er wollte nicht abdriften und dorthin zurückkehren. Er konzentrierte sich auf die Wärme von Harris Hand. Sie hatten sich lange Zeit alle ihre geheimen Wünsche und Sehnsüchte anvertraut. Warum hatte er das vergessen? Wie hatte er das alles einfach so wegwerfen können?

»Mich haben sie den Killer genannt und Sanders den Ghost. Hab ich dir das mal erzählt?« Er wusste es nicht mehr. Waren alle seine Erinnerungen aus jener Zeit ein wenig verschwommen?

Sie schüttelte den Kopf. »Du hast erzählt, wie müde du immer bist oder was du gegessen hast oder wer ein Paket aus der Heimat bekommen hat und was für gute Sachen drin waren. Über den Konflikt an sich, oder was genau du tust, hast du kaum etwas geschrieben.«

»Du weißt, dass ich Scharfschütze war.«

Sie nickte.

»Sanders und ich waren eine Art Dream-Team. Der Killer und der Ghost, ein eingeschworenes Gespann.« Seine Stimme wurde brüchig. »Wir haben unser Arbeitszimmer, wie wir es nannten, hoch oben über den anderen eingerichtet – in einem zerstörten Gebäude oder an einem Berghang. Dort lagen wir dann stundenlang auf der Lauer wie zwei todbringende Klapperschlangen, beobachteten, schätzten die Lage ein, hielten uns bereit.« Er holte zitternd Luft. »Aber an jenem Tag sind wir aufgeflogen. Ein Kind entdeckte uns.« Er machte eine kurze Pause. »Ein Junge, dem ich ein paar Wochen vorher einen Ball zugeworfen hatte.«

Er merkte erst, dass er weinte, als die Tränen von seinem Gesicht in den Sand tropften. Harri hielt seine Hand fest umklammert.

»Ich sah an seinem Blick, dass es sinnlos war, auf ihn einzureden. Ich war wie gelähmt. Sanders reagierte sofort. Der Junge kam hereingerannt, und Sanders … Sanders erkannte, was los war, und zögerte keine Sekunde.« Mack wurde von Schluchzern geschüttelt, als er die grauenvolle Szene noch einmal durchlebte. *Atme. Atme einfach weiter.*

»Der Junge trug eine Sprengstoffweste«, stieß er abgehackt hervor. »Und unmittelbar bevor er den Zünder betätigte, hat Sanders sich auf ihn geworfen und zu Boden gerissen und unter sich begraben.«

Harri drückte seine Hand, als der Schmerz über den Verlust seines besten Freundes ihn von Neuem mit voller Wucht traf. Es war einfach nicht fair. Es war nicht richtig. Sanders hatte eine Frau und einen einjährigen Sohn hinterlassen.

»Wie kann ich damit leben?« Die Frage war ebenso ans Universum wie an Harri gerichtet. »Wie kann ich jeden Morgen aufstehen und damit leben?« Er schluchzte. »Sanders hat sein Leben für mich geopfert. Und es war meine Schuld, dass der Kleine wusste, wo wir waren. Weil ich nur ein Kind und nicht den Feind in ihm gesehen habe!« Er knirschte mit den Zähnen. »Ganz allein meine verdammte Schuld!«

»O Mack, komm her«, flüsterte sie und nahm ihn in die Arme.

»Warum bin ich nicht zuerst losgerannt? Ist mir der Gedanke überhaupt gekommen? Hätte ich genauso gehandelt? Wäre ich auch bereit gewesen, für Sanders zu sterben? Deshalb habe ich den Kontakt zu dir abgebrochen, Harri. Deshalb wollte ich, dass du mich vergisst. Denn wenn ich in den Spiegel schaue, selbst heute noch, weiß ich nicht mehr, wer ich bin.« Er holte tief Luft. »Ich möchte derjenige sein, dem du geschrieben hast, in den du dich verliebt hast, aber ich weiß nicht, ob es ihn noch gibt.«

»Es gibt ihn noch«, sagte sie sofort und nahm sein Gesicht in ihre Hände. »Er ist hier bei mir, jetzt, in diesem Augenblick.«

Sie sah ihn eindringlich an, fast so, als versuchte sie, all die Hoffnung und die Kraft und die Liebe durch Blickkontakt auf ihn zu übertragen. Wenn das doch ginge! Wie gern würde er diese verstörenden Erinnerungen ausradieren, doch das war unmöglich, solange er all diese Narben mit sich herumtrug.

»Du hast etwas Besseres verdient«, sagte er leise und blinzelte die Tränen weg.

Sie nickte. Auch ihre Augen wurden feucht. »Stimmt.«

Sie fuhr mit dem Finger eine Tränenspur auf seinem Gesicht nach. Trotz aller Therapien und Behandlungen hatte er sich nie verwundbarer gefühlt als in diesem Augenblick.

»Kommst du mit mir zum Leuchtturm?«, wisperte sie.

»Was?«, fragte er verwirrt.

»Ich bin noch nicht am Leuchtturm gewesen, seit ich wieder da bin. Kommst du mit?«

Plötzlich verstand er. Sie brauchte nicht mehr zu sagen. Sie hatte ihm oft genug vom Leuchtturm von Montauk geschrieben und wie sie die Wendeltreppe bis ganz nach oben hinaufstieg und von dort über den Block Island Sound und auf den Atlantik blickte und sich mehr zu Hause fühlte als in England. *Dieser Ort berührt etwas in meinem Herzen, Mack. Klingt das verrückt?*

Mit diesen Worten bat sie ihn praktisch um eine Verabredung, öffnete ihm, obwohl sie das Monster in ihm gesehen hatte, die Tür, damit er hindurchtreten und sich ihr von Neuem nähern konnte. Doch wie hätte er das tun können? Wie hätte er in seinem labilen, psychisch angeschlagenen Zustand eine Verbindung zu ihrem Herzen suchen können, wissend, dass er es ihr vielleicht ein zweites Mal brach?

Er führte ihre Hand, die seine immer noch festhielt, an seine Lippen und drückte einen Kuss darauf.

»Es tut mir leid, Harri«, flüsterte er. »Ich würde so gern mitkommen. So schrecklich gern. Aber ich kann nicht.«

Das Rum Coconut

»Ist der Papagei echt?«

Jude kam mit dem Gesicht ganz nah an die Handykamera heran, als würde das ihre Frage beantworten, während Meryl Cheep krächzte und an einer Erdnuss knabberte. Harriet nippte an ihrem Kaffee und beobachtete, wie ihr Großvater Holz im Ofen nachlegte. Er bekam jeden Tag ein bisschen mehr Selbstvertrauen, kroch ein Stückchen weiter aus seinem Panzer aus Kummer und Trauer heraus. Genau wie die Queen und Prinz Philip waren er und Lorna Jahrzehnte zusammen gewesen. Da dauerte es eine gewisse Zeit, bis man sich ans Alleinsein gewöhnte.

»Ja, der ist echt. Er heißt Meryl Cheep.«

»Ich mag den Namen Meryl. Erinnert mich an eine Schauspielerin. Mir fällt im Moment bloß der Name nicht ein.«

Harriet kam auf den Punkt. »Erzähl. Was war mit Iain?«

»Er war merkwürdig. Hab ich dir doch geschrieben.«

Ja, und das wiederum war auch merkwürdig, denn das Wort »merkwürdig« passte überhaupt nicht zu Iain. Iain handelte vernünftig und wohlüberlegt. Jedenfalls bis zu seinen Landkaufambitionen. Auf ihre Mail, die sie ihm am Abend des Muschelessens vor drei Tagen geschickt hatte, hatte er noch nicht geantwortet. In allen seinen Mails seitdem ging es ausschließlich um geschäftliche Angelegenheiten. Sie hatte nicht eine einzige persönliche Nachricht von ihm bekommen. Als hätte er Privatleben und Beruf strikt voneinander getrennt und ließe Ersteres ruhen. Sie musste etwas unternehmen.

Von Mack hatte sie auch nichts mehr gehört. Nachdem er sich ihr anvertraut hatte, war er gegangen und hatte sie mit Tränen in den Augen am Ditch Plains Beach zurückgelassen. Warum bestrafte sie das Leben schon wieder? Genügte es nicht, dass sie ihre Großmutter verloren hatte? Es hatte doch sicherlich etwas zu bedeuten, dass das Schicksal, Gott oder wer auch immer Mack und sie wieder zusammengeführt hatte. Oder handelte es sich um eine Art Herausforderung? Den ultimativen Test für ihre Beziehung mit Iain? Vielleicht ging es auch gar nicht um sie, sondern um Mack, um das Anstoßen innerer Prozesse und bewusster Veränderungen. Doch wie auch immer, sie wollte unbedingt nur für ihn da sein. Auch wenn sie aufs Innigste miteinander verbunden waren, konnte daraus ja auch so etwas wie eine Freundschaft werden. Andererseits kam sie sich jetzt, zweiundsiebzig Stunden ohne Kontakt zu ihm, selbst wie amputiert vor. Meryl stupste ihre Hand mit dem Schnabel an. Das riss Harriet aus ihren Gedanken. Sie konzentrierte sich wieder auf die Unterhaltung mit ihrer besten Freundin.

»Was genau hat Iain gemacht?«, fragte sie, hatte dabei aber ihren Großvater im Auge, der jetzt Stühle herumschob und die Zweige der Christbäume am Feuer streifte.

»Also, erst mal wusste ich gar nicht, ob ich ihn reinlassen soll«, erwiderte Jude. »Er ist noch nie vorbeigekommen, wenn du nicht da bist. Wie gesagt, einfach merkwürdig.«

»Gut, aber du hast ihn reingelassen. Und dann?«

»Ist er in dein Zimmer gegangen.«

»Okay.« Nicht ungewöhnlich. Er hatte ein Hemd zum Wechseln und ein Deo bei ihr. Ob er beides eingepackt hatte? Das würde allerdings eine ganze Menge bedeuten.

»Und dann ist er wieder gegangen.«

»Einfach so? Ohne ein Wort?«

»Er hat was mitgenommen. Eine Art Schatulle. Sah alt aus. Ein bisschen Shabby Chic. Richtig hübsch.«

Harriet hielt die Luft an. Sie wusste genau, welche Schatulle gemeint war. Die cremefarbene, spitzenbesetzte, die sie in einem charmanten kleinen Laden in der Westbourne Arcade gefunden hatte. Es war ein Frustkauf gewesen. Damals hatte sie Zeit zum Stöbern gehabt, all die bezaubernden Dinge bewundert und sich vorgestellt, eines Tages so etwas in ihrem eigenen Geschäft anzubieten.

»Okay«, entgegnete sie schließlich.

»Da ist Sexspielzeug drin, oder?«

Harriet drehte die Lautstärke so schnell wie möglich herunter.

»Mach ihm klar, dass auch Frauen ein Recht auf lustvolle Befriedigung haben, und wenn ihm das nicht passt, dann ...«

»Nein, kein Sexspielzeug.«

»Gras vielleicht?«

»Nein, auch nicht.« Harriet hätte fast laut aufgelacht. Ob Jude diese Dinge unter *ihrem* Bett versteckt hatte? Oder warum kam ihr das sonst als Erstes in den Sinn?

»Was ist eigentlich los mit euch zwei? Und wann kommst du wieder nach Hause?«, wollte Jude wissen. »Ich frage nur, weil ich Professor Goldman eventuell an Heiligabend zu mir einladen würde. Er hat letztes Jahr seine Frau verloren, und du weißt ja, dass ich eine Schwäche für bedürftige grauhaarige Männer habe.«

Harriet nagte an ihrer Unterlippe und blickte zu ihrem Großvater hinüber. Ja, wann würde sie zurückfliegen? Irgendwann *musste* sie wieder nach Hause. Dort warteten ein erfolgreiches Geschäft, eine Wohnung, Jude auf sie. Und was war mit Iain? Sie hatte ihr ganzes Leben in die Form gepresst, die er für sie beide gestaltet hatte. Er hatte ihr lange Zeit Sicherheit gegeben. Aber jetzt war Mack da. Was sollte sie mit ihm machen? Konnte sie überhaupt etwas machen? Man konnte niemandem helfen, niemanden lieben, der sich dagegen sträubte.

»Ich weiß es nicht«, antwortete sie schließlich.

»Sorry, das war jetzt die Antwort auf welche Frage?«

»Auf beide«, erwiderte sie mit einem tiefen Seufzer. »Hör mal, lad Professor Goldman ruhig ein. Wenn ich bis dahin zurück bin, lasse ich mir irgendwas einfallen. Nimm keine Rücksicht auf mich, okay?«

»Na schön. Es ist nicht meine erste Runde an der Töpferscheibe mit ihm, weißt du.« Jude schob sich den verrutschten Träger ihrer Latzhose auf die Schulter zurück. »Es hat so viel Spaß gemacht, dass ich ihr gern noch einen zweiten Schubs geben würde, wenn du verstehst, was ich meine.«

Nein, Harriet verstand es nicht so ganz, und dafür war sie eigentlich ganz dankbar.

»Alles in Ordnung mit dir?«, fuhr Jude mit sanfter, ernster Stimme fort. »Soll ich versuchen, deine Aura zu reinigen und dich von negativer Energie zu befreien?«

»Nicht nötig, aber danke für das Angebot.«

»Schön. Falls Iain noch einmal auftaucht und sich wieder merkwürdig benimmt, was soll ich dann tun?«

»Ich …«, begann Harriet, verstummte, holte tief Luft und sagte: »Ich glaube, ehrlich gesagt, nicht, dass er noch einmal zurückkommen wird.«

In Montauk

»Also, was ist los?«, fragte Ruby und nahm den Kaffeebecher vom Mund. »Du hast mich noch nie auf einen Kaffee eingeladen, und ich weiß, dass ich nicht dein Typ bin, es muss also einen anderen Grund geben.«

Mack sog die kalte Luft tief in die Lungen. »Kann ein Mann nicht eine gute Freundin auf einen Kaffee einladen, ohne dass gleich gequatscht wird?«

»Hier? Nach deinem Ausraster beim Muschelessen bist du das Stadtgespräch. Wahrscheinlich hätte ich vorsichtshalber eine Rüstung anlegen sollen.«

Das war typisch für Ruby: Sie nahm nie ein Blatt vor den Mund, und das war einer der Gründe für seine Verabredung mit ihr. Er wollte eine zweite Meinung hören. Jemand musste ihm sagen, dass er entweder verrückt war oder aber den richtigen Riecher hatte. Nachdem er sein Telefon drei Tage lang angestarrt und vergeblich darauf gewartet hatte, dass das Display aufleuchtete, hatte er begriffen, dass das ganz allein seine Schuld war. Er hatte den Empfindungen, die ihn immer noch im tiefsten Inneren erschütterten, nachgegeben, hatte ihnen die Kontrolle überlassen und sie eine Entscheidung für ihn treffen lassen. Ob er jemals wieder der Mensch werden könnte, der er einmal gewesen war? Oder wenigstens einer, der gefestigt war und sich nicht von seinen Schuldgefühlen beherrschen ließ?

»Ist Wendy immer noch sauer auf mich?«, fragte er.

»Sauer? Das ist eine Untertreibung«, erwiderte Ruby. »Und das erzählt sie auch jedem, der es hören will. Mach dir deswegen keine Sorgen. Das lenkt die Leute wenigstens von dem ab, was wirklich passiert ist.«

Er nickte und zog Scooter, der einen vorbeitrottenden Pudel beschnüffeln wollte, an der Leine zu sich. »Okay, ich hab's kapiert. Jetzt halten mich die Leute erst recht für einen Freak.«

»Ich nicht, nur damit du's weißt.« Ruby trank einen Schluck Kaffee. Ein Milchschnurrbart zierte ihre Oberlippe. »Ich kenn mich aus. Ich bin mit Kriegsveteranen ausgegangen.«

Wieder nickte er. »Wir kämpfen für unser Land, sind Helden, und dann verwandeln wir uns in verkorkste Typen, stimmt's?«

»Ich hab mal einen Exsoldaten aus Atlanta gekannt, der war gar nicht übel. Aber ich bin mir nicht sicher, ob er je im aktiven Dienst war. Er hatte keine Tätowierungen«, bemerkte sie.

Ein Lächeln spielte um Macks Lippen. Sie gingen noch ein Stück, dann blieb er stehen und ließ Scooter auf dem Bürgersteig Sitz machen. Als der Hund das blinkende Rentier an einer Straßenlaterne entdeckte, bellte er los.

»Und, was meinst du?« Er breitete die Arme aus, als würde er in einer Spielshow den Hauptgewinn vorstellen.

»Äh, was genau sehe ich mir denn an?« Ruby drehte den Kopf nach links und rechts und schaute dann nach oben und nach unten.

»Den Laden!«

»Er ist leer.«

»Das weiß ich, aber was siehst du?«

Dick eingemummte Passanten mit Einkaufstaschen und Take-away-Schachteln eilten an ihnen vorüber. Dekorateure brachten noch mehr Weihnachtsschmuck an bereits überladenen Gebäuden und Straßendekorationen an.

Rubys Nasenspitze berührte fast die schmutzige Fensterscheibe. »Abblätternde Farbe und eine Staubschicht, in die du deinen Wunschzettel an den Weihnachtsmann schreiben könntest.«

»Stimmt.« Mack nickte. »Und Kakerlaken gab es da drin auch.«

»Du warst drin?« Ruby sah ihn an. »Wieso?«

Weil er nichts mit sich anzufangen wusste. Weil es an Lesters Fahrrad gerade nichts zu reparieren gab. Weil er das Boot schon geputzt hatte. Weil Scooter vier Spaziergänge am Tag schlicht zu viel waren. Weil er nicht zugeben wollte, dass er immer noch nicht psychisch gesund war?

Er holte tief Luft. »Weil ich mir überlege, ihn zu mieten.« Er blickte an sich herunter, seine Beine zitterten ein wenig. Das war wirklich albern. Harri hatte ihm die Hand entgegengestreckt, und er hatte sie ausgeschlagen.

»Okay, was ist los?« Ruby musterte ihn, wie sie es immer tat, wenn sie entschlossen war, den Dingen auf den Grund zu gehen.

»Ich brauche Platz«, brach es aus Mack hervor. »Ich hab so viel Zeug auf dem Boot, und da dachte ich …«

»Dann mietet man sich einen Spind oder einen Container, aber keinen Raum mit einer Schaufensterfront.« Sie sah ihn aus schmalen Augen an. »Du wolltest mir doch sagen, was wirklich los ist. Also, raus mit der Sprache.«

Er schüttelte den Kopf. Er kam sich fast wie in der ersten und einzigen Gruppentherapiesitzung vor, an der er, noch auf Krücken, teilgenommen hatte. Alle Teilnehmer hatten genau wie er eine Gliedmaße verloren, aber es waren Fremde, die er nicht mit seinen seelischen Problemen, seinen Albträumen belasten wollte. Ruby hingegen war eine Freundin, zwar jünger als er, aber mit viel Erfahrung auf dem Gebiet zwischenmenschlicher Bindungen. Und diese Bindung einzugehen fiel ihm so unendlich schwer. Er wünschte es sich so sehr, aber da war diese Stimme in seinem Kopf, die immerzu flüsterte, dass er es nicht verdient hatte, glücklich zu sein.

»Wie geht's Harri?«, fragte er unvermittelt.

»Beschissen.« Ruby kippte ihren Kaffee hinunter. »Bist du auch dafür verantwortlich? Wenn du es dir zum Ziel gesetzt hast, jede Frau in dieser Stadt unglücklich zu machen, sollte ich mich vielleicht lieber von dir fernhalten.«

»Autsch.« Aber so unrecht hatte sie ja nicht. Und er hatte Harri schon einmal unglücklich gemacht. Sie so tief verletzt, dass sie ihren Lebensmut verloren und sich einem Typ wie Iain zugewandt hatte. Das durfte sich nicht wiederholen.

»Also?« Ruby sah ihn herausfordernd an. »Muss ich euch beide in Joes Garage sperren, bis ihr entweder einen Schlussstrich zieht oder euch versöhnt?«

»Möglich wäre beides, schätze ich.«

»Mack! Warum hast du mich hierhergeschleppt?«

Er begann unkontrolliert zu zittern, teils vor Kälte, teils wegen seiner Idee.

»Ich weiß auch nicht … aber … na ja, ich dachte, ich könnte ihn mieten … für Harri.«

Ruby sagte kein Wort. War auch nicht nötig. Die Augen weit aufgerissen, starrte sie ihn an und hielt die ganze Idee offensichtlich für bescheuert. Was sie wahrscheinlich auch war. Nachdem er Harri am Strand einfach hatte stehen lassen, würde sie ihn sowieso nicht mehr sehen wollen. Aber er hatte keine Wahl gehabt. Sie hatte doch erlebt, wie es war, wenn er von seinen Erinnerungen eingeholt wurde, hatte gesehen, wie zornig und unbeherrscht er dann war. Wer wollte so einen Mann in seinem Leben? Und doch war sie geblieben, hatte ihn beruhigt. Aber sie hatte etwas Besseres verdient: die Verwirklichung ihres Lebenstraums. Deshalb stand er mit Ruby jetzt hier. Es ging nicht um ihn. Auch nicht um sie beide. Es ging einzig und allein um Harri.

»Ich kann dir nicht ganz folgen«, sagte Ruby schließlich.

»Himmel, das ist einfach idiotisch! Was für eine hirnrissige Idee!« Er griff sich mit beiden Händen in die Haare. Was er vorhatte, war im Grunde nur eine andere Version von Iains Landkaufplänen: die Realisierung einer Idee, ohne Harri zu fragen, was sie überhaupt davon hielt.

»Ich hab's immer noch nicht kapiert!«, rief Ruby. »Will sie den Laden als eine Art Ferienwohnung nutzen?«

Er lehnte sich kopfschüttelnd gegen die Hauswand und kam sich wie der größte Trottel vor. »Nein, als Geschäft. Vermute ich mal. Keine Ahnung.«

»Hier, trink einen Schluck.« Ruby wollte ihm ihren Kaffeebecher in die Hand drücken. »Mir scheint, du brauchst ihn dringender als ich.«

Er lehnte ab und gab ein Knurren von sich, das Scooter aufschauen ließ. »Ich tu nur so cool, weißt du. Ich bin es eigentlich überhaupt nicht. Ich hab eine Heidenangst.«

»Wovor?«

»Weihnachten rückt immer näher, und an Weihnachten passieren großartige Dinge, nicht wahr? Familien kommen zusammen, die Menschen verbringen die Zeit zu Hause mit ihren Liebsten, und … ich weiß auch nicht … die Zeit läuft mir davon.«

»Okay, du weißt, dass sie nach England zurückkehren wird, und du willst einen zweiten Versuch starten, damit es was mit euch beiden wird. Und du glaubst, sie mit einem heruntergekommenen, ungezieferverseuchten ehemaligen Waschsalon zu überraschen ist die perfekte Lösung.«

»Ja, das kommt hin«, gestand Mack.

»Willst du meine Meinung hören?« Ruby ließ Scooter ein wenig Milchschaum von ihrem Finger schlecken.

»Möglicherweise.«

»Triff keine Entscheidungen für sie«, sagte Ruby unverblümt. »Entweder jemand bleibt freiwillig, oder er geht. Aber man sollte ihm keinen Grund dafür liefern müssen, dass er bleibt. Was nicht heißen soll, dass diese verstaubte Bude kein Potenzial hat.«

Er nickte. Er kannte Harri doch. Warum hatte er an seinem Urteil gezweifelt? Plötzlich fiel ihm etwas ein. »Madame Scarlet hat gesagt, ich solle da sein und sie auffangen, wenn sie fällt.«

Ruby quiekte leise. »Da bin ich ganz ihrer Meinung. Aber zuerst muss sie fallen.« Sie lächelte. »Und du willst doch sicher nicht derjenige sein, der ihr einen Schubs gibt, oder?«

Das Rum Coconut

Als minimalistisch oder modern hatte man die Tiki-Bar noch nie bezeichnen können, aber mit den ganzen Spenden für die Wohltätigkeitsweihnachtsversteigerung sahen die Innenräume wie eine Mischung aus einem Garagenflohmarkt und einer TK-Maxx-Filiale aus. Es gab alles nur Vorstellbare und Unvorstellbare. Harriet betrachtete das Mickey-Mouse-Telefon aus den Achtzigerjahren, noch in der Originalverpackung. Sie hatte es im Internet gefunden und hoffte, dass es mindestens hundert Dollar einbringen würde. Gleich daneben einer von Ben Hides' Kürbissen. Rufus und Riley hatten einige von ihnen festlich mit Lametta, Pailletten und Sternchen, die sie vermutlich mit Kaugummi aufgeklebt hatten, geschmückt.

Neben den vielen Sachspenden gab es auch Gutscheine, etwa eine Woche lang putzen oder ein Kurs im Blumenbinden oder, von Madame Scarlet, Tarotkarten legen und eine Sitzung mit dem Ouija-Board.

Harriet hatte den heutigen Brief ihrer Nana mit nach unten genommen, weil sie dringend einen Kaffee brauchte. Sie betrachtete das Foto, das neben dem Brief im Album gesteckt hatte. Es war zerknittert, die Oberfläche leicht zerkratzt, doch das verstärkte noch die altmodische Atmosphäre der Aufnahme. Sie zeigte ihre Großeltern vor einer mit lauter guten Sachen vollgepackten Bühne genau wie die, neben der sie jetzt saß. Ihre Nana lachte. Sie trug die für sie typischen großen Ohrringe, diesmal welche mit roten Beeren und Stechpalmenblättern, und ein schwarzes Kleid mit goldenen Verzierungen am Ausschnitt und an den Ärmeln. Es wirkte, als wäre sie bereit für einen Showauftritt in Las Vegas, und war so ganz anders als die schlichten Blusen und Hosen oder Latzkleider, die sie für gewöhnlich anhatte. Joe trug Anzug und Weste und hatte eine Hand an seiner Krawatte.

Das Lokal schien sich praktisch nicht verändert zu haben; vielleicht war die Beleuchtung dank anderer Glühbirnen jetzt eine Spur heller und die Einfassung der Theke erneuert worden. Die Bar strahlte immer noch diese herzliche Südseeatmosphäre aus, eine Wohlfühloase mit gutem Essen und Urlaubscocktails bei jedem Wetter.

Harriet berührte mit der Fingerspitze den Teenager auf dem Foto. Ihr Dad. Etwas längere Haare, spindeldürr, die Arme vor der Brust verschränkt und eine finstere Miene. Ein Jugendlicher, der auf die ganze Welt wütend und Lichtjahre von dem lässigen Yogalehrer der Gegenwart entfernt zu sein schien. Harriet kannte diesen düster verzweifelten Gesichtsausdruck von den unschönen Eheszenen mit ihrer Mutter. Die beiden hatten einfach nicht zueinandergepasst, was Harriet ungefähr zu dem Zeitpunkt klar geworden war, als sie gelernt hatte, mit einem Epilator umzugehen. Aber warum war ihr Vater in dieser traumhaften Umgebung so wütend gewesen? Es musste doch idyllisch gewesen sein, hier aufzuwachsen, ob die pubertären Hormone nun verrücktspielten oder nicht.

Sie trank einen Schluck Kaffee und begann zu lesen.

Meine allerliebste Joanna,
  vielleicht wiederhole ich mich, weil ich nicht mehr weiß,
was ich dir schon geschrieben habe und was nicht, aber ich

habe mir vorgenommen, diese Briefe in das Album zu stecken, ohne sie noch einmal durchzugehen. Was ich schreibe, kommt direkt aus dem Herzen, mein Schatz, und ich weiß, dass ich manches ändern oder Dinge auslassen würde, über die wir schon vor langer Zeit hätten reden sollen, wenn ich das Geschriebene ein zweites Mal durchlesen würde.

Heute möchte ich dir einen großmütterlichen Rat geben. Menschen machen Fehler – versprich mir, dass du das nie vergisst. Wir alle tun das, auch ich. Einige konnte ich wiedergutmachen, andere nicht. Und das ist etwas, das ich bis heute bedaure.

Ich habe nie geglaubt, dass es gute und schlechte Eier gibt, sondern nur solche, die vielleicht nicht so perfekt warm gehalten wurden oder die irgendwie zu früh aus dem Nest gefallen sind. Will sich das Ei dann wieder in sein Nest kullern, ist dieses vielleicht zu starr geworden oder Zweige sind im Lauf der Jahre gebrochen oder von Stürmen zerpflückt worden, sodass das Nest keinen richtigen Halt mehr geben kann. Was ich damit sagen möchte: Ich weiß aus Erfahrung, was es heißt, die Hoffnung zu verlieren. Ich habe den Fehler gemacht, zu schnell aufzugeben. Ich wünsche mir, dass du stärker bist als ich, Joanna, und nie aus den Augen verlierst, dass jede Situation zum Besseren verändert werden kann. Verbring dein Leben bitte nicht mit Reue und Bedauern. Folge immer deinem Herzen, auch wenn dieser Pfad mit Herausforderungen gepflastert sein mag.

Deine Nana

Harriet hatte Tränen in den Augen. Hier ging es nicht ums Cocktailmixen oder Weihnachtsbaumschmücken oder darum, den Eifer ihres Großvaters bei öffentlichen Auftritten zu zügeln. Hier ging es um sehr viel ernstere Themen, um

Reue und Bedauern und menschliche Fehler. Die Worte ihrer Nana trafen sie wegen der Situation mit Mack umso härter. Ja, es gab einiges, das sie bereute. Hätte sie die ganze Sache ruhen lassen, einem Fremden glauben sollen? Sie spürte das Brennen in ihrer Brust, legte sich eine Hand aufs Herz. Als die Briefe damals ausblieben und sie nachfragte, hieß es, er sei ums Leben gekommen. Das wollte man ihr weismachen, aber sie konnte es nicht glauben. Es war ein Schock, natürlich, aber dennoch kam ihr irgendetwas seltsam vor. Sie musste Einzelheiten wissen, Antworten bekommen. Wie war es passiert? Wo war es passiert? War er allein gewesen? Dieser starke, fröhliche, energiegeladene Mann konnte sich doch nicht sang- und klanglos aus dem Leben verabschieden. Und dann der Brief von Jackson Tate mit der Wahrheit, wie sie dachte. Mack sei am Leben, er wolle einfach nichts mehr mit ihr zu tun haben. Er sei zu seiner Jugendliebe in Pittsburgh zurückgekehrt. Das hatte fast noch mehr geschmerzt als der Gedanke an seinen Tod, weil es ihre gesamte Beziehung infrage gestellt hatte, ihr das Gefühl gab, ihn nie wirklich gekannt zu haben. War sie für ihn nur ein Zeitvertreib gewesen, bis sein Einsatz vorbei war? Sie hatten sich ihre geheimsten Gefühle anvertraut, und nun sollte das alles nicht von Bedeutung gewesen sein? War irgendetwas von dem, was er geschrieben hatte, überhaupt wahr? Aber was hätte sie tun sollen? In das nächste Flugzeug nach Afghanistan steigen und ihn zur Rede stellen? Zu guter Letzt hatte sie akzeptiert, dass er einfach zu feige war, ihr seinen Entschluss persönlich mitzuteilen. Jetzt allerdings sah die Sache ganz anders aus. Jetzt kannte sie die wahren Gründe. Er hatte einen Unterschenkel verloren und fühlte sich für den Tod seines besten Freundes verantwortlich. Sie atmete tief durch. Er musste durch die Hölle gegangen sein. Unfähig, irgendeine Entscheidung zu treffen. Er hatte sie weggestoßen, aber sie hatte ihn aufgegeben. Und dann hatten sie sich wiedergefunden, in einer anderen Zeit, mit den gleichen Gefühlen. Doch in der Zwischenzeit waren andere Dinge in den Vordergrund gerückt, andere Menschen.

Sie wischte sich über die Augen und konzentrierte sich wieder auf das Foto. Was war denn das im Hintergrund? Sie blinzelte, hielt sich das Bild dicht vors Gesicht und starrte auf einen Gegenstand auf der Bühne inmitten des ganzen Krimskrams. War das …? Konnte das die Holzschatulle sein, die sie und Mack aus dem See geangelt hatten?

»Das kann ich doch machen«, brummte Joe mit Blick Richtung Eingang, wo einer der Angestellten die Gäste begrüßte und zu ihren Tischen führte. Meryl Cheep war in Hochform, plusterte ihr Gefieder auf und machte unentwegt freche Bemerkungen.

Harriet lächelte ihrem Großvater zu. Genau wie früher fiel es ihm schwer, die Hände in den Schoß zu legen. Das war ein gutes Zeichen, und sie war froh darüber. Wie viele Menschen, die ihr ganzes Leben lang gearbeitet hatten, verkümmerten im Ruhestand regelrecht, weil sie nichts mit sich anzufangen wussten. Und viele von denen hatten noch einen Partner oder eine Partnerin. Nein, Joe hielt sich wirklich wacker.

Sie hatte ihn gedrängt, mit ihr im Restaurant zu Abend zu essen anstatt auf die Schnelle in der Küche oder oben im Wohnzimmer. Ruby hatte ihm alle seine Lieblingsspeisen gekocht: Brathähnchen nach Lornas Spezialrezept (das sogar Harriet kannte), gewürzte grüne Bohnen und Kohl, Kartoffelbrei und Krabben und Maisgrütze. Es war ein wahres Festessen, aber Joe stocherte nur lustlos darin herum.

»Du musst doch nicht jeden Abend arbeiten, Grandpa«, meinte Harriet und nahm sich noch etwas von dem Kartoffelbrei.

»Das ist keine Arbeit«, schnaubte er. »Das ist Gastfreundschaft.« Er setzte sich ein bisschen aufrechter hin.

»Wir empfangen Freunde bei uns und teilen mit ihnen, was wir haben.«

Sie nickte. »Ich weiß.« Diese persönliche Atmosphäre sicherte der Tiki-Bar seit so vielen Jahren das Überleben. Die Einwohner von Montauk schätzten den altmodischen Charme und die Werte vergangener Zeiten, für die das Rum Coconut stand. In den Sommermonaten war die Bar natürlich voll bis unters Dach mit Touristen, die das tropische Retro-Flair mochten, aber es war gut zu wissen, dass es auch außerhalb der Saison auf die Einheimischen als Gäste zählen konnte.

»Aber es ist nicht das Gleiche ohne mein Mädel«, fügte Joe traurig hinzu.

Sein Mädel. Ihre Nana. Lorna war überall präsent, angefangen vom Essen über die Dekoration bis hin zu all den Veranstaltungen. Es schien, als würde ihr Geist über allem wachen und sie leiten.

Joe tat einen langen, langsamen Atemzug, der ihn offenbar viel Kraft kostete, bevor er fortfuhr: »Ich weiß, dass sie nicht zurückkommt. Und ich weiß auch, dass ich damit leben muss.« Er sah Harriet an. »Und allmählich könnte ich mir auch vorstellen, dass ich *vielleicht* damit leben kann. Es braucht einfach seine Zeit … und ein paar Runden Kartenspielen mit Ambrose.«

Harriet hatte Tränen in den Augen. »Das freut mich, Grandpa«, erwiderte sie lächelnd.

»Es gefällt mir zwar nicht«, fügte er hinzu und spießte ein paar grüne Bohnen auf, »aber deine Nana hätte sich gewünscht, dass hier alles so weitergeht wie bisher auch.«

Harriet dachte an den letzten Brief ihrer Großmutter. Hätte Lorna sich das wirklich gewünscht? Sie hatte von Reue und Bedauern gesprochen. Ob Joe wusste, was sie damit meinte? Hatte es vielleicht mit ihrem Dad zu tun? Aber es war wohl nicht der passende Moment, Joe jetzt, wo er guter Dinge war, darauf anzusprechen. Sie nahm sich ein Stück Huhn mit den Fingern, legte es auf ihren Teller und leckte sich die Gewürze von den Fingern.

Neben ihr auf dem Boden stand die Holzschatulle, die sie am Nachmittag bei Madame Scarlet abgeholt hatte. Sie bückte sich danach. »Grandpa?«

»Ja?«, nuschelte er mit vollem Mund, den Blick auf die Maisgrütze und die Garnelen gerichtet.

»Kennst du die?« Sie stellte die Schatulle, die zum Glück nicht mehr nach abgestandenem Wasser muffelte, auf den Tisch.

Er schaute auf, und sein Gesichtsausdruck änderte sich schlagartig. Als ob er einen Geist gesehen hätte. Keine Frage, er kannte die Schatulle.

»Wo … wo hast du die her?«, fragte er unnatürlich deutlich.

»Aus dem See. Mack und ich waren angeln. Ich dachte, ich hätte einen Riesenfisch an der Leine, und stattdessen ist plötzlich dieses Ding aufgetaucht.«

Joe ließ die Gabel fallen, streckte langsam die Hände aus und strich behutsam über den geschnitzten Deckel. Jetzt konnte man deutlich sehen, dass es sich um ein Rankenmuster handelte. Er zitterte am ganzen Körper.

»Das … das kann nicht sein …«

Seine Stimme bebte. Zärtlich fuhr er über das Holz und hob schließlich den Deckel an.

»Sie ist leer«, sagte Harriet. »Es war bloß aufgeweichtes Papier drin. Sie muss schon ziemlich lange im Wasser gelegen haben.«

»Er hat es mir gesagt«, murmelte Joe. »Er hat gesagt, dass

die Einbrecher sie ins Wasser geworfen haben. Und ich habe ihm nicht geglaubt.« Er tat einen zittrigen Atemzug.

»Gehört die *dir?* Ich habe sie heute Morgen zufällig auf einem Foto von einer Versteigerung vor vielen Jahren entdeckt, und …«

»Ich habe sie gemacht, und er hat mir dabei geholfen, und dann hat er sie einfach genommen«, faselte Joe. »Wir dachten, er hätte sie gestohlen.«

»Wer, Grandpa? Von wem redest du?«

»Dein Vater«, hauchte Joe mit feuchten Augen. »Joe Junior. Wir dachten, er hätte die Schatulle mitsamt dem Geld, das drin war, gestohlen.«

Harriets Blick heftete sich auf die alte, handgeschnitzte Schatulle. Ihr Vater hatte dieses wunderschöne Stück zusammen mit ihrem Großvater angefertigt? »Da war Geld drin, sagst du?«

»Jeder Cent, den wir in jenem Jahr auf den Wohltätigkeitsveranstaltungen eingenommen hatten. Sämtliche Spenden, die an die Army and Navy Union, die Veteranenorganisation, gehen sollten. Etliche tausend Dollar.« Er drehte das Kästchen um, als hoffte er, ein Geheimfach zu entdecken.

»Und Dad hat es gestohlen?« Harriets Gedanken überschlugen sich, als sie an das Foto dachte und den letzten Brief ihrer Großmutter.

»Er hat geschworen, dass er es nicht war. Ich habe ihn einen Lügner und einen Dieb genannt und ihm gesagt, er soll abhauen und nie mehr zurückkommen.« Joe rutschte unruhig auf seinem Stuhl herum. »Und das hat er getan. Er ist nach England gegangen. Damit war alles klar. Ich meine, wie hätte er sich den Flug leisten können, wenn er das Geld nicht genommen hätte?«

»Grandpa, ist das der Grund dafür, dass ihr den Kontakt

abgebrochen habt?«, flüsterte Harriet. Das war doch nicht möglich! Etwas, das ihr Vater mit vielleicht sechzehn Jahren getan hatte, etwas, wobei diese Schatulle eine Rolle spielte, war die Ursache für den Bruch in ihrer Familie?

»Er hat das Geld doch gestohlen, oder nicht?« Ein kummervoller Ausdruck lag in Joes Augen. »Er hat das Geld herausgenommen und die Schatulle dann selbst in den See geworfen. So muss es gewesen sein.«

»Ich weiß es nicht, Grandpa.« Sie griff nach seiner Hand und drückte sie.

»Denn wenn nicht, dann … dann hab ich Lorna das Herz gebrochen und ihn davongejagt, obwohl er … obwohl er gar nichts getan hat.«

Wieder drückte sie seine Hand, als sie sah, wie er gegen die Tränen ankämpfte. Sie nahm sich vor, so bald wie möglich mit ihrem Dad zu sprechen, um der Sache auf den Grund zu gehen.

Plötzlich begann Meryl Cheep ganz aufgeregt zu kreischen. Harriet drehte sich Richtung Eingang. Ihr klappte der Unterkiefer herunter, als sie den Grund für den Aufruhr sah.

Die Warrior, Fort Pond

»Was ist das denn?«, fragte Mack.

Madame Scarlet strahlte über das ganze Gesicht, als sie mit einer kleinen eingetopften Tanne in den Händen das Deck der *Warrior* betrat. Aber verglichen mit dem Weihnachtsschmuck in ihrem Haus, war der Baum wenigstens geschmackvoll.

»Das ist Weihnachten!« Ihre langen roten Haare, die, wären sie echt gewesen, aus einer Werbung für Haarpflegeprodukte hätten stammen können, bewegten sich im Wind.

»O nein!« Mack schüttelte den Kopf. Scooter war aus der Kajüte geflitzt, sauste an ihm vorbei und sprang an Madame Scarlet hoch. »Weihnachten kommt mir nicht auf die *Warrior*. Das wissen Sie doch.«

»Nun, ich habe das Gefühl, das könnte sich vielleicht ändern.«

»Ich habe keine Ahnung, wovon Sie reden.« Mack verschränkte verlegen die Arme vor der Brust.

»Wirklich nicht?« Madame Scarlets Blick richtete sich nach oben. »Du weißt doch, dass ich alle hier kenne.«

Mack schnappte Scooter am Halsband und befahl ihm, wieder nach unten zu gehen. »Ja, und das macht mir Angst, also kommen Sie einfach zur Sache.«

»Ich weiß, dass du dir den ehemaligen Waschsalon in der Stadt angesehen hast und mit dem Gedanken spielst, ihn zu mieten.«

»O Mann!« Mack schlug sich mit der Hand an die Stirn. »Hat Ruby das unbedingt ausposaunen müssen?«

»Ruby weiß davon?«, rief Madame Scarlet. Es klang ein wenig verärgert.

»Wenn sie es nicht war, wer hat es Ihnen dann erzählt?«

»Das kann ich dir nicht sagen. Und jetzt nimm mir endlich den Baum ab, ich hab nämlich noch mehr für dich, Schätzchen.«

»Was? Noch mehr? Kommt nicht infrage!« Aber Mack wusste, er konnte noch so viel protestieren, es hätte sowieso keinen Sinn. Resigniert seufzend nahm er ihr den Baum ab und ging in die Kajüte hinunter.

Gut fünf Minuten später war Madame Scarlet bereits dabei, sein Boot mit zahlreichen Kugeln, Zweigen und Weihnachtsanhängern zu schmücken. Scooter war hellauf begeistert. Er spielte mit den Kiefernzapfen, als wären es Bälle, und blieb schließlich zwischen Sitzbank und Tisch stecken, sodass er befreit werden musste. Das Boot schaukelte, sooft Madame Scarlet hin und her eilte. Es dauerte nicht lange, bis die Kajüte einer winterlichen Berghütte glich.

»So, das wär's!«, verkündete Madame Scarlet schließlich. Sie schien sehr zufrieden mit sich.

Mack ließ seinen Blick über die lamettaumkränzten Bullaugen schweifen und stellte fest: »Das sieht aus wie bei Macy's.«

Madame Scarlet runzelte die Stirn. »Das war aber nicht beabsichtigt. In dem Magazin stand ›Weihnachten im Blockhausstil‹. Vielleicht, wenn wir den Teppich ausbreiten und …«

»Teppich?« Macks Stimme klang eine Spur schrill. Was zum Teufel sollte das Ganze?

»Ich will doch nur, dass das Boot ein bisschen weniger wie eine Männerhöhle aussieht und ein bisschen mehr wie …«

Sie verstummte mitten im Satz. Das tat sie nie. Er beobachtete, wie sie die Hände in einen ihrer Körbe steckte, etwas herauszog und auf den Tisch legte.

»Eine Duftkerze?« Mack konnte es nicht fassen.

»Das ist ein sehr maskuliner Duft. Kiefer und Bergamotte mit einer dezenten Lorbeernote. Puh«, pustete sie, »mir wird allmählich ganz schön warm!«

Sie sah wirklich ein wenig erhitzt aus, als sie mit den langen Ärmeln und dem Rock ihres roten Kleids wedelte. Mack hatte die Heizung wie immer am Abend hochgedreht. Über Nacht schaltete er sie aus. »Setzen Sie sich. Möchten Sie was trinken?«

»Ich dachte schon, du würdest nie fragen«, antwortete sie leise lachend. »Ich trinke das Gleiche wie du.« Sie ließ sich auf die Bank plumpsen und zeigte mit dem Ellenbogen auf sein Glas auf dem Tisch.

Verdammt, das war sein guter Whiskey. Wie konnte sie das wissen? Er nahm die Flasche mit dem billigeren aus dem Schrank, schnappte ein Glas und drehte den Verschluss auf.

»Mackenzie, ich bin nicht von gestern. Das ist nicht der, den du im Glas hast.«

Hatte sie tatsächlich übersinnliche Fähigkeiten? Er drehte sich grinsend zu ihr um und bemerkte dann, dass sie einen Schluck aus seinem Glas genommen hatte. Okay, übersinnliche Fähigkeiten hatte sie vielleicht nicht, aber sie war definitiv clever.

Er schenkte ihr von dem guten Whiskey ein, stellte das Glas auf den Tisch und setzte sich ihr gegenüber, wobei er mit dem Hintern an einen mit Geschenken beladenen Spielzeugsoldaten stieß, der auf den Boden fiel.

»Wenn du willst, dass Joanna bleibt, musst du sie darum bitten.«

Er verschluckte sich an seinem Whiskey und hustete. Der Alkohol brannte ihm in der Kehle. »Wow! Das nenn ich mit der Tür ins Haus fallen.«

»Nun ja, man hat mir gesagt, die Zeit wäre knapp.«

»Was? Was soll das heißen? Wer hat das gesagt?« Hatte Harri tatsächlich vor, noch vor Weihnachten zurückzufliegen? Wusste Madame Scarlet, wann genau? Und wie konnte er Harri um irgendetwas bitten, nachdem er es abgelehnt hatte, mit ihr zum Leuchtturm zu gehen?

»Ich weiß, dass du nicht an meine Fähigkeiten glaubst, Mackenzie, aber das ändert nichts an den Tatsachen.«

»Ich soll also glauben, dass irgendein ›Wesen‹ ihre baldige Abreise angekündigt hat.«

Madame Scarlet lächelte nur. »Ich weiß auch, dass du sie nicht erst hier und jetzt kennengelernt hast.«

»Sie haben mit Ruby gesprochen.« Macks Finger schlossen sich um sein Glas. Außer Ruby hatte er niemandem von seinem Briefwechsel mit Harri erzählt. Scooter, der das Interesse am Weihnachtsschmuck verloren hatte, sprang auf die Bank und rollte sich neben seinem Herrchen zusammen.

»Nein«, erwiderte Madame Scarlet kaum hörbar. »Ich weiß es von Lorna.«

»Jetzt machen Sie aber mal einen Punkt! So brauchen Sie mir gar nicht erst zu kommen.«

»Bevor du dich künstlich aufregst, Schätzchen – sie hat mich nicht aus dem Jenseits kontaktiert – noch nicht –, sie hat mir einen Brief hinterlassen. Und darin schreibt sie viel über Joanna und dass sie sich wegen ihrer Zukunft sorgt.« Sie seufzte. »Sie erzählt von einem Soldaten, der Joanna häufig geschrieben hat. Im Sommer habe sie sich über nichts so gefreut wie über diese Briefe von der Front, nicht einmal über Lornas Blaubeereiscreme.«

Macks Mundwinkel zuckten. Himmel, diese Briefe! Während seines Einsatzes waren sie sein Rettungsanker gewesen, sein Halt während seiner Zeit in der Reha, und heute las er sie immer noch, damit er nicht vergaß, was für ein Mann er gewesen war. Ein Glückspilz, dem diese unglaubliche Frau ihre Liebe geschenkt hatte. Er verabscheute sich dafür, dass er sie belogen hatte und, schlimmer noch, andere dazu gebracht hatte, für ihn zu lügen. Dafür, dass er immer noch Angst hatte, in seinem Leben Platz für sie zu machen.

»Lorna hat nie etwas gesagt, aber dieser Soldat, dem Joanna geschrieben hat, das warst du, nicht wahr?«

Er nickte. Es war ja nicht so, dass Batman seine Maske herunterzog und sich als Bruce Wayne entpuppte. Es war kein Geheimnis. Es passte nur nicht zur gegenwärtigen Konstellation der Dinge: Er war nicht mehr derjenige, den sie gekannt hatte, und sie war mit einem anderen zusammen. Er holte tief Luft. »Ja, das war ich.«

Madame Scarlet schüttelte den Kopf. »Keine Vergangenheitsform, Mackenzie. Du *bist* es.«

»Ich weiß nicht.« Er blickte in sein Whiskeyglas und schwenkte die bernsteinfarbene Flüssigkeit darin. »Ich vermassle alles. Manchmal bin ich überzeugt davon, es zu schaffen, wieder der Mann sein zu können, der ich für sie war. Dann denke ich daran, wie sehr ich mich verändert habe und wie wahnsinnig gern ich zurückgehen würde und … ich weiß auch nicht.«

»Doch, du weißt es«, entgegnete Madame Scarlet ernst. »Weil du sie kennst.«

»Ich habe ihr so wehgetan. Ich habe ihr das Herz gebrochen. Und nachdem sie es wieder zusammengesetzt hatte, war die äußere Hülle härter und das Innere hatte sich völlig verändert. Da ist nichts mehr von dem süßen, mutigen, neugierigen, leidenschaftlichen Mädchen von früher. Da ist Leere, da ist ungestilltes Verlangen, weil sie einem Weg folgt, den jemand anderes ihr vorgegeben hat. Und das nur, weil sie einmal ihrem Herzen gefolgt ist und einen zu hohen Preis dafür zahlen musste. Das alles ist ganz allein meine Schuld.«

»Dann war's das also?«

Er zuckte hilflos mit den Schultern. »Erst stoße ich sie zurück, dann sage ich mir, dass ich vielleicht etwas wiedergutmachen kann. Indem ich ihr helfe herauszufinden, wer sie wirklich sein möchte. Auch … auch wenn ich dabei keine Rolle spiele.«

Meinte er das ernst? Ja, offensichtlich. Sosehr er sie auch liebte – und er liebte sie wie verrückt –, nichts würde ihn glücklicher machen, als zu sehen, dass sie in irgendeiner Form wieder ihrem Herzen folgte.

»Na schön, und diese Reise könnte mit der Weihnachtsdekoration hier beginnen. Dein Schlafzimmer habe ich übrigens auch schon geschmückt. Wer weiß, wohin die Reise euch führt.«

»Wie bitte?« Mack glaubte, sich verhört zu haben. Wie hatte sie es geschafft, unbemerkt in sein Schlafzimmer zu gelangen?

»Jede Reise beginnt mit dem ersten Schritt. Joanna sollte ihre eigene Entscheidung treffen, aber um die richtige Entscheidung treffen zu können, muss man alle Optionen kennen«, sagte Madame Scarlet lächelnd.

War er denn eine Option? Erst vor ein paar Tagen hatte er sie zurückgewiesen, und er wollte sie auf keinen Fall durcheinanderbringen. Würde er je wiedergutmachen können, was er ihr angetan hatte? Würde er je wieder ihr Vertrauen gewinnen können? Dieser Abend auf der Hollywoodschaukel, als sie seine Lippen berührt hatte, verfolgte ihn bis in seine

Träume. Das war die Nähe, die Vertrautheit, über die sie immer gesprochen hatten. Das war real.

»Jeder von uns hat zu kämpfen, Mackenzie. Aber gewinnen wird nur, wer niemals aufgibt.«

Die Hand auf Scooters warmem Bauch dachte er über diese Worte nach.

»So, und jetzt schenkst du uns noch was von dem guten Tropfen nach, und dann gibst du mir deine Hand.«

»Wozu?«, fragte er verdutzt.

»Damit ich dir verraten kann, was die Zukunft noch für dich bereithält.«

ACHTUNDFÜNFZIG

Das Rum Coconut

»Möchten Sie einen Doppelten, Joanna?«, fragte Lester, der das Glas unter den Jack-Daniels-Ausgießer hielt.

»Natürlich will sie einen Doppelten, verdammt noch mal!«, antwortete Ruby. »Blöde Frage. Schenk mir auch einen ein.«

Ruby war herbeigeeilt, als der Papagei zu zetern angefangen hatte, und als sie sah, warum, hatte sie Joe, der mit dem Rücken zum Eingang saß, unter einem Vorwand in die Küche gelockt und war dann wieder nach vorn gekommen.

Harriet merkte erst nach einer ganzen Weile, dass sie die Luft angehalten hatte. Sie atmete hörbar aus und klammerte sich an die Thekenkante. Eine der Tiki-Masken, die Rufus und Riley mit Glitzerfarbe besprüht hatten, schien sie höhnisch anzugrinsen.

»Iain ist wieder da«, wisperte sie.

»Ich sehe es«, erwiderte Ruby trocken.

»Iain ist hier. Hier in Montauk«, fügte sie überflüssigerweise hinzu. Er hatte ihr nicht gesagt, dass er kommen würde. Er hatte keine ihrer Nachrichten beantwortet, sondern war einfach in den Flieger gestiegen und hergekommen. Ganz spontan. Das sah ihm überhaupt nicht ähnlich. Und sie hatte keine Ahnung, wie sie sich verhalten sollte, weil sie wusste, dass er die Schatulle mit den Briefen an sich genommen hatte.

»Ich geh mal davon aus, dass er dir nicht gesagt hat, dass er kommt«, meinte Ruby.

Harriet schüttelte den Kopf, griff nach dem Glas, das Lester vor sie hinstellte, und leerte es in einem Zug. Der Alkohol brannte ihr in der Kehle. Sie musste husten. Ruby strich ihr ein paarmal über den Rücken.

»Ich sehe in der Küche besser mal nach dem Rechten. Ich habe Joe gebeten, sich um die Fischsuppe zu kümmern, und du weißt ja, dass er gern kräftig würzt.«

»Geh nur. Ich schaff das schon, ehrlich.«

Harriet nahm den Kaffee, den Lester hingestellt hatte, und holte tief Luft. Iain hatte den Atlantik überquert, um mit ihr zu reden. Sie konnte es nicht länger hinausschieben.

Sie kehrte an den Tisch mit Blick auf den Strand und das Meer zurück. Man konnte die Schaumkronen auf den Wellen und den Sand in der Dunkelheit gerade noch erkennen, weil die Lichterketten und die Solarleuchten rings um die Veranda und den Weg zum Parkplatz entlang die Szenerie ein klein wenig erhellten.

»Americano«, sagte sie leise. »Schwarz und nicht zu stark. Wie du ihn magst.« Sie stellte die Tasse vor Iain hin und setzte sich ihm gegenüber.

Sein Gesicht war völlig ausdruckslos, wie das eines Nachrichtensprechers zu Beginn der Sendung – alles war möglich, eine gute Nachricht über die Rettung eines gestrandeten Wals ebenso wie die schockierende Ankündigung eines Kriegsausbruchs mit Folgen für die ganze Welt. Harriet wusste nicht, wie sie anfangen sollte. Vielleicht würde er ja den Anfang machen.

Plötzlich kam Bewegung in Iain. Er hob den Rucksack vom Fußboden auf seine Knie, zog den Reißverschluss auf, holte seinen Laptop heraus und schaltete ihn ein. Nur das

Surren des Computers war zu hören. Schließlich hielt Harriet es nicht mehr aus.

»Iain ...«

»Nein«, schnitt er ihr das Wort ab. »Noch nicht.« Obwohl sich seine Finger immer noch über das Touchpad bewegten, sah er sie jetzt an.

»Iain, ich möchte dir etwas sagen«, begann sie noch einmal.

»Wozu?« Er hörte sich nicht an wie jemand, der gleich eine positive *Free-Willy*-Meldung vorlesen würde. »Du weißt doch noch gar nicht, was ich dir sagen will«, fuhr er fort.

»Doch, das weiß ich. Ich habe mit Jude gesprochen.«

»Ach so, du hast mit Jude gesprochen«, äffte er sie nach. »Na, in dem Fall weißt du natürlich alles. Wie man Seife schnitzt ... direkt aus der Pfanne isst ... eine andere Persönlichkeit unter dem Bett versteckt?«

Harriet schluckte schwer. Er hatte ihre Briefe nicht nur gefunden, sondern allem Anschein nach auch gelesen. »Ich kann dir alles erklären ...«

»Du brauchst mir gar nichts zu erklären«, erwiderte er. »Sobald dieser verdammte Computer richtig läuft, werde *ich* alles erklären.«

Es war völlig ungewöhnlich, dass Iain solch ein Wort in den Mund nahm. Er ballte vielleicht mal erbost die Faust oder schimpfte, aber das war es dann auch schon. Der Zorn sorgte für Risse auf seiner sonst so glatten Oberfläche. Er hatte sich nicht einmal für den Kaffee bedankt.

Nach ein paar weiteren Klicks auf der Tastatur drehte er den Bildschirm zu ihr hin. »Option Nr. 1« stand da in großen schwarzen Buchstaben.

Harriet blinzelte verwirrt. War das eine PowerPoint-Präsentation? »Ich versteh nicht. Was soll das, Iain?«

»Option Nummer eins sieht vor, dass ich dir deine Firmenanteile abkaufen werde. Ich habe bereits einige Gutachten über den Firmenwert eingeholt. Du wirst sicher das Gleiche machen wollen. Natürlich kann ich dich nicht sofort ausbezahlen, deshalb schlage ich einen Erstbetrag und drei weitere jährliche Zahlungen vor. Ich gehe in Punkt zwei und drei darauf ein.«

»Iain, ich … ich weiß nicht, was ich sagen soll.« Passierte das wirklich? War das ein Verkaufsgespräch?

»Kommen wir zu Option Nummer zwei. Das ist nicht die von mir favorisierte Lösung, und deine wird es vermutlich auch nicht sein, weil du ja allem Anschein nach von einem skurrilen Laden voller flauschiger Kissen und Seegemälden träumst und nicht vom Chefsessel eines führenden Immobilienunternehmens. Aber falls du es wünschst, bin ich bereit, dir meine Firmenanteile zu verkaufen. Zu den gleichen Bedingungen. Eine Erstzahlung und weitere Raten in den nächsten drei Jahren.«

»Iain, bitte, hör auf! Können wir nicht vernünftig miteinander reden? Ich komme mir vor wie auf einer Vorstandssitzung! Ich weiß, wie du dich fühlst, und …«

»Glaubst du? Du hast keine Ahnung, wie maßlos enttäuscht ich bin«, sagte er bitter. »Maßlos enttäuscht.«

»Okay.« Harriet nickte. »Aber als wir uns kennenlernten, habe ich dir gesagt, dass …«

»Du einen anderen liebst? Sonst hast du mir nämlich so gut wie nichts erzählt. Ich weiß noch, dass ich dachte, endlich jemanden gefunden zu haben, der so ist wie ich. Ich weiß noch, was für eine … Genugtuung ich empfunden habe.«

Sie wusste nicht, was sie darauf erwidern sollte, also schwieg sie.

»Harriet oder Joanna oder *Harri* oder wie auch immer du

heißen magst«, spie er aus. »Ich habe gedacht, wir passen gut zusammen, haben die gleichen Wünsche und Ziele und jetzt ... jetzt komme ich mir vor, als hätte ich eine Anzahlung auf eine Immobilie geleistet und erst hinterher festgestellt, dass sie aufsteigende Feuchte und Senkungsschäden hat.« Er seufzte. »So hab ich das nicht gemeint, aber das ist der Kern der Sache. Darauf läuft es hinaus.« Er atmete langsam und tief ein, als versuchte er verzweifelt, auf einem ihm vertrauten Weg durch diese Unterhaltung zurückzufinden. »Ich bin ein ausgeglichener, besonnener Mensch, Harriet, das weißt du. Ich denke pragmatisch und sachlich. Spontan oder leiden-schaftlich zu sein liegt mir nicht, und ich könnte niemals zwei DIN-A4-Seiten damit vollschreiben, wie ich deinen Körper mit meiner Zunge erforschen möchte.«

Harriet schloss die Augen, als ihr die Röte ins Gesicht schoss. Er hatte die intimsten Passagen ihres Briefwechsels mit Mack gelesen. Sie spürte eine unfassbare Wut, hatte an-dererseits aber auch ein schlechtes Gewissen. Wie musste sich Iain bei der Lektüre gefühlt haben?

»Und ich gehe mal davon aus«, fuhr er seufzend fort, »dass du Lance Corporal Mackenzie Wyatt detailliert und in den leuchtendsten Farben geschildert hast, was du wiederum gern mit ihm anstellen würdest.«

»Iain«, sagte Harriet flehentlich. Sie wollte über den Tisch hinweg nach seiner Hand greifen, doch der Laptop war im Weg, und Iain hatte seine Hände fest ineinander ver-schränkt.

»Er ist es, nicht wahr?«, sagte er resigniert. »Der Typ von hier. Der seinen Hund nicht unter Kontrolle hat. Der mit dem Motorrad.« Er schüttelte den Kopf. »Wieso frage ich überhaupt? Dir stand es nicht ins Gesicht geschrieben, aber ihm. Das habe ich nur nicht sofort erkannt. Körpersprache entschlüsseln ist nicht meine Stärke. Falls dir das in unserer gemeinsamen Zeit nicht aufgefallen sein sollte.«

»Iain, es ist nicht so, wie du denkst.« Doch das war eine Lüge, das wusste sie. Es war so, wie er dachte, und noch viel mehr. Macks Zurückhaltung änderte nichts an ihren Gefühlen für ihn. Und man konnte nicht in einer Beziehung bleiben, solange man sich emotional noch nicht von einer früheren Verbindung gelöst hatte. Das war keinem gegenüber fair. Es ging nicht darum, sich für den einen oder den anderen zu entscheiden, es ging darum, das Richtige zu tun.

»Harriet, es dreht sich hier nicht um Schuldzuweisungen.« Iain setzte sich ein wenig aufrechter hin. »Dann hätte ich genauso gut auf deine Mails antworten können, statt eine horrende Summe für ein Flugticket auszugeben.«

»Aber ich habe einen Fehler gemacht. Und schulde dir eine Erklärung.«

»Ehrlich gesagt, bin ich fix und fertig«, seufzte Iain. »Ich weiß nicht, ob ich noch so viel Energie habe.«

Er sah wirklich mitgenommen aus, und das war allein ihre Schuld. Sie erkannte jetzt, dass sie sich nur halbherzig in ihre Beziehung eingebracht hatte. Ihr hatten der Mut und das Selbstvertrauen gefehlt, entweder einen Schlussstrich zu ziehen, oder aber gemeinsam mit Iain das Beste aus ihrer Partnerschaft herauszuholen. Sie hatte sich an seine Berechenbarkeit geklammert und seine Routine zu ihrer gemacht. Aber glücklich gemacht hatte sie das nicht, weil sie sich immer nach etwas anderem gesehnt hatte, nicht unbedingt nach *jemand* anderem. Eher hätte sie wieder der Mensch sein mögen, der sie während ihres Briefwechsels mit Mack gewesen war. Das Mädchen, das einen Traum hatte und genug Leidenschaft und Begeisterung, ihn wahr werden zu lassen. Dem das Herz gebrochen worden war und das sich daraufhin entschieden hatte, eine andere zu werden.

»Iain«, flüsterte sie mit Tränen in den Augen, »es ist nicht übertrieben, wenn ich sage, dass du mich gerettet hast. Als wir uns kennengelernt haben, war ich ganz unten, ich habe an meinem ganzen Leben und an mir selbst gezweifelt. Du warst der edle Ritter, der mit seinen Ideen und Strategien und seinem gütigen Herz kam, und ich habe mich in all das verliebt.« Sie legte die Hand auf seine. »Du hast nie etwas von mir verlangt, und dafür war ich dankbar, weil ich so gelitten hatte und mein Herz so vernarbt war. Ich brauchte etwas anderes, etwas Unkompliziertes, etwas, auf dem ich eine solide Basis aufbauen und weitermachen konnte.«

Sie sah ihn an in seinem schicken weißen Hemd, den schwarzen Jeans und den Lederschuhen. Wer weiß, vielleicht wäre alles anders gekommen, wenn sie am Anfang ehrlicher zueinander gewesen wären.

»Und ich dachte, eine solide Basis wäre immer noch das Wichtigste für dich! Ich meine, Harriet, ich bin jetzt dreißig. Sind wir nicht ein bisschen zu alt für ›kompliziert‹?«

Er verstand es nicht, weil er es nicht verstehen *konnte*. Iain mochte geschlossene Fenster und eine Kette an der Tür. Er konnte nicht nachvollziehen, wie verlockend eine salzige Meeresbrise war und wie aufregend das Schaukeln auf einer Hollywoodschaukel …

»Ich …«

»Hör zu«, fiel er ihr ins Wort. »Ich weiß, dass ich erhebliche Defizite im Bereich Romantik habe. Das gebe ich offen zu. Ich habe mich auf dem Gebiet nicht besonders angestrengt, weil es mir nicht liegt und weil ich idiotischerweise dachte, du wärst keine Frau, die eine Schwäche für Männer mit löchrigen Jeans, mit viel zu engen T-Shirts oder Zweirädern mit äußerst unbequemen Sitzgelegenheiten hat.«

»Iain ...«

»Lass mich das zu Ende bringen, Harriet. Bevor das Ganze zum traurigen Abklatsch eines Shakespeare-Dramas wird.«

»Okay«, flüsterte sie und lehnte sich zurück.

Iains Hände zitterten ein wenig, als er den Laptop wieder zu sich drehte und etwas auf der Tastatur eingab.

»Es gibt eine dritte Option.«

Im Ernst? Als er den Bildschirm wieder in ihre Richtung drehte, las sie:

Wir bleiben zusammen.

Und das nach allem, was er gerade gesagt hatte, nach der Lektüre von Macks Briefen und nach der Entdeckung, dass sie nicht die war, für die er sie jahrelang gehalten hatte.

»Meine Mutter hat mir einmal erzählt, dass sie die Schweinezucht meines Vaters mehr geliebt hat als ihn, als sie ihn kennenlernte.« Er lächelte. »Und sie gibt gern damit an, wie lange sie nun schon zusammen sind.«

Und sie streiten sich bis heute über verloren gegangene Tupperware-Dosen und falsch gekochte Eier ...

»Ich glaube nicht, dass das funktioniert, Iain«, sagte Harriet leise. »Nicht jetzt. Wir würden ein Leben weiterleben, von dem wir beide wissen, dass es nicht das richtige ist.«

»Nun, ändern kann ich mich wahrscheinlich nicht«, gab er zu. Er beugte sich ein wenig vor und legte beide Hände auf den Tisch.

»Das sollst du auch nicht, Iain«, erwiderte sie sanft.

»Wirst du es dir überlegen?« Ein kleines Zucken in seinem Gesicht verriet seine Emotionen. Er schob seine Hände langsam über die Tischplatte, unsicher, wie er sich verhalten sollte.

Harriet löste sein Dilemma, indem sie seine Hände ergriff und fest drückte. »Iain.« Sie blickte ihm in die Augen und nahm alles, was sie so an ihm gemocht hatte, bewusst in sich auf. »Ich werde über deine ersten beiden Vorschläge nachdenken«, versprach sie. »Aber nicht über Nummer drei.«

Ohne seine Hände loszulassen, hielt sie seinem Blick stand. Sie waren am Ende ihres gemeinsamen Wegs angelangt.

»Okay«, entgegnete er feierlich.

Sie lächelte.

»Okay«, wiederholte er und nickte. Seine Haltung drückte jetzt fast so etwas wie Erleichterung aus. Er ließ seine Schultern kreisen wie nach einer hart umkämpften Versteigerung, bei der er entweder den Zuschlag bekommen hatte oder aber sich letzten Endes geschlagen geben musste und es gelassen hinnahm.

»Soll ich dir das Gästezimmer herrichten?«, fragte Harriet.

»Oh, äh, nein, nicht nötig.« Er klappte den Laptop zu und fing an, in seinem Rucksack zu kramen. »Ich habe mir eine Suite im Beachcomber Resort reservieren lassen.«

Wie könnte es auch anders sein. Sie kannte ihn doch. Er fühlte sich im formellen Rahmen immer wohler als im unkonventionellen. »Es ist sehr schön dort«, versicherte sie ihm.

Er hatte ein paar fein säuberlich gebundene Hefte aus seinem Rucksack gezogen, die er ihr überreichte.

»Ich wollte nicht in deinem Zimmer herumschnüffeln«, sagte er, und es klang aufrichtig. »Ich habe meinen Kopierschutzstecker gesucht.« Er lächelte matt. »Aber wahrscheinlich hat es so sein sollen.«

Harriet blätterte die Hefte flüchtig durch. »Was ist das, Iain?«

»Verträge zu den Beschlüssen eins und zwei. Sie können selbstverständlich geändert oder ergänzt werden.«

Harriet nickte. Er hatte wie immer alles perfekt organisiert und festgehalten und schriftliche Kopien angefertigt.

»Ich bleibe drei Tage«, fuhr er fort. »Ruf an, wenn du dich entschieden hast.«

Er bückte sich unter den Tisch und richtete sich mit einer Schatulle in den Händen wieder auf. Es war die, in der sie Macks Briefe aufbewahrte. Iain schob sie mit den Fingerspitzen zur Tischmitte.

Die Briefe. Genau zwischen ihnen. Wo sie vielleicht immer schon gewesen waren.

Die Warrior

»Auf der Weihnachtsversteigerung wird auch ein Fahrrad angeboten, hast du das gewusst?« Lester grinste über das ganze Gesicht.

Mack konnte es nicht fassen, dass er tatsächlich schon wieder an Deck der *Warrior* mit ölverschmierten Händen an Lesters Rad herumbastelte. Er war an diesem Morgen früh aufgestanden und mit Scooter joggen gegangen, hatte dann auf dem Heimweg Bacon-Bagels fürs Frühstück mitgenommen und später die wahrscheinlich sechsunddreißigste Textnachricht an Harri verfasst, obwohl er wusste, dass er ihr auch diese nicht schicken würde. Er würde gern für sie kochen oder sie irgendwohin einladen, aber er traute sich nicht, sie zu fragen, ganz egal, was Madame Scarlet gesagt und was sie ihm über die Herzlinie in seiner Handfläche erzählt hatte. Letzteres hielt er sowieso für einen Riesenmist. Es war wie mit dem Nebel über dem eiskalten Wasser: Er wartete auf einen Sonnenstrahl, damit es eine Spur wärmer wurde und der Dunst sich verflüchtigte. Aber ob sich die geeignete Situation je ergeben würde? Vielleicht sollte er all seinen Mut zusammennehmen und sie selbst herbeiführen.

»Ich soll dir echt ein neues Rad kaufen?«, fragte er.

Lester machte ein finsteres Gesicht und verschränkte die Arme über der Brust. »Das hast du mir doch ein paarmal angeboten. Aber Almosen will ich nicht.«

»Ich würde es weniger für dich als für mich tun. Damit ich mir nicht andauernd die Hände schmutzig machen muss.«

Jetzt war Lester sichtlich eingeschnappt. »Sag das doch gleich. Dann bringe ich es in die Werkstatt.« Er packte das Hinterrad und wollte seinen Drahtesel vom Boot ziehen.

»Hey, Mann, jetzt sei nicht beleidigt! War doch nur Spaß. Ich reparier dir das Ding schon.« Er schraubte weiter an der Pedalachse. »Willst du bei der Versteigerung für das Rad bieten?«

»Ich muss an dem Abend arbeiten, aber ich hätte da eine Idee.«

»Und die wäre?«

»*Du* bietest für mich.«

Mack runzelte die Stirn. »Ach, komm schon, Lester, du weißt doch, dass ich kein Händchen für so was habe.« Er richtete sich auf. »Weißt du nicht mehr, letztes Jahr? Ich habe für drei Abendessen am ersten Weihnachtstag geboten und den Zuschlag für alle drei bekommen. Ich hab ungefähr zwanzig Pfund zugenommen!«

»Aber hier geht es nur um ein einziges Fahrrad!«

»Ja, für dich. Wenn ich nun auch etwas ersteigern möchte? Du weißt selbst, wie verrückt es an dem Abend zugeht. Sogar Meryl Cheep dreht durch!«

Lester verdrehte die Augen und wechselte das Thema. »Gehst du heute Abend zum Umzug?«

Der Weihnachtsumzug! Das große Ereignis, an dem die ganze Stadt teilnahm, und ein untrügliches Zeichen dafür, dass Weihnachten vor der Tür stand. Dieses Jahr hatte er wegen Harri eine ganz besondere Bedeutung. Und er wusste immer noch nicht, was er tun sollte. War das die Gelegenheit, auf die er wartete? Damit er es diesmal besser machen konnte? Damit sie ihm verzieh?

»Ich weiß noch nicht«, antwortete er seufzend.

»Was? Du *musst* kommen! Joanna wird auch da sein. Was Iain machen wird, weiß ich nicht, aber …«

Macks Herzschlag setzte aus. Eine Sekunde lang war er nicht sicher, ob sein Herz weiterarbeiten oder einfach stehen bleiben würde. Dann begann es wieder zu hämmern, kräftig und schnell. »Was sagst du da?«

»Iain ist wieder da. Er ist gestern Abend angekommen.«

»Ich … habe nicht damit gerechnet, dass er zurückkommt.« Was hatte das zu bedeuten? Wollte Iain sein Landkaufprojekt vorantreiben? Hatte Harri beschlossen, ihn dabei zu unterstützen, weil er, Mack, sie zurückgewiesen hatte? Weil er sie zu tief verletzt hatte? Bevorzugte sie die Sicherheit und Stabilität, die er ihr niemals würde bieten können? Vielleicht hatte er das verdient. Er knirschte mit den Zähnen, bemühte sich, ruhig zu bleiben, während sich alles in ihm verkrampfte. Offen über die Geschehnisse in Afghanistan zu sprechen war immer ein Risiko. Aber er hätte Vertrauen haben sollen, zu ihr, zu ihnen beiden. Er hatte zu lange gewartet …

»Er wohnt nicht im Rum Coconut«, fuhr Lester fort. »Mehr weiß ich auch nicht.«

»Was sagt Harri dazu, dass er wieder da ist? Hast du das Gefühl, sie freut sich darüber?«

Lester hob beide Hände. »Ich mixe nur die Drinks!«

Mack hielt es nicht mehr aus. Er musste handeln. Falls es noch nicht zu spät war. Er warf Lester den Pedalschlüssel zu. »Bin gleich wieder da. Pass bitte solange auf Scooter auf.«

Er sprang vom Boot, so gut es ihm seine Prothese erlaubte, und joggte unbeholfen über den Anlegesteg.

SECHZIG

Fort Pond Bay

»Sieht alles noch genauso aus wie früher«, staunte Ralph, als Harriet die Handykamera langsam im Kreis schwenkte.

Abgesehen von ein paar Möwen, die im knirschenden Sand und Kies nach Futter pickten, war der Strand leer. Das Meer lag vergleichsweise ruhig da. Hoffentlich würde ihre Unterhaltung auch so verlaufen. Dann bestand vielleicht die Chance auf einen Neuanfang. Sie hatte ihrem Dad in einer Nachricht von ihrem Fund, der alten Schatulle aus dem See, erzählt. Nach einer bedeutungsschwangeren Pause waren Blasen auf ihrem Display aufgetaucht, hatten gestoppt, kamen wieder, und dann endlich der Satz:

Lass uns morgen darüber reden

Und so waren sie jetzt hier.

Harriet lächelte über seine Reaktion. Im Gegensatz zu anderen Orten in den Hamptons stemmte sich Montauk immer noch gegen Veränderungen. Hier gab es nur wenige Millionärsvillen oder Airbnb-Wohnungen, die sich nur die Reichen leisten konnten. Im Grunde war Montauk das bescheidene Städtchen geblieben, das es einmal war, und trug sichtbare Spuren des Zahns der Zeit, während seine Nachbarn sich zu Nobelorten gemausert hatten. Aber genau diese lässige Atmosphäre machte Montauk so liebenswert, fand Harriet. Es fiel ihr schwer zu glauben, dass ihr Vater tatsächlich hier aufgewachsen war, wo er doch nie darüber geredet hatte. Sie hätten diskutieren können, wo es das beste Frühstück gab oder was es mit dem Montauk-Monster auf sich hatte. Wann hatte sie entschieden, dass sie oft genug abgewürgt worden war und das Thema einfach nicht mehr zur Sprache bringen sollte?

Sie drehte das Handydisplay zu sich herum und setzte sich in ihren Jeans auf eine kleine Grasnarbe. Ihr Dad befand sich unter der spanischen Sonne. Seine Haare flatterten wie sein extravagantes Hemd. Er passte hervorragend zu den grünen Hügeln und den weißen Zuckerwürfelhäusern im Hintergrund.

»Und?«, begann sie.

Ralph atmete hörbar aus. »Ich weiß gar nicht, wo ich anfangen soll, Harriet.«

»Na ja, erklär mir doch mal, warum Grandpa sich wegen dieser Schatulle so aufgeregt hat.«

Ralph schüttelte leicht den Kopf, dachte eine Weile nach und sagte dann: »Diese Schatulle ist der Grund dafür, dass ich mit sechzehn den Kontakt zu deinen Großeltern abgebrochen habe.«

»Wegen eines alten Holzkästchens.« Das musste sie erst einmal verdauen.

»Ja. Klingt melodramatisch, ich weiß, aber es ging nicht nur um das Kästchen an sich, sondern um das, wofür es stand. Mein Vater hat mich verachtet, und meine Mutter hielt immer zu ihm. Außerdem war ich ein Dickschädel. Als mein Vater mich rauswarf, hatte ich eine solche Wut, dass ich beschloss, abzuhauen und nie mehr zurückzukommen.«

»Bist du deshalb nie mit mir hierhergekommen? Es war immer Mum, die mich begleitet hat, bis ich alt genug war, um allein zu fliegen.«

Ralph schien sich unbehaglich zu fühlen. Er rutschte auf seinem Stuhl herum und senkte den Blick, als er sagte: »Sie waren dir immer die besten Großeltern, das weiß ich. Du kennst sie nur als liebevolle Menschen, die immer für dich da waren. Und ich möchte, dass du sie auch weiterhin so siehst. Das zwischen ihnen und mir hat nichts mit deiner Beziehung zu ihnen zu tun.«

»Dad«, sagte Harriet leise und strich sich die Haare aus dem Gesicht, »was hat es mit der Schatulle auf sich?«

»Das ist alles so lange her«, antwortete Ralph seufzend. »Wozu die alten Geschichten aufwärmen? Zumal Mum nicht mehr da ist.«

In seinem Gesicht spiegelten sich tiefe Emotionen. Da war immer noch Liebe, Harriet konnte es deutlich sehen. Im Lauf der Jahre hatte sie Knicke und Dellen bekommen, aber sie war vorhanden, genau wie bei ihrer Großmutter. Hätte sie sonst so oft von ihrem Sohn gesprochen, ihre Erinnerungen an ihn mit Harriet geteilt?

»Dad, bitte! Ich muss es wissen!«

Er atmete tief durch.

»In dieser Schatulle befand sich Geld, eine Menge Geld, das deine Großeltern für die Veteranenorganisation gesammelt hatten. Eines Abends kamen diese Typen in die Bar und haben die Schatulle geklaut.«

Harriet runzelte die Stirn. Das war zwar schlimm, aber wie konnte so etwas zu einem solch schweren Zerwürfnis führen? »Ich verstehe nicht, Dad.«

Er seufzte. »Ich war noch wach. Es war vielleicht ein Uhr früh, ich war in der Bar und hatte die Tür nicht abgeschlossen. Ich hatte mir einen Joint gedreht, als diese Kerle hereinkamen. Bevor ich wusste, was los war, hatten sie die Schatulle geschnappt und sind getürmt.«

»Ich versteh's immer noch nicht. Ich meine, du kannst doch nichts dafür.«

»Hast du mir nicht zugehört, Harriet? Ich hatte vergessen abzuschließen, und ich habe einen Joint geraucht!«

»Aber aus Versehen die Tür offen zu lassen kann doch jedem passieren! Was, wenn diese Typen gewalttätig geworden wären, wenn du versucht hättest, sie aufzuhalten? Sie hätten dich verprügeln können oder Schlimmeres, und das wäre viel furchtbarer gewesen.«

Ralph schüttelte den Kopf. »Die Veteranen und die verdammte Army haben ihm alles bedeutet. Ich erinnere mich noch an seinen Blick, als ich ihm erklärt habe, dass ich nicht zum Militär gehen würde. Ich musste mir zum tausendsten Mal anhören, dass sein Ururgroßvater, sein Urgroßvater, sein Großvater, sein Vater alle Soldaten gewesen sind. Undenkbar, dass jemand einen anderen Weg geht und seine eigenen Träume hat! Mein Vater und ich sind polare Gegensätze. Wir haben nicht das Geringste gemeinsam. Er hat mich immer, *immer* angesehen, als ob ich die größte Enttäuschung wäre. Und da habe ich beschlossen, diese Erwartungen voll und ganz zu erfüllen.« Er stieß einen tiefen Seufzer aus. »Ich habe in der Schule andauernd Mist gebaut. Habe mich betrunken, sehr oft. Einmal habe ich sogar einen Wagen für eine Spritztour geklaut. Solche Sachen.« Er zuckte mit den Schultern. »Egal, wie sehr ich mich bemüht habe, für meine Eltern war es nie gut genug.«

Harriet brauchte eine Weile, um all das zu verarbeiten. Das Bild, das ihr Vater von ihrem Großvater zeichnete, passte nicht zu dem Mann, den sie kannte. Joe war immer nur liebevoll und gütig und aufmerksam gewesen. Andererseits konnte er auch extrem stur sein. Aber den eigenen Sohn wegen eines Vorfalls vor so langer Zeit zu verstoßen …

»Der Abend damals war wie der Tropfen, der das Fass zum Überlaufen bringt.« Ralph trank einen Schluck Wasser.

»Ich habe diese Kerle verfolgt, barfuß, eine Meile bin ich ihnen nachgerannt, weil ich wusste, wie wichtig das Geld für meine Eltern war. Am See habe ich sie eingeholt. Ich habe gesehen, wie sie die meisten Scheine herausnahmen und in ihre Taschen stopften und die Schatulle mitsamt dem Rest ins Wasser warfen.«

»Sind sie geschnappt worden?«

Ralph lachte gequält auf und schüttelte den Kopf. »Meine Eltern haben nicht mal die Polizei gerufen.«

Harriet sah ihn verwirrt an. »Aber warum denn nicht?«

»Weil sie mir nicht geglaubt haben.« Wieder stieß er einen schweren Seufzer aus. »Ich war der Bösewicht, weißt du nicht mehr? Sie haben mich angesehen. Sie haben den Joint gesehen und die unverschlossene Tür und die übliche Schlussfolgerung gezogen – nämlich, dass *ich* das Geld gestohlen hatte. Ich weigerte mich, ihren Idealen zu folgen, ich machte ihnen nichts als Scherereien. Ich war das schwarze Schaf, das schlechte Ei.«

Harriet dachte sofort an Lornas Brief. Gute und schlechte Eier. Sie hatte von ihrer Beziehung zu ihrem Sohn gesprochen. Von Fehlern und Bedauern. Von vergeudeten Jahren.

»Ich gebe zu, dass ich es ihnen nicht leicht gemacht habe. Ich habe sie provoziert, aber ich bin nicht der Dieb, Harriet, für den sie mich all die Jahre gehalten haben.«

Harriet sah ihren Vater mit neuen Augen. So hatte sie ihn, der seine Gefühle sonst unter Verschluss hielt, noch nie erlebt. Für emotionale Ausbrüche war Marnie zuständig. Es machte sie traurig, dass es so vieles gab, was sie nicht über ihn gewusst hatte. Wie musste es gewesen sein, mit sechzehn und unter solchen Umständen von zu Hause wegzugehen?

»Ich glaube, Nana hat die Wahrheit gekannt«, wisperte

sie. »Und es gab nichts, was sie so sehr bereut hat, wie dich gehen zu lassen.«

»Ich habe sie wirklich geliebt. Ich meine, sie war meine Mum.« Er lächelte. »Und ihr habt so viel Spaß miteinander gehabt. Es war immer mein größter Wunsch, dass sie *dich* sehen, *dich* kennenlernen und vielleicht erkennen, dass ich wenigstens etwas in meinem Leben richtig gemacht habe. Ich habe dazu beigetragen, dass dieser wunderbare Mensch auf der Welt ist, den sie abgöttisch geliebt haben.«

Harriets Augen tränten, und diesmal lag es nicht am Wind. Diese Traurigkeit musste ein Ende haben, und das ging nur, wenn sie offen über alles sprachen.

»Dad, komm nach Montauk«, bat sie. »Komm und besuch Grandpa. Als er das Holzkästchen gesehen hat ... der Ausdruck in seinem Gesicht ... Er war völlig geschockt. Gib ihm eine Chance.«

»Ich weiß nicht ...« Ralphs Stimme zitterte ein wenig. »Das alles ist so lange her.«

»Nein, Dad, das alles hat schon viel zu lange gedauert.« Sie hielt sich das Handy ein bisschen näher ans Gesicht. »Bitte, Dad, überleg's dir. Mir zuliebe.«

Ihm war anzusehen, wie er mit sich kämpfte. Das Leben hatte Spuren hinterlassen in seiner braun gebrannten Haut. Vielleicht war es zu spät. Vielleicht konnte nichts repariert werden, das so lange kaputt gewesen war.

Doch dann sagte er unvermittelt: »Ich werde es mir überlegen. Dir zuliebe.«

Das Rum Coconut

»Noch einen Kaffee?« Ruby warf sich ein Geschirrtuch über die Schulter, als sie hinter der Theke entlangging. »Wo Lester bloß bleibt! Er hätte schon vor einer halben Stunde kommen sollen.«

»O verdammt!«, entfuhr es Mack. »Er ist mitsamt seinem zerlegten Fahrrad auf der *Warrior*, und ich hab ihm gesagt, dass ich gleich wieder da bin!«

Ruby lächelte. »Na ja, er hat ja noch zwei gesunde Beine, oder?« Sie machte ein erschrockenes Gesicht. »Sorry, das war nicht sehr taktvoll. Okay, ich schätze, du hast andere Sorgen als Speichen und Räder, stimmt's?«

Er war mit ölverschmierten Händen und fleckigem T-Shirt in die Bar gestürmt, als wäre der Teufel hinter ihm her. Sogar Meryl Cheep hatte panisch mit den Flügeln geschlagen und laut gekreischt. Jetzt spielte er mit seiner leeren Kaffeetasse und seufzte. »Lester hat erzählt, dass Iain da ist.«

Ruby nickte. »Der ist gestern Abend plötzlich hereingeschneit. Hat an dem Tisch dort drüben gesessen und seinen Computer ausgepackt.«

»Okay«, sagte Mack gedehnt. Was hatte das zu bedeuten?«

»Er wohnt im Beachcomber. Mehr weiß ich auch nicht.«

Mack brummte. »Wenn ich mich früher für ein paar Tage nicht rasiert habe, kam das auf die Titelseite der *Montauk*

Sun. Jetzt interessieren sich alle anscheinend bloß noch für ihre eigenen Angelegenheiten.«

»Na ja«, meinte Ruby, während sie die Messingzapfhähne mit ihrem Tuch polierte, »ich kann dir zwar nichts weiter über Iain erzählen, aber ich weiß, dass es irgendeinen Zusammenhang zwischen Joe und diesem Kästchen geben muss, das du und Harriet aus dem See gefischt habt.«

»Ach ja?«

»Ja, und heute Morgen ist sie in aller Frühe weggegangen und hat nicht gesagt, wohin … Pst, da kommt sie.«

Macks Kehle wurde schlagartig trocken. Er hätte doch einen zweiten Kaffee nehmen sollen. Er fragte sich, ob das der richtige Zeitpunkt war. Jetzt, wo Iain wieder im Land war, kam er angerannt, um sie zu sehen? Das wirkte so verdammt egoistisch, so kindisch. Höchste Zeit, sich wie ein Erwachsener zu benehmen und nicht wie ein bockiger Teenager. Doch ein Blick auf sie genügte, dass er nicht mehr klar denken konnte.

Er beobachtete, wie sie, in Jeans, Stiefeln und einem cremefarbenen Pulli unter dem Mantel, näher kam. Als sie ihn bemerkte, blieb sie stehen und zupfte nervös am Schulterriemen ihrer Handtasche. Dann ging sie weiter, langsamer als zuvor, als würde sie überlegen, ob sie nicht lieber umkehren sollte. So weit war es mit ihnen gekommen. Und das war ganz allein seine Schuld. Hätte er sie am Abend des Muschelessens nicht einfach stehen lassen … Vor ein paar Jahren, als er Jackson Tate dazu gebracht hatte, für ihn zu lügen, hatte er den gleichen Fehler gemacht. Was hatte er sich bloß dabei gedacht? Er hatte jemanden vorgeschickt, um die Sache zu beenden und ihre Beziehung damit in den Dreck gezogen. Er hätte wenigstens den Mut aufbringen müssen, ihr seine Entscheidung persönlich mitzuteilen. Zuerst an sie zu denken, nicht an sich selbst. Aber dann hätte er zugelassen, dass sie seine Schutzmauer durchbrach und den Mann gesehen hätte, der er nach der verheerenden Explosion geworden war. Und selbst wenn sie dann geblieben wäre, hätte er es zerstört, weil er monatelang an der Flasche gehangen und alle um ihn herum fertiggemacht hatte, sodass sie ihn zu guter Letzt genauso hassten wie er sich selbst. Nein, es war besser gewesen, die Beziehung zu beenden, solange er nichts als schöne Erinnerungen an ihre gemeinsame Zeit hatte. Der Aufruhr in seinem Inneren lieferte ihm einen guten Vorwand, einen Rückzieher zu machen, doch dafür war er nicht hergekommen.

»Hey«, grüßte er betont lässig.

»Hey«, antwortete sie und kam näher. »Bist du zum Frühstücken gekommen?«

»Nur auf einen Kaffee.« Er hielt seinen leeren Becher hoch.

»Okay, Leute, ich lass euch allein, ich muss wieder in die Küche«, verabschiedete sich Ruby und ging nach hinten.

Macks Hirn hatte sich in Matsch verwandelt, er war nicht imstande, auch nur einen vernünftigen Gedanken zu fassen. Und jetzt?

»Du hast bestimmt eine Menge um die Ohren«, begann er. »Wegen der bevorstehenden Versteigerung, meine ich.« Als sie nichts erwiderte, fuhr er fort: »Ertrinkst du schon in selbst gestrickten Pullovern von Mavis oder in Kürbissen, die so monströs sind, dass sie Schiffe versenken könnten?«

»Beides«, antwortete sie schwach lächelnd.

»Die Weihnachtsversteigerung im Rum Coconut muss man einfach lieben.«

Himmel, war das schwer! Er holte tief Luft. Jetzt oder nie. Sollte er erwähnen, dass er von Iains Ankunft gehört hatte? War es überhaupt relevant, ob Iain hier war? Wenn er nicht gleich den Mund aufmachte, würde sie die Bar vermutlich verlassen haben, bevor er auch nur ein Wort gestammelt hatte.

»Hör mal, was ich dir sagen wollte ... was ich da neulich abends von mir gegeben habe ...«

»Du musst mir nichts erklären«, fiel Harri ihm ins Wort.

»Ich möchte es aber. Weil ... weil ich eigentlich etwas ganz anderes gemeint habe.«

»So?«

Sie machte es ihm nicht leicht, aber wieso sollte sie auch? Sie hatte die Nase voll von dem ganzen Mist, und das war ihr gutes Recht. Trotzdem, er musste es versuchen, musste alle Chancen nutzen, um nicht wieder in die Dunkelheit gerissen zu werden.

»Wegen des Leuchtturms«, begann er. »Ich hätte antworten sollen, dass ich gern mit dir gehen würde, aber dass ich ... mich in einer schwierigen Phase befinde. Ich bin einfach noch nicht so weit, weißt du. Und ich spreche nicht nur von meinem Freund hier.« Er klopfte auf seine Prothese.

»Ich verstehe.«

Er schüttelte den Kopf. »Nein, tust du nicht. Meistens verstehe ich es ja selbst nicht.«

»Okay.«

Sie hörte ihm zu. Und ging nicht einfach weg. Das war ein Anfang.

»Ich bin immer noch in Therapie«, fuhr er fort. »Ich hasse diese Sitzungen, aber ich geh trotzdem hin.« Beim bloßen Gedanken daran verkrampfte sich alles in ihm. Der Sofabezug juckte, der Bart, den sein Therapeut sich stehen ließ, sah einfach grässlich aus, und jedes Mal, wenn er mit dem Motorrad auf den Parkplatz einbog, packte ihn das Grauen. »Ich werde auch in Zukunft hingehen. Ich werde weitermachen.«

Eine Träne lief ihm über die Wange. Er wischte sie mit dem Handrücken weg, atmete tief durch und stellte dann seine Frage: »Gehst du heute Abend auf den Umzug?«

»Ich hab heute Morgen einen Brief von meiner Nana gelesen, in dem sie davon erzählt«, erwiderte Harri. »Es gibt anscheinend weihnachtlich geschmückte Festwagen und einen Wettbewerb im Weihnachtskuchendekorieren. Rufus und Riley haben mir von den leckeren karamellisierten Äpfeln vorgeschwärmt, von der Zimtzuckerwatte und dem Donutschnappen.«

Mack nickte. »Und es gibt noch eine ganze Menge mehr.«

»Dann stimmt das also mit dem Donutschnappen?«, fragte sie verdutzt.

»Na klar.«

»Wow, das hab ich noch nie gemacht!«

»Und, gehst du hin?« Schnell, bevor ihn der Mut verließ, fuhr er fort: »Ich meine, würdest du mit mir gehen? Zum Umzug«, ergänzte er lahm.

»Na ja«, begann Harri, »Grandpa ist bei seinem Freund Rudolph zum Abendessen eingeladen und will danach von dort direkt hin, ich hätte also so ab fünf Zeit.«

War das ein Ja? Wie ein Nein hörte es sich jedenfalls nicht an. Vielleicht konnten sie die Einzelheiten später noch besprechen.

»Cool«, sagte Mack und nickte gelassen, obwohl er innerlich in Flammen stand. »Soll ich dich abholen?«

»Mit dem Motorrad?«

»Außer den Booten hab ich sonst nichts.«

Sie musste lachen, und ihm wurde warm ums Herz. Vielleicht würde doch noch alles gut werden.

»Okay.« Sie zeigte zum Restaurantbereich hinauf. »Ich geh jetzt besser und helfe mit dem Frühstück.«

»Alles klar.« Mack nickte erneut.

»Dann bis später.«

»Fünf Uhr.«

Als Harri gegangen war, verzogen sich seine Lippen zu einem breiten Lächeln. Er würde sie auf keinen Fall noch einmal enttäuschen.

KAPITEL
ZWEIUNDSECHZIG

In Montauk

Der Festumzug ist für mich wie das vorletzte Türchen im Advents-
kalender. Wenn man es öffnet, spürt man diese innere Wärme, diese
Vorfreude, dieses wahre Gefühl von Weihnachten. Es sind nicht
nur äußere Dinge wie Christbaumkugeln oder beerenrote Kränze,
die einem dieses Gefühl vermitteln, es kommt aus einem selbst.
Es bringt mich dazu, zu strahlen und meine schönsten Pullis und
meine auffälligsten Ohrringe zu tragen und Kuchen mit den saf-
tigsten Füllungen zu backen … und freundlicher zu den Menschen
zu sein. Ich nehme mir mehr Zeit, um mit ihnen zu plaudern, zu
fragen, ob es ihnen gut geht. Alles, was ich am Leben liebe, erhält
durch das Weihnachtsfest eine besondere Bedeutung. Vielleicht be-
gehen wir es deshalb vor dem Jahreswechsel. Wir feiern die voran-
gegangenen Monate. Es gibt immer etwas zu feiern, und sei es nur,
dass wir das Jahr überstanden haben. Neuanfänge sollten nicht bis
Januar warten. Wir sollten im Dezember damit beginnen, wenn
das Beste in den Menschen zum Vorschein kommt …

Harriet schloss die Augen und atmete tief durch. Der Himmel nahm allmählich eine blauschwarze Farbe an, Schneeflocken tanzten in der kalten Luft, die größten, die sie seit ihrer Ankunft gesehen hatte. Doch es roch nicht nach Schnee,
sondern nach Weihnachten: nach Kürbiskuchen, Zimtbröt-
chen, Pfefferminzzuckerstangen, nach Fichten und dem offenen Feuer, über dem Kastanien geröstet wurden. Sie konnte

Weihnachten fühlen, genau wie ihre Nana es in ihrem Brief beschrieben hatte.

Dass sie an Macks Seite durch die Stadt bummelte, hier ein paar Worte mit Betty und Hamlyn wechselte, dort die Bilder vom Weihnachtsmann bewunderte, die die Schulkinder gemalt hatten und jetzt für einen guten Zweck verkauften, empfand Harriet als unglaubliches Geschenk. Er hatte heute Morgen sehr offen mit ihr gesprochen, auch wenn er ihr keine Einzelheiten über das Kriegsgeschehen erzählt hatte, das ihm physisch und psychisch so zugesetzt hatte. Das war auch nicht nötig. Sie ahnte, was er durchgemacht hatte, und dass er die grausame Realität immer noch von ihr fernzuhalten versuchte. Doch dieses behütete Leben hatte sie mit Iain geführt, und man sah ja, wie das ausgegangen war. Es gab nur einen Weg: die direkte Konfrontation mit allem, was auf sie zukam, wie schwer oder hässlich es auch sein mochte. Vielleicht sollte sie mit ihren Gefühlen anfangen …

»Was wollen wir essen?«, fragte Mack.

»Das fragst du mich?« Harriet sah ihn mit großen Augen an. »Ich hab gedacht, ein bisschen was von allem. Das ist schließlich mein erster Weihnachtsumzug.«

»Okay, warum nicht?«, erwiderte er lachend. »Wollen wir mit gerösteten Nüssen anfangen?«

Sie wurde rot. Irgendwie hatte alles in Bezug auf Mack eine unterschwellige sexuelle Konnotation.

»Ich habe noch nie geröstete Esskastanien gegessen«, gestand sie.

»Das ist nicht dein Ernst!«, rief er. Er bestellte zwei Portionen. Ihre Gesichter begannen vom offenen Feuer der Grillstelle zu glühen, während sie warteten.

»In England kennt man das nicht so. Außerdem bin ich auf Weihnachtsmärkten eher der Bratwurst-Typ.«

»Aha, lieber eine Wurst als Nüsse«, grinste Mack. »Schon kapiert.«

Sie lachte. »Jetzt hör aber auf!«

»Du hast doch damit angefangen.«

Sie holte aus, um ihn gegen den Oberarm zu boxen, aber er packte blitzschnell ihre Hand und zog sie an sich. Ihr Gesicht war dem seinen ganz nah, sie konnte nicht anders, als direkt in seine grünen Augen zu blicken.

»Du bist aus der Übung«, sagte er leise.

»Ich weiß«, flüsterte sie und meinte damit nicht ihre Selbstverteidigungsfähigkeiten.

»Hier, bitte sehr, Ihre Kastanien!«, meldete sich der Verkäufer zu Wort.

»Perfektes Timing«, sagte Mack und ließ Harriet widerstrebend los.

Sie nahm ihre Tüte in Empfang und griff hinein. »Wow, ganz schön heiß!«

»Ja, ich weiß«, antwortete Mack grinsend.

»Idiot!« Sie versetzte ihm einen leichten Rippenstoß.

Er nickte. »Ja, das auch.«

Sie gingen weiter. Harriet gab sich einen Ruck. »Hör mal, ich muss dir etwas sagen.«

»Dass wir abhauen müssen, wenn die Band ›Rudolph, the Red-Nosed Reindeer‹ spielt? Absolut nichts dagegen, ich hasse diesen Song.«

»Nein. Es geht um Iain. Er ist wieder da. Hier in Montauk, meine ich, nicht beim Umzug. Das wäre nicht sein Ding.«

Mack konnte nicht verhindern, dass sich seine Schultern ein wenig strafften. Er schien nicht zu wissen, wie er auf diese Nachricht reagieren sollte.

»Dann hat er die Probleme mit euren Häusern gelöst?«

»Ja, aber das ist nicht der Grund.«

»Nein?«

»Nein.«

Warum machte sie so eine Riesensache daraus? Es war keine einfache Situation, aber es war, wie es war. Sie selbst hatte ihr kontrolliertes, geregeltes Leben über den Haufen geworfen. Weil es Zeit war, ihrem Herzen zu folgen. Sich von Iain zu trennen, den sicheren Hafen zu verlassen und ihren eigenen Kurs zu finden, das war die richtige Entscheidung, ob sie nun eine Zukunft mit Mack hatte oder nicht.

»Iain und ich ... wir haben uns getrennt.« Der Satz schwebte inmitten der Schneeflocken. Es fühlte sich irgendwie komisch, aber auch richtig an, diese Worte laut auszusprechen.

»Okay«, erwiderte Mack mit einem kräftigen Nicken, als hätte sie ihn über einen militärischen Befehl informiert.

»Er bleibt ein paar Tage, bis ich mir überlegt habe, was aus unserem Geschäft werden soll.«

»Okay.«

»Tja, also, das wollte ich dir nur sagen. Und außerdem gibt es ein Drama zwischen meinem Großvater und meinem Vater, von dem ich jetzt erst erfahren habe, und dann noch die Versteigerung, und ich fürchte, Ben Hides wird allmählich vergesslich, weil er mir schon zwölf gigantische Kürbisse gebracht hat und ich in der Garage keinen Platz mehr habe, um sie bis zum großen Abend zu lagern.«

»Ich würde dir ja gern die *Warrior Princess* anbieten, aber ich schätze, die Kürbisse würden sie versenken.«

Mack hätte ihr so gern noch mehr gesagt. Hätte so gern noch mehr getan. Am liebsten hätte er laut gejubelt über die Nachricht, dass sie und Iain sich getrennt hatten, und sie dann in seine Arme genommen und endlich das erste Mal geküsst.

Wäre da nur nicht Madame Scarlet gewesen! Sie hatte ihm nämlich aus der Hand gelesen, dass er Geduld haben müsse. Das ging ihm nicht aus dem Kopf.

»Jedenfalls wollte ich dir das sagen. Dass es mich und Iain nicht mehr gibt.«

Er konnte nicht ein drittes Mal »okay« sagen. Das hätte sich angehört, als ob es ihm egal war, und das war es keineswegs.

»Alles in Ordnung, Harri?«, flüsterte er.

»Ja«, antwortete sie und nickte wie jemand, der einen anderen davon überzeugen wollte, ohne selbst überzeugt zu sein.

»Du musst bei mir nicht die Tapfere spielen, das weißt du doch«, fuhr er sanft fort.

»Ja, ich weiß.« Wieder nickte sie.

»Du musst also nicht so tun, als ob es dir nichts bedeutet, wenn es dir doch etwas bedeutet.«

»Ich weiß.«

Sie hatte Tränen in den Augen. Es tat ihm in der Seele leid, dass es ausgerechnet hier geschah, inmitten des ganzen vorweihnachtlichen Trubels, aber sie musste akzeptieren, was passiert war. Einer der ersten Schritte in ein neues Leben war, mit der Vergangenheit Frieden zu schließen. Als er das zu Beginn seiner Rekonvaleszenz gelesen hatte, hatte er das Buch zerrissen. Damals war es noch zu früh gewesen. Aber vieles von dem, was er für Mist gehalten hatte, enthielt ein Körnchen Wahrheit. Er hätte nur besser hinsehen oder zuhören sollen.

»Hey«, sagte er, legte ihr den Arm um die Schultern und zog sie ganz sachte an sich. »Du schaffst das schon. Das weißt du. Mach langsam, okay? Wir haben Zeit.«

Sie nickte, zog ein Papiertaschentuch aus der Manteltasche und wischte sich die Nase ab. »Danke.«

»Gern geschehen.«

Das Handy klingelte. Harriet fischte es aus ihrer anderen Manteltasche.

»Das ist Jude, meine Mitbewohnerin. Ich hab sie gebeten anzurufen, und bei ihr ist es schon nach zehn …«

»Klar, geh nur ran«, sagte Mack. »Die Nüsse bleiben solange warm.«

Mein Gott! Er hätte sich ohrfeigen können. Er sah ihr nach, wie sie nach einem prüfenden Blick auf den Verkehr die baumgesäumte Straße überquerte.

»Okay, nachdem du mir das mit den Briefen in der Schatulle erzählt hast, hätte ich es wahrscheinlich kommen sehen müssen, aber ich hatte keine Ahnung«, stellte Jude fest. »Du und Iain. Iain, der Berechenbare, hat sich ein Flugticket gekauft, damit er dich abservieren kann?«

»Ganz so war es nicht«, erwiderte Harriet. »Von abservieren kann wirklich keine Rede sein.« Das hätte nämlich heftige Gefühle vorausgesetzt, die sie und Iain allem Anschein nach nur für geschäftliche Angelegenheiten aufzubringen vermochten.

»Und was wirst du jetzt machen?«

»Ich bin mir noch nicht sicher.« Harriet schaute zu Mack auf der anderen Straßenseite hinüber, wo ein buntes Treiben herrschte: Jongleure führten Kunststücke vor, Weihnachtsmänner sammelten Spenden, Majoretten und Cheerleader formierten sich hinter der Musikkapelle, lachende Kinder mit klebrigen Gesichtern vom Donutschnappen tobten herum.

»Lass nicht zu, dass Iain bestimmt, wo's langgeht. Du hast so viel für diese Firma geopfert. Du liebst sie. Du *bist* diese Firma.«

Genau wie Iain war das Geschäft ihr Rettungsanker gewesen, etwas, das sie unter Kontrolle hatte und ihr nicht das Herz brechen würde. Jetzt war der Zeitpunkt gekommen zu überprüfen, wie sehr sie wirklich an der Firma hing. Sie wollte sich ausschließlich von ihrer Intuition, ihrem Bauchgefühl leiten lassen, was ihre nächsten Schritte betraf.

»Nein, ich bin nicht die Firma«, entgegnete sie. »Ich war es auch nie.«

»Sag mal, wo bist du eigentlich?«, fragte Jude unvermittelt. »Was ist denn das für ein Krach im Hintergrund?«

»Ich bin in der Innenstadt von Montauk.« Harriet drehte ihr Smartphone herum, damit Jude die Straßenszene sehen konnte.

»Wow! Gibt es da auch einen Imbiss an der Ecke mit gefüllten Bagels? Wo alle Cops hingehen, du weißt schon.«

Harriet grinste. Für Jude waren die USA immer noch gleichbedeutend mit New York.

»Und was ist das für ein heißer Typ? Da, der auf der anderen Straßenseite. In der Lederbomberjacke. Der ist ja so was von scharf!«

Harriet drehte das Display wieder zu sich. Sie hatte das Gefühl, am ganzen Körper rot zu werden. »Äh, das ist Mack.«

»Soldier Boy?«, kreischte Jude. »Kein Wunder, dass du im Schlaf gesabbert hast! Ich hatte ja keine Ahnung, dass er so irre sexy ist.«

»Nicht so laut! Dich kann man ja bis auf der anderen Straßenseite hören.«

»Seid ihr zusammen da? Oder hat er seine Jeans im Waschsalon und wartet bloß, bis sie fertig ist?«

»Wir sind zusammen hier«, gestand Harriet. »Ganz kleine Schritte, weißt du.«

»Worauf wartest du denn, verdammt noch mal? Du bist abserviert worden! Sieh ihn dir doch an!«, schrie Jude. »Es ist doch nicht so, als ob du dir den Erstbesten krallen würdest, der in die Tiki-Bar marschiert! Du kennst den Mann! Ihr habt eine gemeinsame Geschichte.«

Jude wusste so vieles nicht. Zum Beispiel, dass Mack sehr viel stärker unter seinen seelischen Wunden litt als unter dem Verlust seines Unterschenkels.

»Aber keine körperliche.« Der Satz entschlüpfte ihr unversehens. Ihre Liebesgeschichte hatte sich auf dem Papier abgespielt. Damals hatten sie darauf gebrannt, einander näher kennenzulernen, aber seitdem war viel Zeit vergangen. Sie sah, wie Mack ein paar Worte mit einem Paar wechselte, das ein Kleinkind im Buggy dabeihatte. Sie fragte sich, ob sie mit der Vorstellung von körperlicher Nähe überfordert war. Hatte sie sich den perfekten Sex zurechtgeträumt, den sie in der Realität vielleicht nie haben würden? Spielte seine körperliche Behinderung eine Rolle? Nein, entschied sie. Sie liebte ihn so, wie er war, innerlich und äußerlich. Aber möglicherweise machte es *ihm* etwas aus.

»Vorglühen heißt das Zauberwort«, sagte Jude.

»Wie bitte?« Harriet glaubte, sich verhört zu haben.

»Meine Mum schwört auf ein Glas Portwein, bevor es losgeht. Bekommt man Portwein in New York? Ich kann mich gar nicht erinnern, dass sie in *Sex and the City* Portwein getrunken haben.«

Harriet war froh, dass Jude von Alkohol und nicht von etwas anderem redete. Sie beobachtete, wie Mack ein Stofftier vom Boden aufhob, das das Kleine im Buggy hatte fallen lassen, es mit der Hand ein bisschen abbürstete und zurückgab.

»Du sollst dich ja nicht besaufen«, fuhr Jude fort. »Obwohl, wenn ich darüber nachdenke, hat meine Mum von einem Glas Portwein gesprochen oder von einer Flasche? Ich meine, die Rede war von Sex mit meinem Dad!« Sie schauderte. »Ich weiß gar nicht, wieso ich damit angefangen habe.«

Harriet drehte sich in die andere Richtung, zu den Läden hin, von denen die meisten beleuchtet waren. Einige hatten geöffnet und verkauften Kaffee und Backwaren oder hofften, noch das ein oder andere Geschenk an den Mann oder die Frau zu bringen. Harriet hatte noch kein einziges Weihnachtsgeschenk besorgt.

Sie lächelte Jude zu, während sie ein Stück die Straße entlangschlenderte. »Ha, hier ist tatsächlich ein Waschsalon!« Sie blieb unter dem verwitterten Hängeschild mit der Aufschrift »Selbstbedienung« und »Rund um die Uhr geöffnet« stehen. Der Laden war geschlossen, und die Tür schien schon eine ganze Weile nicht mehr geöffnet worden zu sein. Sie blieb vor dem Schaufenster stehen, warf einen Blick ins Innere und riss unwillkürlich den Mund auf.

»Ich muss Schluss machen, Jude«, sagte sie.

»Okay, aber vergiss nicht, was ich gesagt habe. Du bist die Chefin in deinem Leben. Das allein zählt bei all deinen Entscheidungen. Und denk dran, vorglühen und immer schön verhüten! Gib Aids keine Chance!«

Harriet verdrehte die Augen, beendete das Gespräch und steckte ihr Handy in die Manteltasche zurück, damit sie sich ganz auf den Laden konzentrieren konnte. Die blitzsaubere Fensterscheibe stand in krassem Gegensatz zu dem rostigen Schild und der abblätternden Fassadenfarbe. Kleine, matte Glühlämpchen rahmten die große Scheibe ein und erleuchteten ein grob mit Kalkfarbe gestrichenes Ruderboot, das fast den gesamten Platz einnahm. Seine Ruder waren mit Efeuranken umwickelt, in denen Stechpalmenblätter und rote Beeren steckten, und im Boot war alles aufgebaut, was man für ein winterliches Picknick brauchte. Auf der Bank stand eine Thermosflasche mit Muschelprägung, daneben ein Porzellanteeservice mit

Rotkehlchendekor, dazu dicke Wolldecken in gedämpften Blautönen. In einem hölzernen Picknickkorb entdeckte sie silberne Weinbecher und eine Karaffe in Form eines breitmauligen Fischs. Treibholz in Pyramidenform stellte ein Lagerfeuer dar, und daneben befanden sich wunderschön verzierte Snackboxen und drei leinengebundene Romane von Jane Austen. Am Bug funkelte ein aus Rattansternen gebastelter Christbaum, darunter lag eine Reihe klarer und farbiger Netzkugeln, in denen LED-Kerzen leuchteten oder winzige Pflänzchen eingesetzt waren. Das war die Schaufenstergestaltung, von der sie immer geträumt hatte. Dahinter, dort wo früher Waschmaschinen und Trockner gestanden hatten, war viel Platz. Sie konnte die alten Deckenbalken sehen, das Potenzial des ganzen Ladens. Ihre Fantasie begann Riesensätze zu machen.

»Alles in Ordnung mit dir?«, fragte Mack direkt neben ihr.

Harriet fuhr erschrocken zusammen. »Sorry, dass es so lange gedauert hat, aber Jude war, na ja, Jude eben, und dann habe ich das hier entdeckt und die Zeit vergessen.« Sie versuchte, mit konzentrierten Atemzügen ihre Erregung zu dämpfen, aber es gelang ihr nicht.

Mack drehte den Kopf. Als er die Ladenfront sah, katapultierte es ihn fast rückwärts. Was war denn das? Das war nicht mehr der ungezieferverseuchte Laden mit der schmierigen Fensterscheibe, den er Ruby gezeigt hatte. Alles war sauber und aufgeräumt, und der Kahn ähnelte ein wenig der Kajüte der *Warrior*. Er war sich sogar ziemlich sicher, dass er den Teppich und die Rattanherzen kannte.

»Da hat jemand ein Boot hineingeschleppt«, stammelte er, weil ihm im Moment nichts Besseres einfiel.

»Ist das nicht traumhaft schön?«

Viel schöner war es, sie so glücklich zu sehen. Er beobachtete, wie sie aufgeregt auf das Schaufenster zeigte.

»Diese zauberhafte Beleuchtung! Und dieses Teegeschirr! Eigentlich sollte man so etwas nur zu besonderen Anlässen benutzen, aber weil es gute Laune macht, holt man es dann doch jeden Tag aus dem Schrank!«

»Ich bezweifle, dass das Boot mit dem ganzen Zeug darin überhaupt schwimmt. Und dann noch der Berg Hummerbrötchen, den du einpacken würdest!«

Sie boxte ihn gegen die Schulter, und er musste lachen. »Besser, Cookson!«

»So einen Laden habe ich mir immer gewünscht«, wisperte sie und drehte sich wieder zum Schaufenster hin. Der Wind trieb ein paar Schneeflocken gegen die Scheibe.

»Ich weiß. Du willst Dinge verkaufen, die jemandem ein Lächeln auf das Gesicht zaubern.« Er kniff sich mit zwei Fingern in den Nasenrücken und dachte nach. »Du hast gesagt, dass die Leute manchmal nur eine Kuscheldecke und eine Duftkerze brauchen und schon geht es ihnen besser.«

»Das weißt du noch?«, flüsterte sie.

»Ich erinnere mich an jede Kleinigkeit, Harri.« Er ergriff ihre Hand und verschränkte ihre Finger ineinander. »In meiner Vorstellung habe ich unzählige Male Regale aus alten Teekisten und Eisenbahnschwellen gebaut. Und mir ausgemalt, wie du sie mit allen möglichen Dingen vollstellst, mit Vintage-Teddybären oder Einmachgläsern voller Süßigkeiten oder Bilderrahmen oder Sachen aus Korb.« Er lächelte. »Lauter Dinge, die kein Mensch braucht, die aber jeder haben sollte, weil sie glücklich machen.«

Harri betrachtete ihn mit verklärter Miene und seufzte. Ihm wurde warm ums Herz. Es war, als hätte es die Jahre der Trennung nie gegeben. In diesem Augenblick waren sie beide wieder vereint. Er stand ganz still und hielt den Atem an, als Harri sich langsam zu ihm beugte. Er wünschte es sich mehr als alles auf der Welt, und vielleicht konnte er es endlich akzeptieren.

Schneeflocken schwebten auf sie herunter, die Kapelle begann zu spielen, und Harri zupfte an seiner Jacke, als sie sich noch näher an ihn schmiegte. Er fing zu zittern an, aber der Teufel sollte ihn holen, wenn er diese Gelegenheit verstreichen ließe. Als ihre Lippen sich trafen, war es nur oberflächlich eine zarte Berührung. Darunter brodelte alles, was den Kopf schwindlig machte, das Herz rasen ließ und die sexuelle Lust weckte. Ihr allererster Kuss. Von dem er so lange geträumt hatte. Und er war genau so, wie er es sich vorgestellt hatte. Heiß und innig und Balsam für die Seele.

Er legte ihr seine Hand an die Wange und löste sich von ihr. Er wollte sein Glück nicht überstrapazieren. »Harri«, flüsterte er.

Ihre Augen schimmerten tränenfeucht. »Hast du das auch gespürt?«, hauchte sie.

Er nickte und strich ihr mit der anderen Hand übers Haar. »Ja. Als hätten wir uns schon früher geküsst.« Er spielte mit einer Haarsträhne, seufzte leise. »Als hätten wir uns daran erinnert.«

»Ja!«, rief sie. »Ganz genau!«

Sie umarmte ihn stürmisch, und er schloss die Augen und hielt sie ganz fest. Er wollte sie nie wieder gehen lassen.

Harvest on Fort Pond, 11 S Emery Street, Montauk

Harriet war spät dran. Iain würde sauer sein, und das war wirklich das Letzte, was sie wollte. Sie prüfte ihre Frisur anhand ihres Smartphones. Sie sah aus, als wäre sie in einem grünen Ford bei offenen Fenstern gefahren, damit Wind und Schnee alles durcheinanderwirbeln konnten. Und genau das hatte sie auch getan. Die Versteigerung würde morgen Abend stattfinden. Immer noch kamen Spenden herein, Läden mussten abgeklappert werden, um irgendwelche Sachen abzuholen. Madame Scarlet hatte einen Schulchor für Weihnachtslieder engagiert sowie eine Steelband zur musikalischen Unterhaltung. Sogar von einer Kostümprobe war die Rede gewesen, aber Harriet hielt das für übertrieben. Es war wohl an der Zeit, ein Machtwort zu sprechen, sonst würde das Ganze irgendwann noch der Eröffnungszeremonie bei der letzten Olympiade Konkurrenz machen.

Sie atmete tief durch und warf einen Blick in das Restaurant. Im Sommer war es wunderschön hier. Jetzt sorgte ein hoher, schlanker, mit goldenen Kugeln und großen roten Schleifen geschmückter Christbaum für weihnachtliche Stimmung. Iain saß an einem Fenstertisch mit Blick auf den See. Sie betrachtete ihn einen Augenblick und ließ das Bild auf sich wirken. Wie gepflegt er war. Die Haare nicht zu lang und nicht zu kurz. Er war weder süß noch sexy, aber auf unaufdringliche Weise gut aussehend. Er schob den Ärmel seines schicken marineblauen Pullis zurück, um auf die Uhr zu schauen. Okay, Zeit hineinzugehen.

Harriet beobachtete lächelnd, wie Iain mit Appetit sein Hähnchen Milanese aß. Sie hatte sich Lachs, Butternutkürbis und Spinatrisotto bestellt. Es schmeckte einfach fantastisch.

»Warum grinst du?«, fragte er und schaute an sich herunter. »Habe ich mich bekleckert? Das wäre blöd, ich habe nachher nämlich noch einen Termin.«

Noch einen Termin? War sie mittlerweile nur noch ein weiterer Geschäftstermin unter vielen? Vermutlich hatte sich diese Entwicklung schon länger abgezeichnet, als sie beide realisiert hatten.

»Nein, du hast dich nicht bekleckert«, erwiderte sie. »Es ist bloß, weil du Hähnchen isst.«

»Und?« Iain runzelte die Stirn.

»Na ja, niemand zwingt dich, Vegetarier zu sein. Niemand verurteilt dich, weil du gern Fleisch isst. Ich weiß, wir alle sollten unseren Fleischkonsum einschränken und …«

»Harriet«, unterbrach er sie, »wovon redest du? Ich bin kein Vegetarier.«

Sie hätte sich fast an ihrer Zitronenbuttersoße verschluckt. »Was?«

»Ich mag vegetarisches Essen, aber ich bin kein Vegetarier. Wir haben doch schon Fleisch zusammen gegessen.«

»Ja, ich weiß, dass du manchmal welches gegessen hast, aber …«

»Aber was?«

»Ich dachte, dass du dann, na ja, gegen deine Grundsätze verstößt.«

Er lachte. »O Harriet, wenn es nicht so traurig wäre, wäre es wirklich lustig! Du weißt doch, dass ich niemals gegen meine Grundsätze verstoße.« Er wischte sich den Mund mit der Serviette ab und fuhr ernster fort: »Ich habe vielleicht überreagiert. Wegen dieser Briefe. Wenn ich ehrlich bin, habe auch ich mir meine Geheimnisse bewahrt.«

»Damals war es vielleicht einfach nicht so wichtig.«

»Wenn eine Beziehung halten soll, muss der Partner nicht unbedingt alles wissen.« Er verstummte, als ihm bewusst wurde, was er gesagt hatte. »Na ja.«

Harriet nippte an ihrem Cranberrysaft. »Konzentrieren wir uns doch lieber darauf, was wir richtig gemacht haben.« Sie lächelte. »Wir haben zum Beispiel ein erfolgreiches Unternehmen gegründet.«

Er nickte. »Als Geschäftspartner waren wir unschlagbar. Und wir haben eine Menge Geld verdient.«

Das wollte sie nicht abstreiten. Damals war sie von ihrem Verstand kontrolliert worden. Heute erschien es ihr nicht mehr erstrebenswert, immer noch mehr zu investieren, immer noch mehr zu verdienen, die Firma ständig zu vergrößern. Ihr Entschluss war gefasst. Es war Zeit für eine Veränderung. Sie wollte arbeiten, um zu leben, nicht leben, um zu arbeiten.

»Iain, ich möchte, dass du mich ausbezahlst.«

Sein Gesichtsausdruck sagte alles. Sie hatte die richtige Entscheidung getroffen. Sie konnte die Freude in seinen Augen sehen, die Erleichterung und das Glücksgefühl in seinem Gesicht.

»Wow. Damit habe ich nicht gerechnet.« Er legte sein Besteck aus der Hand und hielt seine Serviette umklammert. »Ich meine, ich habe gehofft, dass du das sagen würdest, aber ... Bist du sicher?«

Sie nickte lächelnd. »Ganz sicher. Ich bin nicht mit dem Herzen dabei, weißt du.« Sie zögerte, überlegte, ob sie ehrlich sein sollte. Was hatte sie schon zu verlieren? »Ich glaube, das war ich nie.«

Iain seufzte. »Hoffentlich habe ich dich nicht in eine bestimmte Richtung gedrängt. Wenn du mit meinen Expansionsplänen nicht einverstanden warst und das Gefühl hattest, nicht mit mir darüber reden zu können, dann ...«

»Nein, Iain«, beharrte sie. »Du warst in jeder Hinsicht gut für mich. Ich weiß nicht, was aus mir geworden wäre, wenn ich dich damals nicht getroffen hätte.« Wieder lächelte sie. »Ich wäre so viel ärmer dran. Das kannst du mir glauben.«

»Ich danke dir«, sagte er leise.

»Wofür?«

»Dafür, dass du netter zu mir bist, als du sein solltest.«

»Das ist doch Unsinn, Iain!«

»Nein, das ist die Wahrheit. Ich hätte nicht davon ausgehen sollen, dass du emotional so verkrüppelt bist wie ich. Ich hätte die richtigen Fragen stellen sollen.«

Harriet tat einen tiefen Atemzug. »Vermutlich hätte ich dir nicht wahrheitsgemäß geantwortet.«

Er nickte. Dann streckte er die Hand über das weihnachtliche Gesteck aus Stechpalmen, Lametta und einer Kerze hinweg aus und fragte: »Freunde?«

Sie ergriff seine Hand und hielt sie fest. »Freunde.«

Lächelnd zog er seine Hand zurück und griff wieder zum Besteck. »Ich schlage vor, dass unsere Anwälte sich um alle weiteren Einzelheiten kümmern, einverstanden?«

»Einverstanden.« Nach kurzem Zögern fuhr sie fort: »Eine Bitte hätte ich noch, Iain.«

»Und die wäre?«

»Ich weiß, dass die Firma von jetzt an dir gehören wird und du allein die Entscheidungen triffst, aber ... bitte kauf das Land an der Navy Road nicht.« Sie hatte kein Recht, sich

einzumischen. Aber der Gedanke an eine große Ferienwohnanlage an dem wunderschönen Strand ließ ihr keine Ruhe.
Hinzu kam, was ihr Grandpa über den Hurrikan erzählt
hatte, der genau an dieser Stelle eine Schneise der Verwüs-
tung geschlagen hatte. Sie wollte nicht, dass Iain sein ganzes
Geld in ein derart riskantes Projekt steckte.

Er kaute bedächtig, aber sie konnte ihm ansehen, dass er
über ihre Worte nachdachte, so gut kannte sie ihn dann doch.

»Das dürfte sich erledigt haben«, erwiderte er schließlich.
»Der Freund eines Freundes hat mir geraten, mich in Bul-
garien umzusehen.«

»Oh. Okay.«

»Gut möglich, dass du recht gehabt hast und das Ganze
eine Nummer zu groß für uns ist.« Er räusperte sich. »Zu
groß *für mich*.«

»Manchmal ist es ganz gut, nach den Sternen zu greifen.«
Würde sie das jetzt auch tun, jetzt, wo sie frei war und ihren
Traum verwirklichen konnte? Der Gedanke erregte sie und
jagte ihr zugleich Angst ein.

»O Harriet!« Iain wischte sich den Mund ab und lachte.
»Als Nächstes wirst du mir raten, meiner Intuition zu folgen!«

Endlich spielten sie mit offenen Karten. Harriet lächelte
und schaute auf den See hinaus. Er lag ganz still da, der Pon-
ton war mit Schnee bestäubt und der Himmel klar, so weit
das Auge reichte.

Das Rum Coconut

Meine allerliebste Joanna,

die Weihnachtsversteigerung steht als letztes Ereignis auf dem Kalender der Wohltätigkeitsveranstaltungen des Rum Coconut. Von Ben Hides' Kürbissen habe ich dir schon erzählt, oder? Es sind immer viel zu viele, mach das Beste daraus. Habe ich erwähnt, dass Joe auf keinen Fall die Moderation übernehmen sollte? Wenn nicht, dann tue ich das jetzt. Ich warne dich: Die Versteigerung dauert sechs Stunden, wenn du deinem Großvater das Mikrofon überlässt.

Ich rede, als würdest du eines Tages meine Nachfolgerin bei allen diesen Veranstaltungen werden, nicht wahr? Nun ja, ich werde nicht jünger, und es wäre dumm, diese Informationen für mich zu behalten. Wer weiß, wann ich vor den Richterstuhl Gottes gerufen werde. Andererseits ist mir klar, dass sich die Zeiten ändern. Meine Briefe sollen dir lediglich als Anregung dienen, Joanna, aber gestalte den Abend bitte so, wie du es für richtig hältst.

Die Versteigerung soll so viel Geld wie möglich für gute Zwecke einbringen, aber sie soll auch Spaß machen. Spaß zu haben ist so wichtig! Jetzt, wo ich älter bin, versuche ich immer, daran zu denken. Es heißt, die Jugend sei zu schade für die Jugend, aber ich bin anderer Meinung. Das Problem ist, dass man die Jugend für selbstverständlich hält. Junge Leute wissen das Glück der Sorglosigkeit nicht zu schätzen. Alte Menschen hassen es, alt zu sein. Die Jungen rasen mit fünfhundert Meilen pro Stunde durchs Leben, und die

Eltern wollen aus Sorge um sie, dass sie langsamer machen. Aber manchmal erdrücken sie ihre Kinder mit dieser Sorge, und dann sind beide Seiten mürrisch und schlecht gelaunt, und der Spaß gerät völlig in den Hintergrund. Amüsiere dich, Joanna, so gut du kannst. Denk immer daran, dass dir nur das Heute wirklich sicher ist …

»Meine Damen und Herren, liebe Seeleute und Gelehrte«, sprach Madame Scarlet ins Mikrofon, »lieber Weihnachtsmann und alle anderen! Herzlich willkommen zur alljährlichen Weihnachtsversteigerung des Rum Coconut!«

Jubel und Pfiffe und Beifall ertönten. Die Bar und das Restaurant platzten aus allen Nähten. Nicht einmal im Hochsommer hatte Harriet so viele Gäste hier drin gesehen. Zum Glück hatte Ruby zusätzliches Personal eingestellt. Kellner und Kellnerinnen schlängelten sich zwischen den Tischen hindurch und servierten Fischfrikadellen mit Cranberrydip, Truthahn, Bohnenpastete und Kartoffelbrei. Alle hatten bereits ihre Bieterkarten parat liegen, um etwas zu ersteigern. Der gesamte Erlös der Auktion würde an die Veteranenorganisation gehen.

Iain war am Morgen abgereist. Er würde seinen Anwalt bitten, die erforderlichen Schritte einzuleiten, aber vor Weihnachten passierte vermutlich nichts mehr, hatte er ihr vor seinem Abflug getextet. Sie hatte zurückgeschrieben und ihm einen guten Flug gewünscht. Nachrichten zweier Menschen, die sich getrennt hatten und einander endlich ein bisschen verstanden.

Sie betrachtete das Tablett mit der Bestellung für Tisch zehn. Gewürzte Pommes frites, Brathähnchen, Truthahnpastete, Hummerbrötchen und zwei Harri-Holidays-Cocktails. Wer immer das bestellt hatte, war ihr Seelenverwandter. Sie ließ den Blick über die Tische schweifen, bis sie Nummer zehn gefunden hatte, und lächelte. Sie hätte es wissen müssen!

»Ihr Essen, Sir.« Sie nahm alles vom Tablett herunter und stellte es vor Mack hin.

»Hey«, grüßte er. »Und bitte keine Witze über meinen Appetit! Die Bedienung, die meine Bestellung aufgenommen hat, hat schon geguckt, als würde ich für vier bestellen.«

Harriet grinste. »Ich würde mir niemals ein Urteil erlauben. Du hast eine ausgezeichnete Wahl getroffen.«

»Das freut mich, weil die Hälfte nämlich für dich ist. Komm, setz dich.«

»Ausgeschlossen, Mack, du siehst doch, was hier los ist. Als ob die ganzen Hamptons hier wären!« Sie warf einen Blick in die Runde. Der Lärmpegel in der voll besetzten Bar war gewaltig, zumal die Steelband gerade ihre Version von »Do They Know It's Christmas« spielte.

»Du musst was essen«, beharrte Mack und hielt ihr ein Stück Brathähnchen hin.

»Na schön, einen Bissen«, sagte sie.

»Und einen Schluck von deinem persönlichen Cocktail!« Er reichte ihr das Glas.

»Wir haben den Wettbewerb nicht gewonnen, eigentlich dürften wir den Cocktail gar nicht servieren.« Sie nippte hastig daran.

»Mag ja sein, aber Ruby liest ihren Lieblingsstammgästen nun mal jeden Wunsch von den Augen ab.« Er drückte ihr eine Gabel in die Hand. »Und jetzt die Truthahnpastete. Komm, probier mal.«

»Wo ist Scooter eigentlich?«, fragte Harriet und schob sich eine Gabel mit Pastete in den Mund. Einfach köstlich!

»Ich habe ihn bei Rufus und Riley gelassen. Und bevor du etwas sagst – ja, ich bin mir darüber im Klaren, dass er im See landen könnte und irgendwann klatschnass hier hereingestürmt kommt, aber die Jungs müssen lernen, Verantwortung zu übernehmen. Sie können schließlich nicht ewig nichtsnutzige Rotzbengel bleiben, oder?«

»Die zwei sind schon in Ordnung«, meinte Harriet und nahm sich noch ein Stück Pastete. »Sie wissen einfach nicht, wohin mit ihrer Energie.«

»Ich würde ja Fußball mit ihnen spielen oder so was, aber das letzte Mal ist nicht nur der Ball im Tor gelandet – meine Prothese flog gleich hinterher.« Er grinste. »Sie waren sauer, als ich gesagt habe, das wären zwei Treffer.«

»Ha, das ist gut«, erwiderte Harriet. Sie stellte den Teller auf den Tisch und blickte zu der Bühne hinüber, wo Madame Scarlet die Auktionsgegenstände, die sie stundenlang mühevoll aufgebaut hatte, neu ordnete.

»Hey, Cookson, hier bin ich!« Mack schnippte mit den Fingern vor ihrem Gesicht.

»Sorry. Was hast du gerade gesagt?«

»Was ist los mit dir? Bedrückt dich etwas?«

Harriet schüttelte den Kopf. »Nein, nein.«

»Okay«, sagte Mack gedehnt. »Du redest mit dem Mann, der dich am besten kennt, vergiss das nicht. Komm, setz dich einen Augenblick zu mir.«

»Ich hab keine …«

»Nur einen Augenblick, Harri. Mir zuliebe.«

Sie ließ sich auf den Stuhl neben ihm fallen und spürte in diesem Moment erst, wie erschöpft sie war, körperlich und seelisch. Seit ihrer Ankunft in Montauk hatte sie sich keine Sekunde Ruhe gegönnt. Ihr Akku war schlichtweg leer.

»Dieser Abend muss ein Erfolg werden«, sagte sie leise. »Das wünsche ich mir so sehr. Die Auktion soll so erfolgreich werden, wie Nanas Versteigerungen es waren.«

»Willst du in ihre Fußstapfen treten?« Mack zog eine Braue hoch.

»Ich werde nie so sein wie sie, das weiß ich, aber in ihren Briefen erzählt sie nicht nur von den guten Zeiten in der Bar, sondern auch von den Lektionen des Lebens, und das hat oft so etwas Trauriges. Als sie noch am Leben war, hat sie nie mit mir darüber gesprochen.« Sie seufzte. »Deswegen möchte ich irgendetwas tun. Dafür sorgen, dass es Grandpa gut geht, mich um die Menschen kümmern, die sich um Nana gekümmert haben, das Rum Coconut erfolgreich weiterführen.«

»Sieh dich doch um, Harri.« Er ergriff ihre Hand. »Glaubst du, die Bar wäre so brechend voll, wenn du nicht dafür sorgen würdest, dass alles so läuft, wie Lorna es immer gehandhabt hat?«

»Täusch dich da mal nicht«, erwiderte sie und steckte sich eine Pommes in den Mund. »Es ist Ruby, die den Laden schmeißt, und das hat sie bestimmt schon eine ganze Weile zusammen mit Nana gemacht.«

»Sie arbeitet wirklich hart«, pflichtete Mack ihr bei.

»Ich überlege mir, ob ich sie nicht bitten soll, mit den Jungs hier einzuziehen.«

»Im Ernst?«

»Na ja, in der Wohnung oben ist genug Platz, und ich weiß, dass ihr Vermieter ihre Miete erhöhen will und sie sich deshalb Sorgen macht. Wenn ich Grandpa überreden kann, dass sie ganz offiziell Geschäftsführerin wird, könnte die Wohnung quasi ein Bonus zum Job sein.«

»Wow«, bemerkte Mack. »Du machst Pläne!«

Sie nickte. »Stimmt.«

In seinem Bauch begann es zu kribbeln, und er verschwendete keinen Gedanken mehr an sein Essen. Harri schmiedete Pläne.

Das war ausgezeichnet, was auch immer dabei herauskommen würde. Er wollte einfach nur, dass sie glücklich war. Trotz des wunderschönen Abends gestern mit ihrem allerersten Kuss, den gerösteten Kastanien und dem Truthahn und den Wraps, den Cranberry-Slush-Puppies, die sie hatten frösteln lassen, und einem riesigen Stück Käsekuchen, standen sie noch ganz am Anfang und streckten behutsam die Fühler aus, um sich abzutasten, ihre Beziehung neu zu entdecken.

»Ich werde Iain meinen Anteil am Geschäft verkaufen«, sagte sie. »Himmel, wie merkwürdig das klingt!«

»Merkwürdig gut oder merkwürdig schlecht?«

»Merkwürdig gut. Eindeutig. Trotzdem muss ich mich erst daran gewöhnen.«

Ein Adrenalinstoß jagte ihm durch die Adern. Es gab so vieles, das er sie fragen wollte, er wusste gar nicht, wo er anfangen sollte. Schließlich sagte er: »Dann wirst du ja eine reiche Frau sein!«

Du Idiot!

Sie lachte. »Nein, nicht wirklich. Iain kann mir nicht alles auf einmal auszahlen, sondern in jährlichen Raten, aber ich werde hoffentlich genug haben, dass es für ein neues Projekt reicht.«

»So?« *Der Laden! Sag bitte, dass es der Laden ist!* Er war alles andere als begeistert gewesen, als er erfahren hatte, dass Madame Scarlet, Lester und Ruby den alten Kahn in den Waschsalon transportiert und dekoriert hatten, aber wenn ihr Streich seinen Zweck erfüllte, würde er für alle Zeiten in ihrer Schuld stehen.

»Weißt du, ich …«, begann Harri.

»Joanna! Joanna!«

Krächzend und Flügel schlagend landete Meryl Cheep auf ihrer Schulter. Harri sprang erschrocken auf.

»Was machst du denn hier draußen, sag mal?«, rief sie und hielt dem Papagei ihre Hand hin, damit er draufkletterte. An Mack gewandt, fügte sie hinzu: »Ich bring sie lieber zurück, bevor sie anfängt, den Gästen Essen vom Teller zu klauen.«

Er nickte. »Tu das.« Es war ganz allein ihre Entscheidung. Vielleicht würde er es ja kapieren, wenn er es sich noch ein paarmal vorsagte. Eines allerdings konnte er tun: sie wissen lassen, dass er immer noch zu haben war, wenn sie es wollte. Er holte tief Luft. »Harri!«

Sie drehte sich um, ging an den Tisch zurück.

Er fuhr sich nervös mit der Zunge über die Lippen. Aber er würde keinen Rückzieher machen. Das war viel zu wichtig.

»Da ist doch dieser Leuchtturm«, begann er und schaute ihr in die Augen.

»Ja«, sagte sie, während der Papagei ein wenig mit den Flügeln schlug.

»Tja, also, die Sache ist die … Ich würde wirklich gern mit dir hingehen. Falls deine Einladung noch gilt.«

Ihm war ein bisschen schlecht. Er fühlte sich wie ein Elektrogerät an einer Steckdose mit zu hoher Spannung. Hier ging es um mehr als einen Kuss, hier ging es um eine zweite Chance.

Sie beugte sich zu ihm herunter und flüsterte ihm ins Ohr: »Wie wäre es mit morgen?«

»Verkauft! Für dreiundfünfzig Dollar und fünfundachtzig Cent! Meinen Glückwunsch, Flossy, du bist jetzt stolze Besitzerin von sechs Kürbissen, die Ben Hides großzügigerweise gespendet hat. Danke, Ben!« Madame Scarlet begann zu klatschen, und alle fielen mit ein. Flossy strahlte. Wahrscheinlich hatte sie schon einige Rezeptideen. Es gab noch mehr Kürbisse zu ersteigern, aber Harriet hatte sie in kleinere Einheiten aufgeteilt.

Sie zog das nächste Objekt in die Mitte der Bühne. Es war das Fahrrad.

Als der Schulchor »Stille Nacht« anstimmte und die Steelband einsetzte und das Lied zu einem karibisch angehauchten Remix machte, drückte Madame Scarlet Harriet das Mikrofon in die Hand und sagte: »So, Schätzchen, jetzt bist du dran.«

»Ich?«, rief sie panisch. »Wieso ich? Ich hab gar nicht gewusst, dass wir uns abwechseln! Wann haben wir das beschlossen?«

»Auf der Kostümprobe, von der du nichts wissen wolltest«, antwortete Madame Scarlet augenzwinkernd. »Jetzt wünschst du dir bestimmt, du wärst dabei gewesen.«

»Vor so vielen Leuten reden ist wirklich nicht mein Ding«, flüsterte sie mit einem Blick auf die Menge. Allerdings hatte sie es bisher noch nicht ausprobiert. Und immerhin kannte sie sich mit Versteigerungen aus, auch wenn Iain normalerweise das Bieten übernahm, nachdem sie alle Informationen zum jeweiligen Objekt zusammengetragen hatte.

»Das ist kinderleicht: deutlich reden, erläutern, damit es notfalls ein bisschen dramatischer wird, nicht abschweifen«, erklärte Madame Scarlet. »Denk an Oprah und ihr Interview mit Harry und Meghan.«

»Okay.« Harriet nickte, atmete tief durch und griff nach dem Klemmbrett, auf dem die Einzelheiten zu allen Objekten aufgelistet waren.

»Das Fahrrad kommt als Nächstes«, sagte Lester und ließ sich auf den Stuhl neben Mack fallen.

»Ich dachte, du musst den ganzen Abend arbeiten.« Mack nahm einen Schluck Bier. »Hast du nicht gesagt, ich soll für dich bieten?«

»Ich bin viel zu aufgeregt«, erwiderte Lester und rieb sich nervös die Hände. »Carl und Milo kommen auch ohne mich zurecht.« Er verdrehte genervt die Augen. »Dauert dieses Lied noch lange?« Er trommelte mit den Fingern auf dem Tisch.

»Hey, wenn du bei einer Auktion was ersteigern willst, lautet die erste Regel: cool bleiben.«

»Das kann ich nicht, Mann!« Lester wippte mit den Beinen und blickte sich nach etwas um, womit er seine Hände beschäftigen konnte. Er schnappte sich eine Gabel, aber bevor er mit ihr auf den Tisch klopfen konnte, hatte Mack sie ihm aus der Hand gerissen. »Hey!«

»Es gibt noch mehr Fahrräder in Montauk, nicht bloß das eine dort oben.«

»Aber es ist wahrscheinlich das einzige, das ich mir leisten kann. Wenn die Gebote nicht zu hoch gehen.«

»Ich will damit sagen, dass wir manchmal Scheuklappen

tragen. Und dadurch etwas anderes verpassen. Etwas, das um Längen besser ist. Etwas, von dem du nie geglaubt hättest, dass es möglich ist.« Er redete nicht nur von Versteigerungen und Lesters Traumfahrrad. Er dachte dabei an Harri und den Leuchtturm. Sie gab ihm eine zweite Chance. Sie gab ihnen beiden eine zweite Chance.

»Ich will das Rad aber«, beharrte Lester.

»Schon klar. Du denkst, das ist deine einzige Chance, eins zu bekommen. Und was machst du, wenn jemand anders es ersteigert?«

»Dann werde ich heulen wie ein Schlosshund!«

Mack schüttelte den Kopf. »Nein, wirst du nicht. Du wirst es tragen wie ein Mann und auf die nächste Gelegenheit warten.«

»Nächstes Jahr, meinst du? Wenn ich mehr Geld zum Bieten habe?«

»Ich will damit nur sagen, dass du positiv denken sollst.« Er konnte selbst kaum glauben, was er da von sich gab. Positives Denken. Bis jetzt hatte er das für dummes Zeug gehalten. Hundertprozentig verinnerlicht hatte er das selbst noch nicht, aber er war immerhin bereit, sich zu öffnen.

»Na, Jungs, alles klar?« Joe machte die Runde mit der Spendenbüchse bereits ein zweites Mal. Niemanden störte es. Heute Abend gab jeder, so viel er konnte.

»Mann, so viel wie heute haben die Veteranen während meiner ganzen Dienstzeit nicht bekommen«, stöhnte Mack und zog seinen Geldbeutel aus der Gesäßtasche seiner Jeans. Er steckte eine Zehndollarnote in die Büchse. »Das ist von uns beiden.«

»Herzlichen Dank«, sagte Joe lächelnd. »Wunderschönes Fahrrad da oben, nicht wahr?«

»Ja, das ist meins«, erwiderte Lester eine Spur trotzig.

Joe lachte leise. Er schaute auf, und auf einmal wurde er leichenblass. Seine Lippen zitterten, er schwankte und ließ die Hand mit der Spendenbüchse sinken. Mack beobachtete ihn besorgt. Er sah fast aus wie an jenem Morgen, als er ihn aus dem eiskalten Wasser gefischt hatte.

»Geht es dir nicht gut, Joe?«, fragte er und stand auf.

»Ich … das kann nicht … wie …«

Jetzt redete er auch noch wirr daher. Mack blickte zur Bühne hinauf und überlegte, ob er Harri, die sich in ihre Notizen vertieft hatte, auf sich aufmerksam machen sollte. Der Chor und die Steelband verstummten, und die Gäste spendeten tosenden Applaus.

»Joe, wie viele Finger halte ich hoch?«, fragte Lester und wedelte ihm mit vier Fingern vor dem Gesicht herum.

Joe klammerte sich an die Stuhllehne. Mack stützte ihn und dachte fieberhaft nach. Konnte das ein Schlaganfall sein?

»Joe, sag was! Rede mit mir! Was ist denn los? Soll ich dir ein Glas Wasser holen?«

»Nein, bring mir lieber … einen Whiskey«, krächzte er und schnappte nach Luft. Er hielt die Stuhllehne immer noch umklammert, aber seine Wangen bekamen wieder ein bisschen Farbe.

»Ihm fehlt nichts«, sagte Lester grinsend. »Wir können uns wieder auf mein Rad konzentrieren.«

Mack war noch nicht überzeugt. »Ich hol dir deinen Whiskey, Joe, aber sag mir erst, was dich so umgehauen hat.«

Der alte Mann hob langsam die Hand und zeigte Richtung Eingang. »Dort«, flüsterte er. »Das ist er.«

Mack folgte seinem Blick. Er sah den Kerl sofort, weil er auffiel wie ein bunter Hund. Er trug eine Hose im Schlabberlook und eine lange Lederjacke, hatte schulterlange Haare und eine tief gebräunte Haut, wie man sie nur bekam, wenn man im Süden lebte.

»Willst du, dass er geht? Soll ich ihn rausschmeißen?«

»Nein«, wisperte Joe kaum hörbar. »Das ist … Joe Junior.« Er befeuchtete sich die Lippen und fuhr fort: »Das ist Ralph.« Jetzt hatte er Tränen in den Augen. »Das ist mein Junge.«

SIEBENUNDSECHZIG

»Wir kommen nun zu diesem tollen Hybridrad, das freundlicherweise von Howard von AJC Motors gespendet wurde. Ganz herzlichen Dank dafür, Howard. Soeben ist ein telefonisches Gebot für das Fahrrad eingegangen und ...«, begann Harriet.

»Was?«

Lester war aufgesprungen und hatte völlig entgeistert beide Arme hochgerissen.

Harriet biss sich auf die Unterlippe und fuhr dann fort: »Geboten wurden dreihundertfünfzig Dollar.«

»Das ist nicht fair!«, empörte sich Lester. »Telefonbieter sind nicht erlaubt! Das hatten wir noch nie!«

Harriet ließ sich nicht aus der Ruhe bringen. »Bietet jemand mehr?«, fragte sie ins Mikrofon.

Lesters Kiefer mahlten. »Dreihunderteinundfünfzig!«, rief er.

Damit hatte Harriet nicht gerechnet. Aber sie wusste, was zu tun war. »Okay, geboten sind dreihunderteinundfünfzig Dollar! Bietet jemand mehr?«

Sie ließ ihren Blick über das Publikum schweifen, auf der Suche nach erhobenen Bieterkarten oder Händen oder irgendetwas anderem, das den Wunsch mitzubieten signalisierte. Und dann sah sie etwas, das sie niemals für möglich gehalten hätte. Am Kamin, neben einem der Christbäume, stand ihr Dad. In Baggy Pants und Ledermantel. Er sagte etwas zu ihrem Grandpa, konzentrierte sich ganz auf ihn. Jetzt redete Joe mit bebenden Schultern und gesenktem Kopf.

»Dreihundertzweiundfünfzig!«, rief jemand.

Weinte ihr Großvater etwa? Sie schlug sich das Mikrofon an die Hand, und es kam zu einer dröhnenden Rückkopplung. »Entschuldigung!« Sie hatte den Blick immer noch auf die Szene am Kamin geheftet. Ihr Dad war hier. Und er redete mit ihrem Grandpa. Das war einfach gigantisch!

»Harri!«, rief Mack. »Ich habe ein Gebot abgegeben!«

»Sorry, was?« Harriet schaute sich verzweifelt nach Madame Scarlet um. Sie musste sie ablösen, damit sie die Bühne verlassen und zu den beiden Männern eilen konnte. Ihre Unterhaltung durfte auf keinen Fall zu einer Auseinandersetzung ausarten. Sie musste dafür sorgen, dass sie diese Chance nutzten, alle Missverständnisse auszuräumen und endlich mit der Vergangenheit abzuschließen. Jetzt, wo Lorna nicht mehr da war ...

»Ich biete dreihundertdreiundfünfzig Dollar!«, schrie Lester und hielt seine Bieterkarte hoch, so weit er konnte. »Ich! Lester Peabody!«

»Dreihundertvierundfünfzig! Hör mit dem Bieten auf, Lester!«

War das ein freundliches Gespräch, oder fielen zornige Worte? Von ihrem Platz aus konnte Harriet das nicht beurteilen. Plötzlich wurde ihr das Mikrofon aus der Hand genommen. Mack stand neben ihr auf der Bühne.

»Geh schon«, forderte er sie auf. »Geh zu deinem Dad und deinem Grandpa.«

»A... aber ...«, stammelte sie, völlig überfordert von der Situation.

»Nun geh schon«, drängte Mack. »Ich kümmere mich um die Versteigerung.«

»Aber das Fahrrad ...«

»Ich hab alles im Griff. Vertrau mir! Und jetzt geh endlich.«

»Meine Damen und Herren, liebe Seeleute und Flieger, liebe Veteranen!« Mack verstummte, als lauter Jubel erscholl. »Lasst uns tief in die Tasche greifen, liebe Rum-Coconut-Familie, und alle diese fantastischen Objekte ersteigern. Alle bis auf das Fahrrad, das, wie ihr wisst, nicht versteigert wird.«

Bei diesen Worten sah er, dass Lester kurz davor war, vor Wut an die Decke zu gehen.

»Was? Das könnt ihr nicht machen!«, schrie er. »Das ist total ungerecht!«

»Immer mit der Ruhe, Kumpel«, erwiderte Mack. »Das Rad kann nicht ersteigert werden, weil es bereits verkauft ist.«

»Was?«, rief Lester mit überschnappender Stimme. »Aber ... ich ...«

Selbst auf diese Entfernung konnte Mack sehen, dass er tatsächlich Tränen in den Augen hatte. Er beschloss, dem grausamen Spiel ein Ende zu bereiten.

»Lester, wir alle hier haben zusammengelegt und dieses Rad für dreihundertfünfzig Dollar – plus die vier von mir – gekauft. Das Geld kommt der Veteranenorganisation zugute. Und das Rad bekommst du.«

Ein Ausdruck völliger Verwirrung trat auf Lesters Gesicht. Eine Hand flach auf der Brust formte er mit den Lippen lautlos: »Ich?«

»Bevor du etwas sagst«, fuhr Mack fort, »das Geld ist für einen guten Zweck, also betrachte das Rad nicht als Almosen. Es ist ein Geschenk von allen, die du im Rum Coconut bedienst, von den Nachbarn, denen du das Laub wegfegst und den Schnee aus den Einfahrten schippst und deren Hunde du ausführst, Scooter mit eingeschlossen. Es ist das Mindeste, was wir tun können, damit du pünktlich zu all diesen Jobs kommst und nicht ständig Angst haben musst, dass wieder irgendwas kaputtgeht.« Nach einer kleinen Pause fügte er hinzu: »Du bist ein feiner Kerl, Lester Peabody, das finden wir alle. Fröhliche Weihnachten von uns allen! Und jetzt komm und schnapp dir dein Rad!«

Beifall, vermischt mit Jubelrufen, brandete auf, als Lester sich erhob und benommen, leicht schwankend auf die Bühne trat. Die Tränen liefen ihm übers Gesicht, als er Mack fest umarmte.

»O Mann, hör auf, sonst fange ich auch noch an zu heulen!«, flüsterte Mack gerührt.

»Das hat noch nie jemand für mich getan«, sagte Lester leise. »Das ist das schönste Geschenk, das ich jemals bekommen habe!« Er löste sich von Mack und griff zum Mikrofon. »Ich danke euch! Ich danke euch allen von ganzem Herzen!«

Die Gäste standen auf, klatschten und pfiffen und stampften mit den Füßen, und die Steelband spielte ein paar Takte, während Lester das Rad vorsichtig und stolz von der Bühne trug. Macks Blick suchte Harri. Auch sie klatschte Beifall, legte dann einen Arm um Joe und den anderen um ihren Vater, lächelte ihm zu, und ihr Lächeln wärmte ihn bis ins Innerste. Ja, die Dinge änderten sich tatsächlich, und er war bereit dafür.

»Okay, als Nächstes steht ein Gutschein für Friseurbesuche bei Mavis auf dem Programm! Vielleicht sollte ich mitbieten. Das Mindestgebot liegt bei, sagen wir, fünfzig Dollar!«

Die Auktion war ein voller Erfolg. Sie hatten über fünftausend Dollar eingenommen, die Ruby gleich in den Safe getan hatte. Aber auch die Einnahmen der Bar hatten sämtliche Rekorde gebrochen. So viel sei noch nie in der Kasse gewesen, seit sie hier arbeite, hatte Ruby gemeint. Das war Musik in Harriets Ohren. Und noch viel mehr freute sie sich darüber, dass ihr Vater aus Spanien hergeflogen war und jetzt mit ihrem Großvater am Feuer saß, als wäre das keine große Sache. Das eigentliche Streitthema hatten sie zwar noch nicht angesprochen, und die Unterhaltung ähnelte der zwischen zwei Bekannten, die sich lange nicht gesehen hatten, und nicht der zwischen einem Vater und dem verlorenen Sohn, aber irgendwo musste man ja anfangen. Nachdem sie Ruby, Lester und den anderen beim Aufräumen geholfen hatte, ging sie mit heißen Harri-Holi-days-Cocktails zum Tisch der beiden in der Hoffnung, damit den Grundstein für eine Versöhnung zu legen.

»Besonders gesund sieht das aber nicht aus, Harriet«, bemerkte Ralph, als sie die Gläser auf den Tisch stellte. »Was ist das?«

»Ein Cocktail. Ich habe ihn miterfunden. Schmeckt köstlich. Probier mal.«

Joe hatte das Glas bereits an die Lippen gesetzt und trank schlürfend. »Gesund!« Er lachte leise. »Ich weiß noch, wie du mit vierzehn Schwarzgebrannten getrunken und dir keine Sorgen um deine Gesundheit gemacht hast.«

»Nun, manche lernen eben aus ihren Fehlern«, erwiderte Ralph ein wenig spitz.

»Wie war dein Flug, Dad?«, warf Harriet hastig ein. Offensichtlich war es wirklich besser, die beiden fürs Erste nicht allein zu lassen. »Irgendwelche Verspätungen?«

»Nein, überhaupt nicht.«

»Hat es keine früheren Verbindungen gegeben?«, brummte Joe. »Damit du zur Beerdigung deiner Mutter hättest kommen können?«

Das mit dem Alkohol war vielleicht keine so gute Idee, wenn Joe jetzt so anfing. »Grandpa«, sagte sie warnend, »Dad hat die weite Reise gemacht, weil ich ihm von der Schatulle aus dem See erzählt und ihn gebeten habe herzukommen, damit ihr darüber sprechen könnt.«

Jetzt gab es kein Zurück mehr. Sie schwiegen beide. Auch wenn sie unterschiedliche Ansichten hatten, so hatten sie doch auch einiges gemeinsam. Zum Beispiel ihre Sturheit.

»Jetzt kommt schon«, bat sie. »Wie lange soll das noch so weitergehen? Es kann doch nicht sein, dass ihr in all den Jahren nicht einen einzigen Versuch unternommen habt, euch auszusprechen.«

Ihr Vater stieß einen tiefen Seufzer aus, griff dann zu seinem ungesunden Drink und nippte daran. »Versucht habe ich es schon.«

»Ja? Wann denn?«, fauchte Joe angriffslustig.

»Viele Male, Dad.« Ralph atmete geräuschvoll aus. »Als ich Marnie einen Heiratsantrag gemacht habe, zum Beispiel. Ich habe eure Nummer gewählt, aber ich brachte es nicht fertig, auf die Verbindungstaste zu drücken.« Er musste schlucken. »Oder als ich meine erste Stelle als Entspannungstherapeut bekam. Erst wollte ich es dir sagen, weil ich wusste, dass du diese Berufsbezeichnung hassen würdest. Aber dann wollte ich es dir sagen, um dir zu beweisen, dass meine Entscheidung gegen das Militär die richtige war.«

»Mit den langen Haaren hätten sie dich beim Militär sowieso nicht genommen«, grummelte Joe.

Ralph sah seine Tochter an. »Als Harriet zur Welt kam, wollte ich es euch mitteilen, aber Mum hätte geweint, und ich hatte mir geschworen, nie wieder an jenen Ort zurückzukehren. Spirituell, meine ich.«

»Dummes Zeug«, brummte Joe und griff nach seinem Drink.

»Man kann andere Ansichten auch respektieren, ohne dass man sie teilt«, erwiderte Ralph. »Wann hast du je versucht, Kontakt zu mir aufzunehmen?«

Joe schwieg, und Harriets Hoffnungen schwanden allmählich. War zu viel Zeit vergangen? Würden sie nur alte Wunden wieder aufreißen? War es nicht besser, wenn alles so blieb wie bisher? Doch das führte zu nichts. Hier ging es um die Familie. Um so viele Jahre, die wegen ein paar Missverständnissen vergeudet worden waren. Genau wie bei ihr und Mack.

»Du hast sie nicht Joanna genannt«, flüsterte Joe.

»Ich weiß«, entgegnete Ralph mit belegter Stimme.

»Und du hast deinen Namen geändert. Um mir wehzutun. Um mit einer Familientradition zu brechen.«

Ralph nickte. »Ja, das stimmt. Du denkst vielleicht, das war schäbig, aber du hast mich für einen Dieb gehalten, Dad. Ich habe einiges gemacht, auf das ich nicht stolz bin, aber ich habe dich nie bestohlen.« Er seufzte. »Ich habe ein paar Gelegenheitsjobs angenommen, nachdem du mich rausgeworfen hast, und als ich das Geld zusammenhatte, habe ich mich ins Flugzeug nach England gesetzt. Ich habe in einer Jugendherberge gewohnt und musste lügen, um meine erste Stelle zu bekommen. Ich war schon zweiundzwanzig, als ich aufs College ging, und ich hatte drei Jobs, damit ich die Miete für dieses Dreckloch, in dem ich wohnte, bezahlen konnte. Ich kannte keine Menschenseele. Ich war ein komisch aussehender Junge mit amerikanischem Akzent, und ich hatte keine Papiere. Das war verdammt hart. Beinahe wäre ich daran zugrunde gegangen.« Er schwieg einen Augenblick. »Aber ich habe mich durchgekämpft, weil ich an mich geglaubt habe. Ich wusste, dass ich ein guter Mensch sein konnte. Ich glaubte fest daran. Und ich hab's geschafft, Dad. Ich hatte alles. Ich hatte eine Frau, die ich liebte, und ich habe eine wundervolle Tochter. Sie ist das Beste, was mir in meinem Leben passiert ist, auch wenn ich ihr das vielleicht nicht oft genug zeige. Und ich habe eine Arbeit, die mich erfüllt. Ich reinige die Psyche der Menschen. Ich stöbere ihre Sorgen und tiefsten Ängste auf und befreie sie davon. Damit sie ihren Frieden und ihr Gleichgewicht wiederfinden, sich von innen heraus erneuern können und dadurch eine zweite Chance bekommen.«

Harriet liefen die Tränen übers Gesicht, weil es so vieles gab, was sie über ihren Vater nicht gewusst hatte. Die Geschichte seiner Ankunft in England hatte er immer erzählt, als wären die Straßen in London mit Gold gepflastert gewesen. Als wäre das alles ein aufregendes Abenteuer und keine beängstigende Erfahrung. Sie vermochte sich nicht annähernd vorzustellen, wie furchtbar es sein musste, mutterseelenallein und ohne einen Cent in einem fremden Land auf sich selbst gestellt zu sein.

»Ich habe dir auch eine zweite Chance gegeben«, fuhr Ralph fort. »Indem ich beschlossen habe, dich an Harriets Leben teilhaben zu lassen, und zwar aus zwei Gründen. Erstens habe ich dich und Mum immer noch geliebt, und ich wollte euch nicht noch einen Grund geben, mich zu hassen.«

Er seufzte. »Und zweitens habe ich gehofft, du würdest erkennen, dass ein schlechter Mensch unmöglich dieses wunderbare Mädchen geschaffen haben konnte und dass du wenigstens darauf stolz bist.«

»O Dad«, schluchzte Harriet, der es fast das Herz brach.

»Sorry, Liebes.« Ralph drückte ihr zärtlich die Hand. »Aber es war richtig, dass du mich gebeten hast herzufliegen.« Er sah seinen Vater an. »Weißt du, warum ich nicht zu Mums Beerdigung gekommen bin? Aus Respekt vor dir. Mum und alles, was sie für die Menschen hier, die ihr so viel bedeutet haben, getan hat, sollten an diesem Tag im Mittelpunkt stehen. Und Harriet hat mir erzählt, dass es genauso war. Wäre ich da gewesen, hätte sich alles auf dich und mich konzentriert und auf unseren verbalen Schlagabtausch.«

Joe erwiderte nichts darauf. Er hatte sich einen Zahnstocher wie eine Zigarette zwischen die Lippen geklemmt und starrte in die Glut des heruntergebrannten Feuers. Harriet wusste nicht, was sie sagen sollte.

»Dad, es war so, wie ich es dir in jener Nacht erzählt habe. Ich habe das Geld nicht genommen. Diese Kerle kamen herein und haben die Schatulle geklaut. Ich bin ihnen nachgerannt und habe versucht, es ihnen wieder abzujagen, aber ...«

»Still«, sagte Joe, als wäre Ralph immer noch ein Dreikäsehoch. »Ich habe dich enttäuscht.« Er schniefte. »Ich habe euch beide im Stich gelassen, dich und Lorna. Ich habe ihr ihren Sohn genommen.« Er blickte auf und sah Ralph nachdenklich an. »Wäre ich doch bloß ein bisschen früher vom Anlegesteg gesprungen ...«

»Grandpa!« Harriet schnappte erschrocken nach Luft. »Du bist nicht gesprungen. Du bist gestürzt! Das hast du doch gesagt, ich meine ...«

»Sie stand da«, fuhr Joe mit abwesendem Ausdruck fort. »Wie die Herrin des Sees. Ganz in Weiß, mit diesen Ohrringen wie goldene Harfen, als hätte der liebe Gott persönlich sie damit beschenkt. Und sie hat mich zu sich gewunken.« Er begann zu schluchzen. »Mir war so kalt, und ich war schrecklich einsam, und ich wollte wieder mit ihr zusammen sein, auch wenn ich das gar nicht verdient habe.« Er verstummte einen Augenblick. »Aber dann wurde mir klar, dass ich mich getäuscht und sie mir zum Abschied gewunken hatte. Ich fand mich im Wasser wieder. Und als ich unterging, hat sie mich an die Oberfläche geholt ...«

Als Harriet aufstehen und ihn trösten wollte, hielt Ralph sie zurück. Schweren Herzens blieb sie sitzen.

Ralph aber wechselte den Platz, setzte sich auf den Stuhl direkt neben Joe, legte die Arme um seinen Vater und wiegte ihn sanft wie ein kleines Kind.

»Alles wird gut, Dad«, flüsterte er in jenem beruhigenden Tonfall, den Harriet so gut aus ihrer Kindheit kannte. Ein aufgeschürftes Knie, ihr totes Kaninchen, beim Schulsportfest nicht Erste geworden zu sein ... Seine tröstende Stimme weckte in ihr die Zuversicht, dass die beiden eine echte Chance hatten, die Geister der Vergangenheit zu begraben und einen neuen Anfang zu machen.

»Es tut mir so leid«, wisperte Joe. »Ich hätte dir glauben sollen. Ich hätte zuhören sollen.«

»Du hörst mir ja jetzt zu.« Ralph drückte seine Schulter und sah Harriet an, die Tränen in den Augen hatte.

»Ja, das tue ich«, erwiderte Joe mit bebender Stimme.

»Und ich höre dir zu«, sagte Ralph.

Harriet hielt es nicht mehr auf ihrem Platz. Sie sprang auf und legte ihre Arme um die beiden, während sie bittere

Tränen vergoss wegen der vergeudeten Jahre, wegen all des Kummers und des Leids und des Verlusts ihrer Großmutter, die sich bemüht hatte, für ihre Enkelin alles zusammenzuhalten und den Anschein von Normalität zu wahren.

»Ich liebe euch, alle beide. Ich liebe euch so sehr!«, sagte sie und drückte sie, so fest sie konnte.

Leuchtturm von Montauk

*Ich habe keine Ahnung, warum du den Leuchtturm so liebst. Du
warst fünf, als wir dich das erste Mal dorthin mitgenommen haben, und du bist die vielen Stufen hinaufmarschiert, als würde er
dir gehören. Ich weiß noch, wie ich zu deinem Großvater sagte,
wären Leuchttürme Schlösser und hätten als Bewohner eine kö-
nigliche Familie, wärst du die Königin. Du hast dich immer im
Schneidersitz auf die Plattform gesetzt und dort seelenruhig dein
Picknick verputzt, und wenn noch so viele Leute da waren und
nach draußen drängten, um die Aussicht zu bewundern. Du wolltest selbst dann nicht reinkommen, wenn es anfing zu regnen. Ich
glaube, du warst sieben, da konntest du seine Geschichte bereits auswendig aufsagen. Er ist einhundertelf Fuß hoch, Nana!* Hast
du gewusst, dass eine Frau namens Giorgina Reid verhindert
hat, dass der Boden, auf dem er steht, vom Meer weggespült
wurde? *Der Leuchtturm war immer mehr für dich als ein his-
torisches Wahrzeichen oder ein Ort zum Picknicken. Er hat irgendetwas in deinem tiefsten Inneren angesprochen, so wie es mir
mit dem Rum Coconut ging, als es zum Verkauf stand. Als wäre
es Teil meiner DNA. Ich kann es nicht erklären. Als gehörte es zu
mir und ich zu ihm. Das gleiche Gefühl hatte ich davor nur ein
einziges Mal, nämlich als ich deinen Großvater kennenlernte. »In
guten wie in schlechten Zeiten« bezieht sich meiner Ansicht nach
nicht nur auf Situationen oder Handlungsweisen, sondern bedeutet vielmehr, die Person als Ganzes zu akzeptieren. Wir verlieben*

uns, weil wir bestimmte Eigenschaften am anderen bewundern. Aber wir bleiben, weil wir die Fehler und Schwächen des anderen annehmen und ihn gerade deshalb lieben. Deshalb. *Nicht* trotzdem. *Man sucht nicht das Perfekte im Leben, Joanna. Sondern das perfekte Unperfekte ...*

»Ich will mich ja nicht beklagen, aber steigen wir irgendwann auch mal aus?«, fragte Mack und holte Luft, bevor sie ihn erneut küsste.

»Nur noch eine Minute«, hauchte Harriet und presste ihre Lippen auf seine. »Ich möchte noch einen kurzen Moment länger so tun, als ob ich zwanzig wäre.«

»Also, das machen wir hier? So tun, als ob wir zwanzig wären?« Mack schob die Fingerspitzen unter den Ausschnitt ihres Pullis und fuhr ihr Schlüsselbein entlang.

Sie legte ihre Hand auf seine Wange. »Wäre alles anders gekommen, hätten wir das hier doch damals schon gemacht.« Lächelnd fügte sie hinzu: »Aber ich will das nicht noch einmal aufwärmen, mir reicht schon, was ich in der Hinsicht mit meinem Dad und meinem Grandpa durchmache.«

Mack hob beide Hände. »Okay, okay! Ich weiß, es ist ganz allein meine Schuld, dass du zur Immobiliengroßunternehmerin aufgestiegen bist, wo du ein Luxusleben auf einem Boot mit einem Mann hättest haben können, der immerhin über ein voll funktionsfähiges Bein verfügt und einen Hund als Begleiter hat, der bei jeder Gelegenheit auf dem Hintern rutscht.«

Harriet musste lachen. »Du hast mich gerettet!« Sie riss die Tür des Pick-up auf, stürzte hinaus und knallte die Tür hinter sich zu.

»Hey!«

Der Wind peitschte ihr die Haare ins Gesicht und zerrte an ihrer Mütze. Sie vergaß immer, wie stürmisch es hier war.

Nicht umsonst wurde diese Landspitze auch das Ende der Welt genannt. Sie atmete tief durch und dachte darüber nach, wie sehr sich ihr Leben in diesen letzten Wochen verändert hatte. Auch wenn mit Nanas Tod etwas zu Ende gegangen war, so spürte sie jetzt instinktiv, dass sie an einer Gabelung ihres Lebens stand. Dass es Zeit war, innezuhalten und die Lage neu einzuschätzen. Mit Jude hatte sie bereits telefoniert und ihr gesagt, dem Abend zu zweit mit ihrem Professor stünde nichts im Weg, sie werde über Weihnachten nicht nach Hause kommen. Es waren nur noch ein paar Tage bis zum Fest, und jetzt abzureisen kam nicht infrage. Trotzdem musste sie sich entscheiden, wo sie ihre Zukunft sah – hier oder in England. Ihr Dad und ihr Grandpa waren auf dem besten Weg, sich zu versöhnen; ihre Entscheidung hinsichtlich Iain und der Firma war getroffen. Und dann war da Mack. Ihr wundervoller, starker, leidenschaftlicher Soldier Boy, von dem sie nie wirklich losgekommen war. Eigentlich müsste ihr Herz platzen vor Glück, und sie sollte nicht eine Sekunde darüber nachdenken. Dennoch nagten Zweifel an ihr. War sie das, was Mack brauchte? Trotz seiner eindeutigen Signale, dass er weiter für seine seelische Genesung kämpfen und ihre Hilfe akzeptieren würde, damit sie eine gemeinsame Zukunft hätten, fragte sie sich, was geschehen würde, wenn es hart auf hart kam. Würde es ihm genügen, sie an seiner Seite zu wissen? Sie liebte ihn mehr als alles, aber vielleicht sollten sie die Sache langsamer angehen lassen. Denn obwohl sie sich schon sehr lange kannten, war ihre Beziehung noch sehr frisch. Wäre es nicht klüger, erst einmal ihren nächsten Besuch zu planen, anstatt mit dem Gedanken zu spielen, für immer hierzubleiben?

Mack hatte sie eingeholt und küsste sie. Der kurze Bart am Kinn stand ihm gut, und es kratzte so schön beim Küssen.

Harriet nahm sein Gesicht in ihre Hände und betrachtete ihn. Wie attraktiv er war! Und so real. Sie kannte ihn in- und auswendig, weil er ihr in seinen Briefen alles anvertraut hatte. Er war derselbe Mann. Ein bisschen mitgenommen vielleicht, aber das Leben hinterließ nun mal seine Spuren. Es war wie bei verschiedenen Windstärken, fand sie. Es gab Tage, da wehte eine wohltuende sanfte Brise, während an anderen ein Wirbelsturm tobte. Man wusste nie, was einen erwartete und wie lange das anhalten würde. Doch anstatt sich davon einschüchtern zu lassen, sollte man sich darauf freuen. Letzten Endes war es eine ganz persönliche Entscheidung, die jeder für sich selbst treffen musste. Sie wusste nur eins: Egal, wie lange es dauern mochte, sie wünschte sich inständig, dass sie wieder zusammenpassten.

»Woran denkst du?«, fragte er, als sie den Reißverschluss an seiner Lederjacke hochzog.

»Rate mal.«

»Du überlegst dir, was für einen Preis du gern hättest, wenn du den armen Unterschenkelamputierten über hundert Stufen hinaufgejagt hast.«

Sie lächelte. »Genau genommen sind es einhundertsiebenunddreißig Stufen. Manchmal laufe ich die Strecke sogar zweimal.«

»Oh, wow, alles klar.«

Ihr Lächeln erstarb. Wie hatte sie nur so dumm sein und nicht an die Stufen denken können! Das war wirklich egoistisch von ihr. »Mack, hör mal, wir müssen nicht …«

»Und ob wir müssen!« Er rieb ihre Oberarme, wie um sie aufzuwärmen. »Ich kann doch Treppen laufen. Vielleicht muss ich auf halbem Weg eine Pause machen, aber das schaff ich schon. Schlimmstenfalls nehme ich die Prothese ab und gehe den Rest auf den Händen.«

»Ist das dein Ernst?«

»Aber sicher. Das ist so ein Partytrick von mir, weißt du«, erwiderte er und grinste süß und sexy wie immer. »Wenn ich das im Sommer mache und nur Shorts anhabe, könnte ich Eintrittskarten verkaufen!«

Harriet boxte ihn in den Bauch, und er lachte.

»Irgendwas sagt mir, du willst wieder mit Selbstverteidigung anfangen, Cookson.«

»Und irgendwas sagt *mir*, dass ich im Sommer höllisch aufpassen muss, wenn die Mädels den Mann an meiner Seite mit Blicken ausziehen.«

»Den Mann an deiner Seite«, wiederholte er bedächtig.

»Wenn du nicht so genannt werden möchtest, dann …«

»Natürlich will ich das«, sagte Mack hastig. »Und wie ich will!«

Sie lächelte. Mehr brauchte sie nicht zu hören. Nichts stand mehr zwischen ihnen, von jetzt an lag es nur an ihnen, was sie aus ihrer Beziehung machten.

»Also«, sagte sie und fuhr ihm durchs Haar, »was bekomme ich, wenn ich ganz oben bin?«

»Etwas, das *ich* gern zweimal mache?«, fragte er augenzwinkernd.

»Klingt eher nach einer Belohnung für dich.«

»Na ja«, sagte er und zog sie an sich, »wenn ich noch weiß, wie es geht, könnte es für uns beide der absolute Hammer werden.«

Sie küsste ihn ungestüm, und seine Gedanken rasten. Er sehnte sich so sehr danach, sie zum allerersten Mal nackt in seinen Armen zu halten, damit sie einander behutsam erforschen konnten, wie sie es sich in ihren Briefen und in jenem einen Videotelefonat während einer kurzen Pause im Chaos des Lagers in Afghanistan immer erträumt hatten. Doch schöne Reden schwingen war das eine, die Praxis war etwas ganz anderes. Zwar funktionierte noch alles, aber die emotionale Seite und die rein technische lagen Welten auseinander. Hier in Montauk hatte er bislang nur Sex mit angetrunkenen Touristinnen gehabt, die sich am nächsten Morgen nicht an seinen Namen erinnern konnten oder ihn gar nicht erst danach gefragt hatten. Er war damit zufrieden gewesen. Es hatte ihm genügt. Aber hier ging es um Harri, und er wollte sie auf gar keinen Fall enttäuschen.

»Stopp!«, keuchte sie und löste sich von ihm. »Sonst schleife ich dich in den Pick-up zurück!«

»Yippie, keine Treppen! Ich hab gewonnen!«, rief er.

Sie drückte seine Hand. »Von wegen! Und jetzt komm, ich zeig dir mein Schloss.«

Der Leuchtturm von Montauk war ein Wahrzeichen und ein Nationaldenkmal. Harriet liebte alles an ihm, von dem weißen Turm mit seinem breiten braunen Streifen in der Mitte bis zu dem zweistöckigen, rechteckigen Leuchtturmwärterhaus westlich von ihm. Ihre Großmutter hatte recht: Etwas Besonderes verband sie mit diesem Ort, als wäre er tief in ihr verwurzelt, als stünde er für die vielen Sommer in Montauk und die unvergesslichen Zeiten mit ihren Großeltern.

Als sie das letzte Stück auf der schmalen Wendeltreppe hinaufstiegen, stützte sich Harriet mit den Händen an den Mauern ab, von denen die braune und weiße Farbe abblätterte wie eh und je. Es gab auch ein Seil, an dem man sich festhalten konnte. Als Kind hatte sich Harriet immer geweigert, egal, wie oft ihre Großeltern sie ermahnt hatten, weil es sicherer war. Sie schaute nach unten. Mack war ein kleines Stück hinter ihr. Sie stieg die paar Stufen bis zum letzten Absatz hinunter und sah durch das runde Fenster auf das kräftig blaue Meer hinaus. Die Sonne hatte sich gegen die Schneewolken durchgesetzt.

»Ich bin doch nicht behindert, Harri. Los, zurück auf die Treppe mit dir!«, befahl Mack, als er den Absatz erreichte.

Sie drehte sich zu ihm um. »Das letzte Stück gehen wir zusammen.«

»Wieso komme ich mir wie auf einem Schulausflug vor?«

»Vielleicht eine erotische Lehrerinnenfantasie, die du immer noch hegst?«, neckte sie ihn.

»Miss Bradley war eine ganz Wilde!«

Harriet schmunzelte. »Jetzt komm. Du gehst voraus«, sagte sie.

»Damit du mich im Notfall auffangen kannst?«

»Nein, damit ich deinen knackigen Hintern bewundern kann.«

Sie beobachtete, wie er bei jeder Stufe das gesunde Bein zuerst aufsetzte und dann das amputierte auf die gleiche Stufe nachstellte. Es war das erste Mal, dass sie sah, dass er ein wenig Mühe beim Laufen hatte.

»Guck auf meinen Hintern, Harri, nicht auf das dämliche Bein.«

»Mach ich doch.« Sie musste schlucken. Woher wusste er das?

»Treppen sind nicht meine Freunde«, rief er über die Schulter. »Die paar Stufen auf dem Schiff schaff ich schon, und in Kaufhäusern benutze ich den Fahrstuhl. Einen Leuchtturm hochzuklettern war in meinen Plänen für die Zukunft nicht vorgesehen.«

»Nicht ein einziges Mal?«, fragte sie lachend.

»Na ja, vielleicht zwei-, dreimal. Ich kenne da eine Frau, die so verrückt nach Leuchttürmen ist wie andere nach Wiederholungen von *Friends*.«

»So, wie du das sagst, klingt es ganz schön schräg.«

»Ist es ja irgendwie auch.«

»Tja, was soll ich sagen? Ich bin eben vollkommen unvollkommen!«

Oben angekommen stieß Harriet die Tür zur Plattform auf, trat hinaus und lehnte sich an das Geländer aus Metallrauten. Tief unter ihr, so weit das Auge reichte, erstreckte sich das Meer zu beiden Seiten von Long Island. Sie hatte das Gefühl, nach Hause zu kommen.

Mack legte von hinten seine Arme um sie, hielt sie ganz fest und flüsterte: »Ist es so, wie du es in Erinnerung hattest?«

Sie schüttelte den Kopf. »Besser!« Sie schmiegte sich an ihn. »Ich glaube, ich bin manchmal hier heraufgekommen, weil ich mir über so manches klar werden wollte. Und jetzt sehe ich alles ganz deutlich.«

»Wirklich?«

Mack versuchte, seine Gedanken unter Kontrolle zu halten. Der Augenblick zählte, nicht irgendeine ferne Zukunft. Achtsamkeit und Geduld, darauf kam es an. Alles sollte sich um Harri drehen.

»Als ich dieses Schaufenster sah«, begann sie. »Dieser ehemalige Waschsalon, weißt du. Als ob mir jemand nicht nur alle Teile geliefert, sondern auch zusammengestellt hätte.«

»So?«

»Ja. Das wäre der perfekte Ort für den Laden gewesen, von dem ich immer geträumt habe. Aber anscheinend ist mir jemand zuvorgekommen.«

»Moment mal ... Was?« Mack trat neben sie.

»Na ja, kein Mensch schleppt einen Kahn in einen Laden und dekoriert ihn so traumhaft schön für Weihnachten, wenn er nicht die Absicht hat, dort im neuen Jahr ein Geschäft zu eröffnen.«

Er biss sich auf die Zunge. Sollte er ihr die Wahrheit sagen?

Sie zuckte mit den Achseln. »Ich werde mich nach was anderem umsehen müssen, schätze ich. Vielleicht erst mal in Bournemouth und nicht hier. Und das Ganze für den Anfang eine Nummer kleiner, weil ...«

»Stopp!«, rief Mack. »Hör auf! Kein Wort mehr!« Er griff sich mit beiden Händen in die Haare und stieß ein frustriertes Stöhnen aus.

Sie starrte ihn verdutzt an. »Was ist denn los? Hab ich was Falsches gesagt?«

»Der Waschsalon. Er ist nicht vermietet.«

»Woher willst du das wissen?«

»Weil ich ihn ... na ja, ich ... habe ihn mir angesehen.«

»Du willst einen Laden mieten?« Ihre Verwirrung wuchs.

Er könnte ihr die gleiche Lüge auftischen wie Ruby – dass er auf dem Boot zu wenig Platz habe und dass er im Schaufenster dort mit einem Schild für seine Rundfahrten und Angelausflüge werben könnte. Aber er war der Mann an ihrer Seite. Harri hatte die Wahrheit verdient.

»Ich habe ihn mir deinetwegen angesehen ... nur so eine Idee von mir, weil ... ich wusste ja, dass du ...«, stotterte er. »Aber dann ist mir klar geworden, dass nicht ich das zu entscheiden habe, dass es mir nicht mal zusteht, diese Idee zu haben, und das ... war's dann.«

Sie hatte ihn unverwandt angesehen. Nun würde er erst wieder etwas sagen, wenn *sie* etwas gesagt hatte. Er hoffte, er hatte es nicht vermasselt. Sie sollte auf keinen Fall glauben, dass er über sie bestimmen wollte.

»*Du* hast dieses Boot in den Laden gebracht? Und all diese wunderschönen Dinge?«

»Nein! Damit hatte ich nichts zu tun! Ich meine, ich hatte die Idee, ich hab mir den Laden angesehen, um einen Blick auf das Dach und das Gebälk zu werfen, aber dann wurde mir klar, dass das ein Fehler war ... Nicht die Idee, einen Laden zu mieten, das ist kein Fehler, ich finde, das ist eine großartige Idee, wenn du das für eine großartige Idee hältst. Ich wollte bloß ...« Er merkte, dass er faselte, und verstummte.

»Das war Madame Scarlet. Und Ruby, vermute ich ... vielleicht auch Lester ... und der Kahn gehört vermutlich Skeet.«

Harri schüttelte den Kopf, verschränkte die Arme auf der Brust und schwieg. Schön, er hatte es verdient, dass sie ihn zappeln ließ. Aber wenigstens war er ehrlich gewesen. Das musste sie doch anerkennen.

»Bevor du etwas sagst«, fuhr er fort, »sollst du wissen, dass ich nicht zu den Typen gehöre, die dich kontrollieren oder über dein Leben bestimmen wollen oder dich ständig fragen, wo du warst oder mit wem du zusammen gewesen bist und solchen Mist, okay?«

»Okay.«

»Und ich weiß, dass du in England zu Hause bist, es dürfte problematisch sein, von dort aus ein Geschäft in den Hamptons zu führen. Aber es muss ja nicht ganzjährig sein. Viele Läden haben nur während der Sommersaison geöffnet, und im Sommer macht man richtig Kohle, das weiß ich aus Erfahrung.«

Als sie lächelte, überkam ihn eine grenzenlose Erleichterung. Er wollte noch etwas hinzufügen, aber sie legte ihm eine Hand fest auf den Mund.

»Bevor du etwas sagst«, flüsterte sie und wiederholte seine Worte, »sollst du wissen, dass ich dich immer noch mehr liebe als alles andere.«

Seine Augen verrieten ihn, aber es war ihm egal. Sie hatte gesagt, dass sie ihn liebte. Vor Jahren hatte sie diesen Satz am Schluss eines Briefs geschrieben. Aber jetzt hatte sie es laut ausgesprochen.

»Ich werde meine Hand jetzt wegnehmen«, fuhr sie sanft fort. »Was hast du mir also zu sagen?«

Er sagte gar nichts. Stattdessen küsste er sie langsam und innig, bis es ihm so vorkam, als würden sie miteinander verschmelzen.

EINUNDSIEBZIG

Die Warrior, Fort Pond
Weihnachten

Es schüttete wie aus Eimern. Ein ausgetrocknetes Flussbett hätte sich binnen Sekunden in einen reißenden Strom verwandelt, so viel Wasser stürzte vom Himmel. Harriet lag warm und trocken in dem winzigen Schlafraum in der Kajüte, öffnete langsam die Augen und räkelte sich wohlig und zufrieden, während der Regen über ihr auf das Deck hämmerte. Sie ließ ihre Blicke über die weihnachtliche Dekoration schweifen. An den Lebkuchenmännern hätte sie knabbern können, so nahe hingen sie. Engelabziehbilder klebten an den Bullaugen. Dabei konnte Mack so etwas nicht ausstehen. Sie drehte sich langsam und vorsichtig zu dem schlafenden Mann an ihrer Seite um. Ihrem Lover.

Mit der Fingerspitze fuhr sie von seiner Schulter abwärts über die Narben auf seinem durchtrainierten Bauch. Er hatte nicht nur seinen Unterschenkel verloren, sondern auch auf dem Oberkörper Verletzungen, Verbrennungen und oberhalb des Hüftknochens eine tiefe, kraterförmige Wunde. Letzte Nacht hatte er ihr noch mehr über jenen verhängnisvollen Tag erzählt, als dieser Junge hereingerannt war und eine Explosion Macks Leben für immer veränderte. Überlebt hatte er nur, weil er durch die Wucht der Detonation aus dem Fenster geschleudert worden und auf eine Markise gestürzt war, die seinen Aufprall auf dem Boden abgefedert hatte. Er vertraute ihr diese Einzelheiten nur zögernd an, weil es ihn unendlich viel Kraft kostete, darüber zu reden, doch es brachte sie einander näher. Genauso wie der Sex.

Harriet befeuchtete sich die Lippen, als sie mit ihrem Zeigefinger über seinen Schenkel fuhr. Nun hatte sie schon ihre zweite Nacht auf der *Warrior* verbracht. Am ersten Abend waren beide nervös gewesen, auch wenn sie so taten, als hätte das alles keine große Bedeutung. Sie hatten so lange an dieses erste Mal gedacht – und darüber geschrieben –, und jetzt war es endlich so weit. Mack war anzusehen, wie gehemmt er wegen seines Beins war, denn jetzt musste er emotionale statt physische Hürden überwinden. Es war fast so, als würde er sich durch das Abnehmen seiner Prothese nackter als nackt machen. Doch diese Scheu hatte nicht lange gedauert. Ihre Leidenschaft hatte alle Ängste und Sorgen besiegt, als sie sich mit Herzklopfen, flatternden Händen und gierigen Zungen gegenseitig erforschten. Letzte Nacht war alles ganz anders gewesen. Sie waren vor einem heftigen Gewitter aufs Boot geflüchtet, hatten sich ihre durchnässten Sachen heruntergerissen und sich mit nassen Haaren zwischen umgestoßener Weihnachtsdekoration auf der Sitzbank geliebt, nur darauf bedacht, eins zu werden und zum Höhepunkt zu kommen. Was ihnen auch gelungen war, mehr als einmal …

Sie ließ ihre Fingerspitze um seine Kniescheibe kreisen und dann über seinen Beinstumpf. Es war ein Wunder, dass er angesichts der schweren Verletzungen überhaupt noch lebte. Und dafür war sie unendlich dankbar.

»Mir wär's lieber, du würdest mich woanders berühren«, murmelte er verschlafen.

»Tut das weh?«

»Nicht, wenn du mich anfasst.« Er drehte sich ein wenig. »Manchmal fühlt es sich so an, als wäre der Unterschenkel noch da.«

»Ehrlich?«

»Hm. Verrückt, oder?«

»Weißt du, was auch verrückt ist?«

»Was denn?« Er rutschte weiter hinauf und stopfte sich ein Kissen in den Rücken.

»Heute ist Weihnachten!«

»Na, dann wünsche ich dir ein frohes Fest!« Er beugte sich über sie und küsste sie.

Sie kam nicht dazu, den Kuss ausgiebig zu erwidern, weil Scooter bellend auf die Koje sprang, herumhüpfte und versuchte, beide abzuschlecken.

»Benimm dich, Scooter! Zunge weg!«, befahl Mack.

»Er ist doch so ein Braver, nicht wahr, mein Junge?« Harriet kraulte ihn hinter den Ohren.

»Okay, Weihnachtstraditionen«, begann Mack. »Hast du mir nicht erzählt, du magst Würstchen zum Frühstück?« Er zwinkerte vielsagend.

Sie holte aus, um ihn an die Schulter zu boxen, aber er packte blitzschnell ihre Hand. Ehe sie sichs versah, hatte er sie auf den Rücken gedreht. Sie schnappte nach Luft, und Scooter stieß ein kurzes Kläffen aus.

»Ist das dein Ernst, Harri?«, fragte Mack, als er sich über sie beugte. »Du machst es mir so leicht.«

Sie lächelte zu ihm auf. »Haben wir uns das nicht verdient? Diese Leichtigkeit? Zeit, dass wir auch mal auf der Sonnenseite stehen, oder?«

Mack nickte. »Ich wollte immer schon mal auf Hawaii in der Sonne liegen. Wann setzen wir die Segel? Oder willst du lieber den Flieger nehmen?«

Das war das Stichwort. Er grübelte darüber nach, seit sie auf dem Leuchtturm über den Laden geredet hatten. Sie waren zusammen, aber wie sollte es weitergehen? Sie hatte ihr Leben, ihr Zuhause, wo ihre bekloppte Mitbewohnerin wartete, in England. Wie würde sie sich entscheiden? Er biss in den sauren Apfel.

»Apropos Flieger.«

Sie sah blinzelnd zu ihm auf und war dabei so unglaublich sexy. Musste er diese Unterhaltung unbedingt jetzt führen? Doch da lächelte sie.

»Ja, ich weiß, was ein Flieger ist. Hab schon mal einen gesehen.«

Er grinste. Sie kannte ihn. Sie wusste genau, worauf er hinauswollte.

»Du weißt, was ich dich fragen möchte, nicht wahr?«

Er betrachtete sie. Ihre blonden Haare lagen auf dem Kopfkissen ausgebreitet. Würde man ihm sagen, dass sich von nun an sein ganzes Leben hier, in dieser Kajüte, abspielen sollte, zusammen mit Harri, er würde sich für den glücklichsten Mann auf der Welt halten. Verdammt, er *war* der glücklichste Mann auf der Welt!

Sie richtete sich unvermittelt auf, gab ihm einen flüchtigen Kuss und sprang von der Koje. »Du bekommst die Antwort heute Abend beim Truthahnessen!« Und schon war sie durch die Tür und in der winzigen Duschkabine verschwunden.

Mack sah Scooter an, der mit heraushängender Zunge hechelte. »Ich weiß ganz genau, wie du dich fühlst, Kumpel!«

KAPITEL
ZWEIUNDSIEBZIG

Das Rum Coconut

Meine allerliebste Joanna,

was kann ich dir über Weihnachten im Rum Coconut erzählen? Ich weiß nur, dass ich an Weihnachten alles tue, damit es ein schönes Fest wird. Auch wenn das bedeutet, dass ich wie jeden Tag in der Küche stehe, aber dieses Mal geht es um die Menschen, die ich liebe. Als dein Vater klein war, hat er mir immer geholfen, eine riesige Weihnachtskokosnusstorte zu backen. Sie hatte drei Schichten mit Buttercreme und eine Glasur und sah aus wie eine Mischung aus Schneeflocke und Schneeball. Wir haben eine kleine Kerze oben in die Mitte gestellt und angezündet und an all jene gedacht, die im Lauf des Jahres von uns gegangen sind, oder für jene gebetet, die Hilfe brauchten. Und dann hat dein Vater von der Glasur genascht, noch bevor dein Großvater die Torte anschneiden konnte!

Weihnachten ist das Fest der Liebe, der Familie, wie auch immer diese Familie aussehen mag. Im Lauf der Jahre waren an meinem Weihnachtstisch die unterschiedlichsten Menschen versammelt, von Durchreisenden bis hin zu Freunden, die ich bereits ein Leben lang kenne. Könnten wir doch eines Tages gemeinsam Weihnachten feiern, Joanna! Wir hatten wunderschöne Sommer zusammen, und ich weiß ja, dass du viel zu tun hast, aber du sollst wissen, dass an meiner festlichen Tafel trotz voll besetzter Plätze immer Lücken waren,

wo du und dein Vater hättet sein sollen. Hoffentlich können
wir eines Tages alle miteinander feiern und von der Kokos-
nusstorte naschen! Vielleicht hast du ja eine Idee, wie man sie
ein wenig abwandeln könnte ...

Im Barbereich waren einige Tische weggeräumt, andere
zu einem einzigen langen Tisch am Fenster mit Blick auf
den schneegesprenkelten Strand und das Meer zusammen-
geschoben worden. Die Beleuchtung war gedimmt, im Kamin brannte ein Feuer, und Meryl Cheeps Käfig war nahe an
den Tisch gerückt worden, damit sie sich nicht ausgeschlossen fühlte. Madame Scarlet hatte noch viel mehr Lametta,
Kugeln und anderen Weihnachtsschmuck mitgebracht und
Ralph und Mack lautstark herumkommandiert, bis die grellbunten Papierlaternen mit dem Palmenmuster so an der Decke hingen, wie sie sich das vorstellte.

Der Truthahn war verspeist worden, bis auf ein paar Reste,
von denen Scooter offensichtlich glaubte, sie seien für ihn.
Es hatte Wein, Bier und Harri-Holidays-Cocktails gegeben, außerdem einen Alfalfa-Shake, den Ralph zusammengemixt und niemand außer ihm getrunken hatte. Abgesehen
von Jude und Marnie waren alle versammelt, die Harriet am
meisten auf der Welt liebte. Jude hatte ihr eine Textnachricht geschickt, fröhliche Weihnachten gewünscht und hinzugefügt, dass »die Schülerin jetzt die Lehrerin« war – was
vermutlich bedeutete, dass der Professor es sich bereits be-
quem machte. Marnie ging es ebenfalls gut. Als Harriet mit
ihr telefoniert hatte, war ihre Freundin Cheryl da gewesen.
Nach dem Lunch würde sie sich in aller Ruhe das *Strictly
Christmas Special* anschauen. Harriet hatte ihr weder von Iain
und der Firma noch von Mack erzählt, weil sie ihr den Abend
nicht verderben wollte. Sie würde sie morgen noch einmal

anrufen und ihr auch von ihrem Dad und ihren Zukunfts-
plänen berichten.

»Kriegen wir jetzt ein Stück Torte?«, rief Rufus.

»Pst!« Ruby legte den Zeigefinger auf die Lippen. »Du
weißt doch, was vorher kommt.«

»Dass wir uns was wünschen?«, krähte Riley.

»So ungefähr.« Joe erhob sich.

»Geht es dir gut, Grandpa?«, fragte Harriet.

»Dad.« Ralph stand ebenfalls auf. »Warum lässt du mich
das nicht machen?«

Joe sah ihn an und lächelte. »Warum machen wir es nicht
gemeinsam, mein Sohn?«

»Und dann gibt es Torte?«, schrie Rufus.

»Still, Schätzchen, wir müssen jetzt ruhig sein«, ermahnte
Madame Scarlet ihn.

Mack griff unter dem Tisch nach Harriets Hand und verschränkte sie mit seiner. Mit ihm hier zu sein und dann noch
erleben zu dürfen, wie ihr Dad sich mit ihrem Grandpa aus-
söhnte, war das schönste Weihnachtsgeschenk, das sie sich
vorstellen konnte. Als sie beobachtete, wie Vater und Sohn
gemeinsam die weiße Kerze auf der Kokosnusstorte anzün-
deten, hatte sie das Gefühl, dass ihre Nana hier unter ihnen
war und sich freute, dass ihr Wunsch in Erfüllung ging: Die
ganze Familie war zu Weihnachten versammelt.

Es wurde ganz still im Raum. Lester senkte den Kopf, Dr.
Ambrose nahm seine Brille ab, die Zwillinge schlossen die
Augen und falteten die Hände zum Gebet. In diesem Au-
genblick wusste Harriet mit absoluter Gewissheit, wo ihre
Zukunft lag.

»Was ist das?« Mack sah den Umschlag an, den Harriet ihm
reichte.

Sie lächelte und wickelte die Decke fester um sich. Sie hatte die Füße unter sich gezogen und saß trotz der Kälte und dem leichten Schneefall mit Mack draußen auf der Hollywoodschaukel. Obwohl Joe ihm den Pick-up angeboten hatte, war Lester mit dem Rad zu dem Pflegeheim gefahren, wo seine Tante untergebracht war. Joe und Ralph zankten sich oben gut gelaunt darüber, welchen Film sie sich ansehen wollten. Madame Scarlet war nach Hause gegangen, um eine Séance mit ein paar Freunden vorzubereiten. Dr. Ambrose half in der Suppenküche der Kirche aus, und Ruby machte einen Spaziergang mit ihren Brüdern und den Drachen, die Harriet ihnen zu Weihnachten geschenkt hatte.

Auf dem Tisch brannten Kerzen. Ein Ethanol-Tischkamin, dessen orangerote Flammen am Glas hinaufzüngelten, sorgte für ein wenig Wärme. Scooter schlief auf dem plüschigen, quietschenden Biber, den er bekommen hatte.

»Wonach sieht es denn aus?«

»Wie einer der Briefe, die du mir immer geschickt hast«, antwortete Mack lächelnd. »Das ist sogar Luftpostpapier.«

Sie lachte. »Ich hatte noch welches da, und da konnte ich nicht widerstehen. Mach ihn auf.«

»Ich weiß nicht recht.« Er spielte mit dem Umschlag, und die Schaukel schwang ein wenig hin und her.

»Warum zögerst du?«, wollte sie wissen.

»Wollen wir unsere Beziehung wieder auf dem Papier führen?«

»Unsere Beziehung«, zog sie ihn auf. »Wie erwachsen wir doch sind!«

»Tja, weißt du, sogar als du mir von dieser grässlichen Countrymusik geschrieben hast, auf die du so stehst, und wie toll Steven-Seagal-Filme sind, habe ich immer gedacht, wir würden das bis zum Ende durchziehen. Wie Erwachsene.«

»Ich auch«, entgegnete sie. »Und jetzt mach schon auf!«
Er öffnete den Umschlag und zog das Blatt Papier heraus.
Sie bekam Herzklopfen, als er zu lesen begann.

Lieber Mack,

es ist so lange her seit meinem letzten Brief an dich, dass ich fast nicht weiß, wie ich anfangen soll. Schwer vorstellbar, nicht wahr, nachdem ich dich immer vollgelabert habe mit allem, was mir wichtig war und was nicht. Manchmal frage ich mich, was wohl passiert wäre, hätte Corporal Javier Gonzalez jenes erste Päckchen nicht dir, sondern einem anderen Soldaten gegeben. Aber ich glaube, diese zweite Chance beweist, dass das Schicksal wollte, dass wir zusammen sind. Selbst wenn ich jemand anderem geschrieben hätte, hätten sich unsere Wege irgendwann gekreuzt und unsere Herzen zueinandergefunden. Ich meine, Montauk ist ein wundervoller Ort, du hättest vielleicht in einem Reiseführer etwas über ihn gelesen, oder das Mädchen, das Jackson Tate geschrieben und ihm seine Unterwäsche geschickt hat, hätte dir eine Reise dorthin empfehlen können … Was ich damit sagen will – ich bin mir sicher, dass wir füreinander bestimmt sind. Unsere Sterne befinden sich im Einklang, unsere Planetenkonstellation ist die gleiche, unsere Angelruten sind perfekt nebeneinander ausgeworfen … welchen Vergleich du auch immer heranziehen möchtest, Mack, wir gehören zusammen.

Und deshalb werde ich nicht nach England zurückkehren. Ich bleibe nicht nur über Weihnachten und Silvester, ich werde für immer hierbleiben. Ich will ein neues Leben in Montauk anfangen, mit einem Laden, den ich Lorna's nennen werde, einem ehemaligen Waschsalon mit einem Ruderboot im Fenster. Das ist mein großer Traum, Mack, und ich wäre glücklich, wenn du und Scooter ihn mit mir teilen würdet.

Für immer die Deine,
Harri

Mack weinte, aber er schämte sich nicht für seine Tränen. Er schlug einen Moment die Hände vors Gesicht, faltete den Brief dann langsam zusammen. Das war mehr, als er zu hoffen gewagt hatte. Er hatte alles weggeworfen, weil er zu kaputt gewesen war, um zu erkennen, was er tat. Aber sie hatten wieder zueinandergefunden, und dieses Mal war es für immer.

»Und?«, begann Harriet. »Wollt ihr mich haben, du und Scooter? Eine Weile werde ich zwar noch hier im Rum Coconut bleiben, aber über dem Waschsalon gibt es eine Wohnung, die allerdings in sehr viel schlechterem Zustand ist als der Laden, sie braucht einen Anstrich und neue Böden und vielleicht ein paar Regale und …«

»Scooter!«, rief Mack.

Der Hund fuhr aus dem Schlaf hoch, stand auf, schüttelte sich und tapste zu ihnen.

»Willst du ihn ernsthaft fragen?«

»Was denkst du denn«, erwiderte Mack und legte eine Hand auf Scooters Halsband. »Er ist ein ausgezeichneter Menschenkenner, und ich vertraue seinem Instinkt.« Er schnippte mit den Fingern. Scooter schaute zu ihm auf. »Was meinst du, Kumpel? Wollen wir ein Mädchen in die Crew der *Warrior* aufnehmen?«

»*Wuff!*«, lautete Scooters Antwort. Harriet war sich nicht sicher, ob das ein Ja oder ein Nein war, aber sie bemerkte einen kleinen Umschlag an seinem Halsband. Mit ihrem

Namen darauf. *Harri.* Sie lachte. »Hast du mir etwa auch einen Brief geschrieben?«

»Ich schätze, die Tage des Briefeschreibens sind für mich vorbei. Im Frühjahr stehen die Bootstouren auf dem Programm, und ich habe da so eine Ahnung, dass ich bald auch Wände streichen und Regale zimmern werde.« Er nahm den Umschlag von Scooters Halsband. »Eigentlich ist das bloß eine kurze Mitteilung, kein Brief.«

Harriet riss den Umschlag auf. Eine Minitüte Haribos fiel heraus. Sie lachte schallend. »O Mack! Das sind die, die ich zuallererst nach Afghanistan geschickt habe!«

»Mach sie auf. Das sind ganz besondere Haribos.«

»Was?« Harriet sah ihn verwirrt an und öffnete die Tüte.

Darin befanden sich ausschließlich rote und weiße Gummiherzen und ein Jelly-Ring. Bevor sie sich einen Reim darauf machen konnte, hatte Mack den Ring herausgenommen und hielt ihn ihr hin.

»Ich hoffe, du hast Verständnis, wenn ich mich nicht hinknien werde«, sagte er trocken und lächelte.

»Mack«, wisperte sie mit Tränen in den Augen.

»Und bei deinem Vater habe ich auch noch nicht um deine Hand angehalten, weil der Bursche ja gerade erst angekommen ist und alle Hände voll mit der großen Familienzusammenführung zu tun hat, deshalb würde ich *den* Teil gern verschieben und hoffe auch dafür auf dein Verständnis.« Er ergriff ihre Hand. »Manche würden denken, das geht zu schnell, aber ich bin nicht manche, Harri. Und ich war mir noch nie einer Sache so sicher.« Er tat einen langen, nervösen Atemzug. »Lies, was ich dir geschrieben habe.«

Harriet zog einen rechteckigen Zettel aus dem Umschlag. Es standen nur fünf Worte darauf.

Willst du meine Frau werden?

Sie blickte auf, sah in diese wunderschönen grünen Augen, die sie nie vergessen hatte, und nickte energisch.

»Ja, ich will. In guten wie in schlechten Tagen. Für immer.«

Dann warf sie die Arme um ihn und hielt ihn ganz fest. Es schneite immer noch. Und Harriet hatte für einen kurzen Moment das Gefühl, dass ihre Großmutter wohlwollend lächelnd auf sie beide herunterschaute.

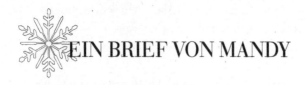EIN BRIEF VON MANDY

Das war's schon wieder! Ich hoffe, Ihnen ist wohlig warm geworden bei der Geschichte von Harriet und Mack und Sie haben Appetit auf einen riesigen Truthahn mit allem Drum und Dran bekommen. Mir jedenfalls ging es so, als ich den Roman geschrieben habe.

Wie haben Ihnen die Hamptons als Kulisse für diesen Weihnachtsroman gefallen? Es ist das erste Mal, dass ich eine Weihnachtsliebesgeschichte am Meer geschrieben habe, und es wird hoffentlich nicht die letzte sein. Diese Mischung aus Sandstrand und Schnee hat mir unglaublich viel Spaß gemacht!

Und jetzt zum Helden der Geschichte. Haben Sie sich auch in Mack verliebt so wie Harriet? Ich mag diese Figur sehr, deshalb hoffe ich, dass ich Macks Leben als Kriegsveteran und -versehrter möglichst realistisch geschildert habe.

Und was sagen Sie zu den tierischen Stars? Meryl Cheep und Scooter?

Ich hoffe sehr, dass Ihnen der Roman Freude bereitet hat und bin gespannt auf Ihre Meinung! Falls Sie ein paar Minuten Zeit haben, schreiben Sie doch eine Rezension auf Amazon. Das könnte jemanden veranlassen, zu seinem allerersten Mandy-Baggot-Roman zu greifen. Stellen Sie sich das mal vor!

Sie können sich gern für den Newsletter auf meiner Webseite anmelden und jeden Monat etwas gewinnen. Folgen Sie mir auf allen Social-Media-Kanälen – ich bin immer erreichbar!

Webseite: www.mandybaggot.com
Auf Twitter: @mandybaggot
Auf Facebook: @mandybaggotauthor
Auf Instagram: @mandybaggot
Treten Sie gerne auch dem The Mandy Baggot Book Club auf Facebook bei!

Fröhliche Weihnachten Ihnen allen, und denken Sie daran: Der Sommer steht schon in den Startlöchern …

Mandy

DANK

Wie immer gibt es so viele, denen ich danken möchte!

Tanera Simons, meiner fantastischen Agentin, und dem ganzen Team von Darley Anderson. Ihr alle arbeitet so hart daran, das Beste aus meinen Büchern herauszuholen, und ich bin unendlich dankbar, Teil des Teams sein zu dürfen!

Thorne Ryan – man hat dich genau wie mich ins kalte Wasser geworfen! Danke für deine Hilfe bei diesem Roman und dafür, dass du Mack genauso liebst wie ich.

Meinen Bagg Ladies und meinen MB-Book-Club-Mitgliedern und jedem einzelnen Leser, der meine Bücher kauft und ausleiht! Danke fürs Lesen, für eure Rezensionen und eure positiven Rückmeldungen zu den Geschichten. Ohne euch könnte ich das alles nicht machen!

Jedem, mit dem ich im Vorfeld über diesen Roman gesprochen habe! Ich hätte mir Montauk gern persönlich angesehen, aber in Zeiten von Corona war das leider nicht möglich. Deshalb ein großes Dankeschön an alle, die ihre Urlaubsvideos auf YouTube stellen – ihr seid der absolute Wahnsinn!

Sue Fortin – du hast mir von der ersten bis zur letzten Seite den Rücken freigehalten. Danke für deine unglaubliche Freundschaft!

Autorin

Mandy Baggot ist preisgekrönte Autorin romantischer Frauenunterhaltung. Sie hat eine Schwäche für Kartoffelpüree und Weißwein, für Countrymusic, Reisen – und natürlich für Weihnachten. Die Autorin lebt mit ihrem Ehemann und ihren beiden Töchtern in der Nähe von Salisbury.
Weitere Informationen zu Mandy Baggot unter:
www.mandybaggot.com

Mandy Baggot im Goldmann Verlag:

Winterzauber in Manhattan. Roman
Winterzauber in Paris. Roman
Winterzauber in Notting Hill. Roman
Winterzauber im Central Park. Roman
Winterzauber in Mayfair. Roman
Winterzauber an der Seine. Roman
Winterzauber in den Hamptons. Roman

(☛ alle auch als E-Book erhältlich)

Unsere Leseempfehlung

512 Seiten
Auch als E-Book
erhältlich

Ava hat Onlinedating gründlich satt. Sie möchte endlich jemanden treffen, der sie im Sturm erobert! Und während eines Schreibworkshops in Italien passiert ihr genau das: Hals über Kopf verliebt sie sich in einen unglaublich attraktiven Teilnehmer. Sie kennt nicht einmal seinen Namen – aber es ist Liebe! Zurück in London ist Avas Überraschung allerdings groß. Matt ist kein schöngeistiger Schreiner, sondern ein Anzug tragender Geschäftsmann mit übergriffiger Mutter. Und auch Matt hat nicht mit Avas Faible für Flohmarktmöbel und schwer erziehbare Hunde gerechnet. Passen sie bei aller Liebe einfach nicht zusammen?

goldmann-verlag.de